KJELL ERIKSSON

KAMIENNA CISZA

Przekład
EWA CHMIELEWSKA-TOMCZAK

AMBER

Korekta
Halina Lisińska
Hanna Lachowska

Projekt graficzny okładki
Małgorzata Cebo-Foniok

Zdjęcie na okładce
© SphinxHK/Shutterstock

Tytuł oryginału
Stenkistan

Druk
POZKAL

ISBN 978-83-241-4966-7

Warszawa 2014. Wydanie I

Wydawnictwo AMBER Sp. z o.o.
02-952 Warszawa, ul. Wiertnicza 63
tel. 620 40 13, 620 81 62

www.wydawnictwoamber.pl

Prolog

Jaszczurki biegały po murze, szybkie i niespokojne. Czekały na słońce, które za pół godziny miało wynurzyć się z morza. Poranna aktywność jaszczurek.

Mur mógł równie dobrze stać w Irlandii. Kamień był inny, lecz przekaz ten sam. Kamień na kamieniu, na pozór niedbale zespojone, a tak wspaniale funkcjonalne. Mur wznosił się na wysokość półtora metra, otaczał ogród i w jednym rogu działki przechodził w ścianę.

Szary eternitowy dach tonął w ciemnej zieleni. Palmy, drzewko cytrusowe i parę innych niewysokich drzew, których nie rozpoznawał. Zebrał kilka brązowych torebek nasiennych, potrząsnął, przyłożył do ucha, po czym wyjął parę ciemnych ziarenek. Wyglądały na trujące. Czarne, z niemal metalicznym połyskiem, leżały w jego dłoni jak tajemniczy posłańcy i przez moment poczuł impuls, by szybkim ruchem wrzucić je prosto do gardła.

Trujące? I co z tego. Były piękne i zachował je, by później zasiać.

Nagle spadł deszcz. We wgłębieniach eternitu zbierały się krople, staczały z dachu i spadały na ziemię. Migotały w chwili, gdy miały spaść. Wyobraził sobie, że są bezgłośną muzyką, walcem granym dwoma palcami na klawiaturze. On, który nie miał słuchu, dał się oczarować piękną muzyką kropel deszczu.

Weź się w garść, pomyślał, i w tej samej chwili deszcz przestał padać.

Morze wlewało się na plażę. Poprzedniego wieczoru próbował sobie uporządkować nieprzerwany ruch fal. Czy miał stałą częstotliwość? Siedem małych i jedna duża? Czasem milkły w głuchej ciszy, jak gdyby morze wstrzymywało oddech. Na dwie, trzy sekundy, nie dłużej.

Kwiaty podobne do polnego powoju wiły się u jego stóp. Przesiewał piasek między palcami, patrząc na morze i płynący w oddali kontenerowiec. Chciał coś zaplanować, ale był zbyt zmęczony, by racjonalnie myśleć, i zbyt zdezorientowany w otoczeniu, by czuć się w nim bezpiecznie. Wystawiony, pomyślał, jestem wystawiony na ryzyko na tej plaży i muszę tu coś postanowić.

Zamiast podjąć decyzję, poszedł do sklepu, który jednocześnie pełnił funkcję baru. Domek sklecony z desek i blachy opierał się o drzewo, zwrócony fasadą w stronę drogi. Ramon, zwany Piekarzem, wyciągnął rękę nad leżącymi na ladzie paczkami gumy do żucia.

Starszy mężczyzna, siwowłosy i z pobrużdżoną twarzą, czujnie mu się przyglądał. Naprzeciw niego siedziała kobieta ubrana w obcisłą zieloną sukienkę.

Zamówił piwo, usiadł przy drugim stoliku, skinął głową staremu i pociągnął łyk zimnego napoju. Niech tak zostanie, pomyślał, tu, przy tym stoliku. Woda pochodzi z gór, a sól z morza.

– Dobre – powiedział, wiedząc, że się upije. Dopóki będzie pił, Ramon nie zamknie sklepu.

Dał znak Piekarzowi, by podał piwo staremu i kobiecie.

Jesteśmy nowymi konkwistadorami, pomyślał i westchnął.

– Czy coś się stało?

Sven-Erik Cederén pokiwał głową i podniósł szklankę. Był już w tym kraju pięć czy sześć razy, ale dotąd nigdy sam. Każdy kolejny pobyt zmieniał jego punkt widzenia. Z początku szukał zwykłych miejsc turystycznych, pił rum i przyglądał się kobietom, ale nigdy nie podjął inicjatywy. Teraz przychodził do Piekarza, siedział zwykle w milczeniu przy stoliku i pił piwo Presidente.

– Jak długo zostaniesz? – zapytał Piekarz.

Para przy drugim stoliku odwróciła się i spojrzała na niego z zainteresowaniem, jak gdyby jego odpowiedź była sprawą najwyższej wagi.

– Jeszcze przez tydzień.

Starszy mężczyzna podniósł butelkę.

– Zamierzam kupić ziemię. Tuż za Gaspar Hernandez.

– To wieś pełna idiotów – powiedział stary.

– Jaki jest twój kraj? – zapytała kobieta.

Odpowiedział jak zwykle, mówił o zimnie, śniegu i oblodzonych jeziorach, o lasach, ale potem umilkł. Chciał powiedzieć coś jeszcze.

– Żyje nam się... – zaczął niepewnie – żyje nam się dość dobrze.

Opowiedział o swojej córce. Dostał następne piwo. Piekarz otworzył butelkę rumu i napełnił szklankę. Oparł ręce na kontuarze. Sven-Erik spojrzał na niego i uśmiechnęli się do siebie.

– Tęsknisz za nią?

– Oczywiście.

– Nie tylko za nią – rzekł Piekarz.

– Zawsze się tęskni za swoim krajem – wtrącił stary.

Szwed pokręcił głową.

– Tęsknisz za kobietą.

– Może.

Co on zrobił? Czy mógł to naprawić? Nie. Mógł tylko opatrzyć ranę. Był nawróconym, który nawrócił się za późno. Tak to wyglądało. Maszerował w takt przez prawie czterdzieści lat. Teraz wypadł z szeregu. Bał się. Gdyby tylko mógł siedzieć w tym walącym się sklepie, pić piwo i rozmawiać z przewijającymi się ludźmi. Piekarz i jego bar daliby mu rozgrzeszenie.

Bał się, ale nie o własną skórę. Kłamstwo! Oczywiście, że bał się wyroku. Uciekł do tego sklepu pełnego piwa, pringlesów i gumy do żucia.

Mówił dalej o swoim kraju. Co mam im jeszcze powiedzieć? Co ja właściwie wiem o Szwecji? Czy mam opowiedzieć o życiu w Uppsala-Näs, polu golfowym w Edenhof i relacjach z kolegami z pracy, odczytach w stowarzyszeniu przedsiębiorców, wykafelkowanych łazienkach i pomoście, który wyremontowałem za sto tysięcy koron?

Mówiąc, spoglądał ukradkiem na kobietę. Była między dwudziestką a trzydziestką. Jej dłoń niemal dotykała jego ręki. Powinien dać radę. Ze względu na plik banknotów pęczniejący w jego kieszeni. I penis pęczniejący w spodniach.

Upił łyk piwa. Piekarz spojrzał na niego i skinął głową.

1

Idź szosą! Ubrudzisz buciki.

Dziewczynka zerwała ostatni kwiatek i wręczyła mamie bukiecik z koniczyny.

– Czterolistna przynosi szczęście – powiedziała.

– Położymy je na grobie.

Kobieta ułożyła kwiaty, obrywając jeden zwiędły listek.

– Babcia lubiła koniczynę – powiedziała w zamyśleniu. Spojrzała w stronę kościoła, a potem na idącą obok niej córkę. Jeden dzień, pomyślała, przeżyły razem na ziemi tylko jeden dzień.

Emily urodziła się sześć lat i jeden dzień temu, a następnego dnia zmarła jej babcia. W każdą rocznicę jej śmierci szły na cmentarz i składały kwiaty na grobie. Siedziały też przez dłuższą chwilę na cmentarnym murku. Kobieta piła kawę, a dziewczynka sok.

Miały przed sobą półgodzinny spacer. Mogły pojechać samochodem, ale wolały iść. Podczas niespiesznej przechadzki na cmentarz można było rozmyślać. Kochała matkę ponad wszystko. To było trochę tak, jakby Emily zastąpiła babcię. Jedna miłość odeszła, druga przyszła.

Młodą matkę wraz z noworodkiem przetransportowano podziemnym przejściem Szpitala Akademickiego na oddział, na którym leżała babcia, unosząc się w krainie między jawą a snem.

Malutka dziewczynka szukała jej piersi. Z początku wydało jej się to nowym ciężarem, jaki musi udźwignąć wyczerpane porodem ciało.

Domyślała się, że to zapach maleństwa pobudził babcię do życia, bo nagle poruszyła nozdrzami. Wyciągnęła do małego zawiniątka chudą, pokłutą igłami dłoń i otworzyła zamroczone morfiną oczy.

– **Chcę pobiec ten ostatni kawałek** – powiedziała dziewczynka, przerywając rozmyślania matki.

– Nie, pójdziemy razem – odrzekła kobieta i tuż przed śmiercią pomyślała, że może ocaliłaby córce życie, gdyby pozwoliła jej pobiec.

Samochód uderzył w nie z całej siły. Dziewczynkę odrzuciło na kilkanaście metrów i umarła niemal w ułamku sekundy. Kobieta upadła i lewe przednie koło samochodu przejechało po jej ciele. Żyła jeszcze dość długo, by zrozumieć, co się stało, i pomyśleć, że mogła uratować córce życie. Zdążyła zauważyć, że samochód wpadł w poślizg, uciekając z miejsca wypadku, po czym przyspieszył i znikł za kościołem.

– Czemu nas zabijasz – wyszeptała.

2

Ann Lindell cieszyła się z dobrego humoru kolegi. Sammy Nilsson przeczytał horoskop na dziś ze śmiertelnie poważną miną, ale kiedy doszedł do ostatniej linijki „...i może przyjmiesz miłosne zaproszenie, jakie dziś dostaniesz”, wybuchnął śmiechem.

– Zaproszenie miłosne – powtórzyła Ann – to dopiero brzmi.

– Może Ottosson zaprosi cię na kawę – powiedział Sammy. – Chyba mu się podobasz.

Ottosson był szefem wydziału zabójstw. Zwołał zebranie na wpół do dziesiątej i Ann oraz Sammy przeczuwali, że będzie poświęcone organizacji wydziału kryminalnego.

Wszystko szło nie tak, jak trzeba. Straż miejska, którą wprowadzono z wielką pompą, teraz ledwo zipała i w każdej chwili mogła wydać ostatnie tchnienie. Mówiło się, że straż w Gottsunda i innych rejonach zewnętrznych powinna podlegać okręgowi przemysłowemu Fyrislund. „Straż" mogła zyskać zupełnie inne znaczenie, gdyby komendant Lindberg dostał to, czego chciał.

– No to jak? Słyszałem plotki, że się z kimś umawiasz.

Ann rzuciła mu szybkie spojrzenie. Sammy odniósł wrażenie, że wygląda na wystraszoną.

– Umawiam? Nie.

– Nie spotykałaś się z facetem?

– Byłam na imprezie, wiesz, z paczką koleżanek.

– Słyszałem co innego.

Ann uśmiechnęła się.

– Nie wierz we wszystko, co słyszysz. To był tylko jeden raz.

– A jeden raz się nie liczy?

Ann w odpowiedzi znów się uśmiechnęła.

Do pokoju wszedł Ola Haver. Ann wyczytała z wyrazu jego twarzy, że coś się stało, ale zaczął mówić dopiero wtedy, gdy usiadł przy stole.

– Mamy wypadek z ucieczką kierowcy. Dwie ofiary śmiertelne.

– Gdzie? – zapytał Sammy.

– Uppsala-Näs.

– Są świadkowie? – zapytała Ann.

Haver pokręcił głową.

– Przejeżdżał tamtędy kierowca ciężarówki. Jedna z ofiar to dziecko. Dziewczynka.

Haver był blady jak ściana.

– O cholera – mruknął Sammy.

– Jakieś sześć lat.

Ann spojrzała na zegar: dziewiąta dwanaście.

– Zadzwonię do Ottossona – powiedziała, wstając.

„Zaproszenie miłosne", pomyślała Ann, wskakując do samochodu Sammy'ego, zwykle dostajemy takie, jak teraz.

Zerknęła na Sammy'ego, gdy wyjeżdżał na Salagatan. Przeklinając pod nosem ruch, skierował się na St. Olofsgatan i spojrzał ze złością na rowerzystę, który wyjechał z prawej strony i zmusił go do zatrzymania się.

Haver na tylnym siedzeniu rozmawiał przez telefon i Ann domyśliła się, że odbiera informacje od patrolu, który jest na miejscu.

Środa czternastego czerwca zapowiadała piękne lato. Dolina prowadząca do jeziora Mälaren kipiała bujną zielenią. Pastwiska porastała wysoka trawa. W niektórych miejscach zaczynały się już pierwsze zbiory. Tuż przed Högby jakiś mężczyzna zostawił na poboczu traktor i wszedł ciężkim krokiem w koniczynę i tymotkę sięgające mu do pasa. Ann przez chwilę miała niemal fizyczne odczucie obecności Edvarda. To on mógł iść tym polem, obejmując dłońmi ramiona. Wrażenie minęło po sekundzie, ale jednak nie. On tam był. W tym krajobrazie. Jeszcze pół roku po rozstaniu Edvard Risberg towarzyszył jej jak cień. Słyszała jego słowa i czuła jego dłonie. Nikt dotąd nie wniknął w jej życie tak jak on.

Kozioł sarny pojawił się na skraju lasu, spoglądając czujnie w stronę Lunsen. Słońce świeciło Ann prosto w oczy, ale nie opuściła osłony w samochodzie, tylko pozwoliła, by promienie grzały ją w twarz. Edvardzie, jesteś teraz nad morzem?

Kilometr dalej na skraju rowu leżała kobieta z córeczką.

Haver powiedział coś, czego Ann nie zrozumiała.

– To chyba Ryde – rzekł Sammy. – Tylko on jeździ taką zardzewiałą mazdą.

Miał rację. Eskil Ryde, technik kryminalistyczny, był już na miejscu. Stał pochylony nad rowem. Jedną ręką przeczesywał rzadkie włosy, drugą gestykulował.

Jeden z umundurowanych kolegów stojący przy minibusie pomachał Ann na przywitanie. Kiedy wysiadała z samochodu, mignął jej jakiś kształt w rowie. Dziecko, pomyślała i wymieniła szybkie spojrzenia z Sammym.

Ryde uniósł szary koc. Czoło dziewczynki było zmiażdżone. Åke Jansson, drugi z umundurowanych kolegów, pociągnął nosem. Haver objął go ramieniem, a Åke zacisnął dłonie w pięści. Ann Lindell musnęła w przelocie jego ramię, nim pochyliła się nad ciałem dziecka. Nie widziała go właściwie, tylko wystające chude nogi, prawą dłoń z paznokciami pomalowanymi na jasnoróżowo, czerwony wzór na sukience i jasne włosy poplamione czerwienią w podobnym odcieniu.

Podniosła się tak szybko, że zakręciło jej się w głowie.

– Czy wiemy, kto to jest? – rzuciła w przestrzeń pytanie.

– Nie – odrzekł Åke Jansson. – Szukałem portfela, torebki, czegokolwiek, ale nic nie ma. Chyba jednak mieszkają w okolicy. Kierowca ciężarówki, który był tu pierwszy, sądzi, że je rozpoznaje. Jeździ codziennie tą drogą.

Ann Lindell spostrzegła ciężarówkę stojącą o jakieś trzydzieści metrów dalej.

– Odpuść sobie przeszukiwanie zwłok – powiedział Ryde.

– Chciałem tylko wiedzieć, kim one były – odparł z urazą Jansson.

– Może szły na cmentarz – powiedział Haver.

– Dziewczynka zbierała kwiaty – rzekł Ryde.

– Skąd wiesz?

– Ręce – odparł technik.

Czworo policjantów stało nad ciałem dziecka. Ryde delikatnie zasłonił je kocem.

– Teraz przyjrzymy się kobiecie – powiedział.

Kobieta z pewnością była ładna. Jej twarz okalały krótko ostrzyżone włosy, w tym samym odcieniu co u dziewczynki. Niewiele pozostało z jej urody, lecz Ann domyślała się, że była kobietą, za którą ludzie się oglądali, której słuchali. Zdawało jej się, że widzi w jej rysach pewność siebie i siłę woli, mimo że ostry kamień przeciął jej podbródek i utkwił pod wargą jak poczerniały kolczyk.

W płatkach uszu miała złote kolczyki, na lewym serdecznym palcu duży złoty pierścionek, a na prawym srebrny inkrustowany kamieniami. Zadbane paznokcie. Co najmniej pięćset koron, pomyślała Ann. Paznokcie wyżłobiły wzór między czarnym, popękanym asfaltem i bujną zielenią w rowie.

Letnia sukienka w kolorze khaki, z odciskiem koła samochodu na szczupłych plecach.

Oczy niebieskie, z martwym spojrzeniem.

Ann Lindell podniosła głowę i przesunęła wzrokiem po krajobrazie. Czuło się w nim łagodny oddech lata. Nie było wiatru, a z jeziora dobiegał warkot motorówki. Wierzbową aleją prowadzącą do Ytternäs nadchodził jakiś mężczyzna. Szedł powoli, lecz Ann widziała, że zwrócił uwagę na rząd samochodów zaparkowanych przy drodze. Idzie pierwszy z gapiów, pomyślała i szybko się odwróciła.

– Identyfikacja, to najważniejsze. Kto jest tutejszym pastorem? – zapytała Ann i spojrzała na Sammy'ego, który pokręcił głową.

– Nie wiem – powiedział. – Przejdę się do kościoła. Może mają tam jakąś tablicę ogłoszeń.

Ann Lindell poszła w stronę ciężarówki. Åke mówił, że kierowca siedzi w kabinie, i kiedy podeszła bliżej, zobaczyła we wstecznym lusterku jego twarz. Otworzył drzwi i zsunął się z siedzenia wprawnym, lecz mimo to dość niezgrabnym ruchem.

– Dzień dobry, Ann Lindell z policji. To pan był pierwszy na miejscu wypadku?

Mężczyzna skinął głową i ujął jej wyciągniętą dłoń.

– Zna je pan?

– Chyba tak.

– Przepraszam, a jak się pan nazywa? Zapomniałam zapytać.

– Lindberg. Janne. Mieszkam tam dalej – powiedział, wskazując ręką.

– Widział je pan wcześniej?

– Tak, chodzą tą drogą. Mieszkają chyba w kierunku cypla Vreta, ale jej nie znam.

– Była ładną kobietą.

Janne Lindberg skinął głową.

– Jechał pan z domu do miasta? O której?

– Koło dziewiątej.

– Proszę opowiedzieć, co pan zobaczył.

– Najpierw mamę. Potem dziewczynkę.

– Nosi pan okulary?

– Nie, dlaczego?

– Mruży pan oczy.

– Od słońca.

– Co pan zrobił?

– Sprawdziłem, czy żyją. – Mężczyzna pokręcił głową. – Potem zadzwoniłem.

– To nie pan je przejechał?

Kierowca wzdrygnął się, słysząc pytanie, i wbił wzrok w Ann.

– Co u diabła – wykrztusił. – Myśli pani, że przejechałbym matkę z dzieckiem! Jestem zawodowym kierowcą.

– Takie rzeczy się już zdarzały. Czy mogę zobaczyć pana komórkę?

– A po co?

– Chcę sprawdzić, kiedy pan do nas zadzwonił.

Westchnął i podał jej komórkę. Ann znalazła „Wybierane numery" i stwierdziła, że Lindberg dzwonił o dziewiątej osiem. Wcześniej prowadził rozmowę o ósmej dwadzieścia sześć. Chciała również przejrzeć „Połączenia odebrane" i sprawdzić, czy ktoś dzwonił do Lindberga tuż przed rozmową z numerem alarmowym. Miała rację. Ktoś dzwonił o ósmej czterdzieści siedem.

– Odebrał pan połączenie przed wybraniem 112. Kto dzwonił?

– Facet z firmy asfaltowej. Wożę asfalt, ale rano miałem mały problem z samochodem. Zadzwonił, by sprawdzić, czy wyjechałem.

– Spieszył się pan rano?

– Tak, miałem być w firmie parę minut po szóstej.

– Może spieszył się pan, odebrał rozmowę, stracił koncentrację i nie zdążył ich ominąć?

– Daj spokój, kobieto! Nie przejechałem nikogo w całym moim życiu!

– Możemy zadzwonić do tego, który wtedy dzwonił?

– Jasne.

– Rozumie pan, że musi tu jeszcze zostać. Chcemy obejrzeć również samochód. Nie sądzę, że to pan spowodował wypadek, ale musimy sprawdzić. Dobrze?

Janne Lindberg skinął głową.

– Myślę o tej biednej dziewczynce – powiedział.

Mężczyzna, którego Ann Lindell widziała w alei, był już prawie przy ciężarówce i postanowiła na niego zaczekać. Trochę utykał.

– Co się stało? – zapytał. – Ktoś potrącił jakieś zwierzę?

– Nie, ludzi. I uciekł z miejsca wypadku.

Mężczyzna przystanął.

– Czy to Josefin i Emily?

Głos mu się załamał.

– Widziałem je na drodze – powiedział, pociągając nosem. – Czy to one?

– Nie wiemy. Może pan mógłby nam pomóc?

Mężczyzna nie hamował już płaczu.

– Widziałem je na drodze. Pomyślałem, że dzisiaj przyjdą.

– To kobieta i mała dziewczynka. Czy to mogą być one?

Mężczyzna skinął głową.

– Czy chce pan nam pomóc?

Ann postąpiła o krok w stronę mężczyzny. Jego niepowstrzymana rozpacz i łzy głęboko ją poruszyły i sama była bliska płaczu.

– To ona – powiedział mężczyzna, kiedy uniosła szary koc.

Poszarzał na twarzy i Ann przestraszyła się, że zemdleje.

– Może usiądziemy w samochodzie i będzie mógł pan opowiedzieć o wszystkim, co wie.

W tej samej chwili wrócił Sammy.

– Pastor zaraz tu będzie – powiedział, kiedy wysiadł z samochodu.

– Nie potrzebuję pastora! – wykrzyknął mężczyzna.

– Nie przychodzi tu do ciebie – rzekła uspokajającym tonem Ann.

– Czy możesz przyjść? – zawołał Ryde. Siedział przykucnięty koło ciała kobiety.

– Porozmawiaj z tym człowiekiem – rzuciła Ann do Sammy'ego i podeszła do technika.

– Myślę, że nie umarła od razu – powiedział Ryde. – Czołgała się w stronę dziecka. Popatrz tutaj – rzekł, wskazując na cienką strużkę krwi widoczną na drodze.

– Połamała paznokcie – powiedziała Ann.

– Chciała się dostać do córki.

Ann uklękła, wpatrując się intensywnie w drogę. Dłoń kobiety była drobna. Na srebrnym pierścionku iskrzyły się kamienie. Ann dojrzała zdartą skórę na palcu wskazującym.

Ryde przysunął się i schylił głowę, by popatrzeć pod innym kątem.

Ann z trudem dostrzegła drobiny skóry na drodze. Dwoje policjantów, schylonych nad ładną dłonią kobiety w to słoneczne czerwcowe przedpołudnie, wymieniło spojrzenia.

– To nie przypadek, że zostały przejechane – powiedział Ryde, wstając z pewnym trudem.

– Tak sądzisz?

Ryde rozejrzał się dookoła, nim odpowiedział.

– Był jasny dzień, prosta i dość szeroka droga – rzekł w końcu.

– Chcesz powiedzieć, że to morderstwo?

Ryde nie odpowiedział, tylko wyjął komórkę. Ann nadal stała w tym samym miejscu. Dziewczynka zbierała kwiaty, pomyślała. Spojrzała na szary koc przykrywający małą. Mama do niej nie dotarła. Ilu metrów jej zabrakło? Siedmiu, ośmiu?

Nadjechał samochód. Haver go zatrzymał, a Ann sięgnęła w międzyczasie po swój telefon.

3

Było parę minut po szóstej, gdy w komisariacie w Uppsali zaczęło się pierwsze zebranie i podsumowanie. Przyszło kilkanaście osób z wydziału kryminalnego, kilku śledczych i dwie osoby z wydziału technicznego. Zebranie poprowadził Sammy Nilsson.

– Co wiemy? Josefin Cederén, lat trzydzieści dwa, zamieszkała we Vreta. Dziecko, Emily, sześć lat. Wczoraj miała urodziny. Wiemy, że były w drodze do cmentarza, na którym jest pochowana matka Josefin. Chodziły tam co roku właśnie tego dnia. Potwierdziło to kilku sąsiadów. Ryde, co powiedzieli lekarze?

– Samochód osobowy. Zdaniem lekarzy przemawiają za tym obrażenia. Śmierć musiała nastąpić natychmiast, przynajmniej dziewczynki. Odrzuciło ją na pobocze i przypuszczalnie zmarła w chwili, w której dotknęła ziemi. Co do matki, są przesłanki, że żyła jeszcze chwilę po przejechaniu.

– Okej – rzekł Sammy. – Z tego, co wiemy, mąż, Sven-Erik Cederén, przepadł jak kamień w wodę. Jego samochód też. Granatowe bmv, model 99, z szyberdachem i dodatkowym wyposażeniem. Haver sprawdził w Novation*, gdzie kupił samochód. Do tego gotówką.

---

* Novation – autoryzowany sprzedawca nowych i używanych samochodów BMW i Mini w Uppsali (wszystkie przypisy pochodzą od tłumacza).

– Gdzie on pracuje? – zapytał Lundin.

– MedForsk. Firma, która zajmuje się wytwarzaniem nowych leków. Badania na najwyższym poziomie. Dość młoda spółka, która oddzieliła się od Pharmacii. Sven-Erik Cederén nie pojawił się dziś w pracy. MedForsk zatrudnia około dziesięciu osób, wszystkie już przesłuchaliśmy. Nikt go nie widział.

– Wiemy jednak, że wyszedł z domu jak zawsze – powiedział Norrman, odpowiedzialny za przesłuchania sąsiadów we Vreta. – Parę minut po ósmej. Rozmawialiśmy z kilkunastoma sąsiadami. Ten, który mieszka naprzeciwko, zamienił z Cederénem parę słów koło siódmej. Obaj wyszli wtedy po gazetę.

– Wyglądał i zachowywał się zupełnie normalnie – wtrącił Berglund. – Rozmawiali przez chwilę o codziennych sprawach, pogodzie i wietrze. Zdaniem sąsiada Cederén był wyregulowany jak zegarek.

– Gdzie jest Ann? – zapytała Beatrice.

– U ojca Josefin – odrzekł Ottosson.

– Czy on mieszka w mieście?

Ottosson skinął głową.

– Też we Vreta. Josefin Cederén urodziła się w tej gminie.

– Poza tym mieszka tam głównie element napływowy – rzekł Haver.

– Dlaczego element? – zapytał szef wywiadu kryminalnego.

– Okej – powiedział Sammy – wiemy, że wyjechał jak zwykle z Uppsala-Näs, ale nie pojawił się w pracy. Dokąd pojechał?

– Do domku letniego – podsunął Lundin.

– Nie mają.

– Arlanda – rzucił Haver. – Wiedział, że żona i córka będą szły na cmentarz, zaczaił się gdzieś w krzakach, przejechał je i uciekł z kraju.

– Sprawdziliśmy – odrzekł Sixten Wende. – Żaden Cederén nie opuścił Szwecji przez Arlandę.

– Kochanka – powiedziała Beatrice.

– Jest poszukiwany i samochód też. Jestem pewien, że w ciągu dnia dowiemy się przynajmniej, co się stało z samochodem. To nie jest zwykły wózek.

Pewność Ottossona opierała się na trzydziestu latach doświadczenia w pracy policyjnej, z czego dwudziestu w wydziale zabójstw. Samochody zwykle gdzieś się pojawiały. Gorzej bywało z zaginionymi ludźmi.

– Może też został przejechany – powiedział szef wywiadu kryminalnego. – Trudno mi kupić teorię, że zabił rodzinę i zwiał.

– Gorsze rzeczy się zdarzały – mruknął Wende.

– Przecież wiem, ale przejechać własne dziecko to trochę za wiele.

– Może nie wiedział, co robi – rzekł Sammy.

– Ale dziecko – upierał się szef wywiadu.

– Beatrice przyjrzy się finansom rodziny, dochodom i długom, ubezpieczeniom, wszystkiemu. Jutro chcę mieć szczegółowe sprawozdanie. Możesz wziąć Sixtena do pomocy – powiedział Ottosson, zwracając się do Beatrice.

Kiedy nie było Ann Lindell, dawało się wyczuć niepewność, kto ma prowadzić dyskusję. Sammy najlepiej pasował psychologicznie, do tego najbliżej współpracował z Ann, ale z drugiej strony to Ottosson był szefem. Przeważnie jednak milczał podczas omawiania śledztwa, w pełni polegając na Ann i jej umiejętności stawiania właściwych pytań oraz rozdzielania zadań.

– Jaki jest motyw? – zapytał szef wywiadu kryminalnego, który zwykle był motorem dyskusji, ważył argumenty, stawiał tezy przeciwne i zmuszał kolegów do intensywnego myślenia.

– Zazdrość – odrzekł Haver. – Może Josefin miała innego.

– Myślę, że była w ciąży – powiedziała nagle Beatrice.

Wszystkie spojrzenia zwróciły się teraz na nią.

– Kiedy Ann i ja byłyśmy tam i patrzyłyśmy na nią, zdawało mi się, że to widzę.

– Jakim cudem?

– Brzuch. Piersi. Zwłaszcza piersi. Wyglądała po prostu jak ciężarna kobieta.

– Co powiedziała Ann?

– Ona nie ma dzieci – odparła Beatrice.

– A niech to szlag – zaklął Haver.

– Wkrótce będziemy wiedzieć – powiedział Ottosson i zwrócił się do Beatrice.

– Sprawdzisz, czy są jakieś informacje?

Podniosła się niechętnie i wyszła z pokoju. W tej samej chwili wszedł Riis. Minęli się w drzwiach, nawet na siebie nie patrząc.

Riis miał niewielu przyjaciół, a ci, którzy pozostali, musieli się chyba zastanawiać, czy warto starać się być uprzejmym dla tego nadętego gbura. Beatrice była jedną z pierwszych osób, które darowały sobie próby nawiązania z nim przyjaźni albo chociaż współpracy. „Riis jest zgryźliwym dupkiem w wieku przejściowym – mawiała. – Nienawidzi nas wszystkich".

Riis usiadł i wszyscy czekali na to, co ma do powiedzenia.

– No? – ponaglił go w końcu Ottosson.

Riis otworzył zamaszystym ruchem swój notatnik.

– Cederén jest człowiekiem z perspektywami – powiedział, podnosząc wzrok. – Wie, czego chce od życia. Odnosi sukcesy, jest bogaty, na pewno nieszczęśliwy i martwy.

– Martwy?

– Martwy duchowo – powiedział Riis i westchnął.

– Zazdrościsz mu bogactwa? – zapytał spokojnie Haver.

Riis rzucił mu szybkie spojrzenie, uśmiechnął się i podjął wątek.

– Właśnie kupił dom w Republice Dominikany, jeśli ktoś wie, gdzie to jest. To słoneczny kraj i Cederén chce tam pojechać. Nie chce mieszkać w Uppsala-Näs. Poza tym gra w golfa. Zajął pierwsze miejsce w ostatnim turnieju na Edenhof.

– Przejdź do rzeczy – powiedział Ottosson.

– Myślę, że przejechał rodzinę i zwiał. Chce pograć w golfa na Karaibach.

– Mogę tam pojechać i sprawdzić – odrzekł Wende.

Szef wywiadu kryminalnego spojrzał na niego, jakby go zobaczył po raz pierwszy w życiu.

– Dwie osoby nie żyją, a ty siedzisz i gadasz głupoty – powiedział Haver, przekonany, że Riis jest bardzo zadowolony z zaczynającego się za trzy dni urlopu. Chętnie pozostawiał sprawę letniego morderstwa kolegom.

– Ja uważam – podjął Riis – że Cederénowie byli dobrze sytuowani, przystosowani społecznie, kulturalni i towarzyscy. Żadne z nich nie weszło wcześniej w konflikt z prawem. Nic w willi nie wskazuje dotąd na jakieś nieprawidłowości. Na ścianie wiszą dobre obrazy, przynajmniej sądzę, że dobre, bo trudno powiedzieć, co przedstawiają. Są tam puszyste dywany, dużo szkła i eleganckie czasopisma. Innymi słowy – tak, jak być powinno.

– Standardowe pytanie: czy mieli automatyczną sekretarkę?

Ottosson wychylił się do przodu, by lepiej widzieć Riisa wygodnie rozpartego na krześle.

– Żadnych wiadomości – odparł Riis.

– Jakiś kalendarz? Notes z adresami?

– Niczego takiego dotąd nie znaleźliśmy. Pewnie miał go ze sobą.

– Co wiemy o jego pracy?

Ottosson próbował odzyskać inicjatywę po wystąpieniu Riisa.

– Tylko jedna rzecz mnie zastanawia – ciągnął Riss, nie zwracając uwagi na próbę zmiany tematu. – Nie było tam żadnych kwiatów. Ani jednej doniczki. Rozumiecie to?

– Może alergicy?

– Kto ma alergię na rośliny?

W pokoju zapanowała dziwna cisza. Tak jakby wszyscy próbowali wyobrazić sobie dom bez roślin.

Co za zgromadzenie, pomyślał Norrman. Siedzimy tu i pocimy się, z Ottossonem jak Jezusem z tą jego brodą i łagodnym spojrzeniem. Kto jest Judaszem? Kto jest Piotrem? Kto Tomaszem?

– Jest nas trzynastu przy stole – przerwał ciszę.

Wszyscy rozejrzeli się dookoła.

– Jego praca – powtórzył Ottosson.

– MedForsk to tak zwane przedsiębiorstwo zaawansowanych technologii. Wszyscy, z którymi rozmawialiśmy, są oczywiście w szoku, ale za tym niepokojem i poczuciem nierzeczywistości kryje się duża pewność siebie, prawda, Ola?

Ola Haver skinął głową.

– Tak, duch sukcesu. Jak drużyna piłkarska, która wygrała wystarczająco dużo, by czuć się niemal niezwyciężona. Prawdziwy zespół, który dotarł do finału i jest przekonany, że wygra. Jakby to było coś oczywistego.

– To mniej więcej tak jak my – rzekł Riis. – Zwycięska drużyna.

– Mają wejść na giełdę. Co to oznacza? Dużo pieniędzy? Duża stawka? Nie znam się na tym – powiedział Sammy.

– „To przyszło nie w porę", wymsknęło się jednemu z nich – rzekł Haver.

– Czy może istnieć jakiś związek z przedsiębiorstwem, czy to po prostu dramat rodzinny?

Pytanie szefa wywiadu kryminalnego zawisło w powietrzu.

– Czy Josefin Cederén miała coś wspólnego z przedsiębiorstwem?

– Będzie więcej pytań – powiedział Wende, który wreszcie zebrał się na odwagę. Wcześniej milczał zwykle na zebraniach, odpowiadając tylko na zadane mu bezpośrednio pytania. Ottosson chciał słyszeć nowe głosy, ale zarazem irytował go Wende w tej roli. Brakuje mi głosu Ann, pomyślał, tak po prostu.

– Zajmiemy się nimi po kolei, albo raczej jednocześnie – odrzekł Sammy. – Myślę, że każdy wie, co ma robić. Dziś jest środa. Molin siedzi w MedForsk i grzebie w papierach i komputerze Cederéna. Fredriksson jest we Vreta. W ciągu doby poznamy sytuację finansową Cederénów i ich relacje prywatne, powinniśmy też mieć obraz tego, co robił dzisiaj Cederén i przynajmniej odnaleźć samochód.

Rozeszli się do swoich zadań. Ottosson został jeszcze w pokoju. Siedział bez ruchu, przyglądając się zdjęciom techników i odwracając jedno po drugim. Mamrotał coś niedosłyszalnie. Czy można przejechać własną córkę? – zadał sobie pytanie. Na jesieni miała pójść do szkoły.

Kiedy doszedł do zdjęcia z pobocza, z wyciągniętą ręką kobiety i śladami wyżłobionymi w żwirze przez jej paznokcie, wyobraził sobie jej walkę. Jak czołgała się do dziecka.

Ottosson rozpoznał skradający się ból głowy. Poczuł ciężar, nie tylko w głowie, ale i w całym ciele. Rano cieszył się piękną pogodą, zbliżającym się latem i poranną odprawą z Sammym i Ann Lindell. Teraz miał już pewność, że powinni dostać podwyżkę.

4

Na końcu pomostu siedziała mewa. Sprawiała wrażenie, jakby przeglądała się w wodzie, podziwiała swoją biel, lekko wygięty dziób i bystre oczy. Przechyliła lekko głowę, jakby słyszała kroki Edvarda albo po prostu chciała spojrzeć na swoje odbicie pod innym kątem.

Duma, pomyślał Edvard, tym emanuje. Usiadł na wykrzywionym pniu sosny. Jasnobrązowa kora dawała mu zwykle odrobinę ciepła, ale dziś nie było to potrzebne. Temperatura dochodziła do dwudziestu pięciu stopni. Edvard bezwiednie potarł kolano. Rana po upadku z drabiny pulsowała bólem.

Mewa zdawała się nie przejmować jego obecnością. Może go poznała. Siedzisz na moim miejscu, pomyślał, ale niech ci będzie. Możesz się przeglądać i trochę pomarzyć. Podobał mu się wyraz zadumy, jaki dostrzegał u ptaka. Może cieszy się dniem, trawi rybkę i rozkoszuje się ciepłem. Albo jest zupełnie na odwrót: smuci się, bo coś straciła. Może upuściła rybę.

Edvard nie chciał jej przeszkadzać, ale czuł lekką irytację, że tak długo siedzi na pomoście. Zakaszlał dyskretnie, ale nic to nie dało. Mewa nie ruszyła się z miejsca.

Edvard czekał. Viola, starsza właścicielka domu, w którym mieszkał, wstawiła już obiad i niedługo mieli jeść. Chciał przedtem pobyć przez chwilę na pomoście.

Ptak poderwał się nagle, zatoczył koło nad zieloną wodą i upuścił do niej swoje odchody. Edvard szybko wstał i wszedł na pomost. Pomyślał przez moment, że się wykąpie, ale postanowił zaczekać z tym do wieczora. To będzie jego pierwsze zanurzenie w tym roku.

Temperatura wody tu w Gräsö, w północnym Upplandzie, utrzymywała się długo na poziomie piętnastu stopni, ale teraz zdawało mu się, że podniosła się do siedemnastu, może nawet osiemnastu stopni.

Mewa odleciała z krzykiem i tworzyła teraz tylko niewielki punkt nad wodą. Kierowała się w stronę przesmyku i otwartego morza. Edvard żałował, że też nie może tak odfrunąć.

Łódka zakołysała się niemrawo na końcu liny, kiedy nad wodą powiała lekka bryza. Nie było to uderzenie wiatru, raczej muśnięcie, tchnienie. Może wywołały je machające skrzydła mewy.

Edvard Risberg stanął wyprostowany, wystawiając palce stóp za krawędź pomostu, jak skoczek do wody, wyciągnął ramiona wprost do błękitnego nieba, wyprężył się i zlustrował wzrokiem zatokę. Z jej drugiego brzegu dobiegały odgłosy ludzkiej aktywności. Pewnie jakiś agroturysta karczował pniaki. Opuścił ramiona i wziął głęboki wdech.

Stanie na pomoście napełniało go spokojem. Należał do niego, zbudowany na lodzie pod koniec lutego, teraz zanurzony w szlamie. Jego wnętrze wypełniał granit, po części płaskie kamienie pozbierane na brzegu, a po części porozbijane przez lód ostre, kanciaste głazy, które zbierali na linii wody.

Opierał się wichrowi i morzu i trzymał w szachu wiatr północno-wschodni. Dwie łodzie Victora i mała łódka mogły być bezpieczne pod jego osłoną. Tony kamienia. Drewno. Stał pewnie, zbudowany przez Victora i Edvarda przy pomocy jego dwóch nastoletnich synów, Jensa i Jerkera.

Victor zbudował w swoim życiu wiele pomostów, ale ten był prawdopodobnie ostatni. W czasie pracy rozkwitł jak nigdy przedtem. Jego dolegliwości ustąpiły i sprawiał wrażenie niestrudzonego.

Budowa zajęła im tydzień i chłopcy przez cały ten czas byli z nimi. Nosili deski, zbijali je, wbijali bolce, taszczyli kamienie, a na koniec przymocowali mosiężną tabliczkę z czterema imionami i datą.

Po południu wzięli kije do hokeja i wyszli na szary lód koło przesmyku. Edvard patrzył na nich, szczęśliwy i dumny, ale również pełen obaw o szczeliny w lodzie i kruchą taflę. Wrócili z zaróżowionymi policzkami. Edvard rozpalił ogień i upiekli kiełbaski na plaży. Viola przyniosła kawę, a chłopcy pili ciepły kompot, zupełnie jak na stadionie Studenterna, kiedy Sirius grał mecz u siebie.

Jens przypomniał Edvardovi o meczach bandy, kiedy wsadzali pradziadka Alberta do samochodu i jechali do miasta. Jego głos brzmiał jak kiedyś. Po raz pierwszy od ponad dwóch lat chłopiec rozmawiał z Edvardem bez żadnych oporów. Był podekscytowany, ale przerwał, gdy zobaczył minę starszego brata. Jerker milczał, wpatrując się w lód.

Chłopiec zerknął na ojca i umilkł. Edvard podszedł do starszego syna i stanął tuż przy nim. Victor coś mówił, dokładając drewna, ale on też umilkł na ich widok. Edvard chciał coś powiedzieć, przerwać dwa lata odosobnienia. W wyrazie twarzy syna widział upór i zawziętość, ale również skrywaną tęsknotę. Wiedział, że musi zrobić pierwszy krok i położył dłoń na ramieniu chłopca.

I stali tak, bez ruchu i w ciszy. Edvard wiedział, że słowa mogą wszystko zburzyć i walczył ze sobą, by się nie rozpłakać. Wystarczy już łez. Chciał tylko objąć swego syna. Gdyby wszystko miał trafić szlag, mieliby tę jedną wspólną chwilę.

– Wyrosłeś – powiedział i zwolnił uścisk dłoni.

Zjedli kilka kiełbasek. Viola, zmarznięta jak zwykle, narzekała na wiatr i przysuwała się do ognia.

– Kalosze mi przemokły – powiedział Jens. Viola zachichotała. Victor przyciągnął duży pniak sosny i włożył do ogniska. Powoli zapadał zmrok i zaczęła spadać temperatura. Wszyscy przysunęli się bliżej źródła ciepła.

– Możemy wieczorem popatrzeć na gwiazdy – powiedział Jens, a Jerker wzdrygnął się, jakby go ktoś uderzył. Pamiętał, jak Edvard oglądał gwiazdy w Ramnäs i za nic w świecie nie chciał wspominać tamtych dni. Marita również – pierwszym, co zrobiła po wyprowadzce, a właściwie ucieczce Edvarda, było zniszczenie starego składziku służącego za obserwatorium. Jerker nienawidził gwiaździstych wieczorów i nocy równie mocno jak Marita.

Edvard zaproponował, by zamiast tego zagrali w karty i tak też zrobili. Spędzili razem tydzień ferii zimowych i zbudowali najsolidniejszy pomost na wyspie, przynajmniej zdaniem Victora. Tydzień, a później chłopcy przyjechali parę razy na weekend zimą i wiosną. Ich relacja ożywiała się powoli, lecz pewnie, i Edvard znów mógł przeżywać coś z dawnej radości, jaką dawały mu dzieci.

W ten weekend mieli znów przyjechać na Gräsö. Edvard wiedział, że przyjadą na wyspę autobusem, by nie sprawiać kłopotu. Pod mrukliwością Jerkera i nerwową czasem paplaniną Jensa kryło się wzruszające pragnienie, by zrobić mu przyjemność. To dawało Edvardowi napęd do życia.

Kiedy Ann go opuściła, zaczął unikać ludzi przekonany, że powinien być sam, doświadczając tylko troski Violi i wykonując pracę, która pozwalała mu spać w nocy głębokim snem. Teraz jednak patrzył pogodniej na życie i własną egzystencję. Tak jakby znów odnalazł swoje miejsce na ziemi.

Nawiązał też kontakt z paroma starymi przyjaciółmi z czasów, gdy pracował w rolnictwie, przede wszystkim z kolegami ze związku zawodowego. Fredrik Stark, jego rówieśnik stale agitujący ogrodników, odwiedził go parę razy. Zostawał na kilka dni, siedząc przy komputerze i pisząc, i czytał na głos długie elaboraty, kiedy Edvard wracał do domu. Twierdził, że pisze powieść, a Edvard był czasem zirytowany, a czasem zazdrościł Starkowi jego wytrwałości.

Zadzwonił do Ann w przypływie nagłego optymizmu i pewnej nadziei, że jest nim wciąż zainteresowana. Nie wiedział, czy powinni spróbować odnowić swój związek, a tym bardziej, jak mogliby żyć razem, ale podczas ciemnych zimowych wieczorów zrozumiał, że nie chce być już zawsze sam.

Czy ona oddzwoni? A jeśli nie, czy on ma zadzwonić jeszcze raz?

5

Mężczyzna stojący naprzeciw niej podrapał się w głowę. Robił to niemal nieprzerwanie, odkąd weszła do jego kuchni.

Stary zegar ścienny tykał. Rodzice Ann mieli podobny. W ogóle wiele rzeczy w kuchni Holgera Johanssona przypominało jej dom dzieciństwa w Ödeshög. Zapach, wyposażenie z lat pięćdziesiątych, wzór na ceracie, stara puszka na ciastka na ławie, haftowany wieszak na tace.

Wiele rzeczy było takich samych, ale istniała zasadnicza różnica: śmierć. Kuchnia Holgera już nigdy nie będzie taka sama. Od tej chwili jego meble i sprzęty, wazony, szlaczki na ścianach i wszystkie drobiazgi, które człowiek zbiera przez całe życie, miały coraz bardziej tracić znaczenie. Przesłoni je kir kurzu, żałoby i starości.

Przedmioty będą tracić znaczenie, jego wzrok rzadko się na nich zatrzyma. W jeden dzień postarzał się o piętnaście lat, a żałoba trzymała w dławiącym uścisku tego mężczyznę, ojca, który wiądł na oczach Ann.

– Była moim jedynym dzieckiem – powiedział.

Ann Lindell mocno ściskała długopis, żałując, że nie wzięła kogoś ze sobą. Wiedziała z wcześniejszych doświadczeń, że kiedy jest sam na sam z ludźmi w wielkiej rozpaczy, staje się bardziej wrażliwa i bezbronna. Po prostu gorzej myśli.

– Czy małżeństwo Josefin i Svena-Erika było szczęśliwe?

– Tak myślę – szepnął mężczyzna.

Przez cały czas wyglądał przez kuchenne okno.

– Nie kłócili się?

– A kto się nie kłóci.

– Mieliście dobry kontakt?

Skinął głową. Jego dłoń błądziła bezradnie po ceracie.

– Co pan sądzi o Svenie-Eriku?

– On... dużo pracował. Josefin czasem narzekała. Odkąd dostał tę nową pracę, często go nie było. Jeździł tu i tam.

– Chce pan powiedzieć, że podróżował służbowo?

Znów skinienie głową.

– Wie pan, że zniknął. Jak pan sądzi, gdzie on może być?

Ojciec nie odpowiedział.

– Nie przychodzi panu do głowy żadne miejsce?

– Może Hiszpania. Często tam jeździ.

– A dokładnie?

– Tego nie wiem. Mówił tylko o Hiszpanii.

Ann milczała przez chwilę. W ogrodzie mignęła sąsiadka – kobieta, która była w domu, kiedy Ann przyszła. Wyczuwała, że są nie tylko sąsiadami, i cieszyła się, że ojciec Josefin nie zostanie zupełnie sam.

Kobieta zbierała kwiaty, zerkając od czasu do czasu w stronę domu.

– Czy potrafi pani zrozumieć, że Emily nie żyje?

Spojrzał na nią wzrokiem pełnym zdumienia i wiedziała już, co powie dalej.

– Miała tylko sześć lat. Co złego zrobiła? Co innego, gdybym to był ja. Dobrze, że Inger tego nie dożyła – powiedział i Ann domyśliła się, że ma na myśli żonę.

Umilkł i wyjrzał przez okno.

– Ostatnio coś się działo. Wcześniej tutaj przychodziły, nie codziennie, ale często. Brała ze sobą wózek. Lubiła spacerować. Potem zaczęły jeździć rowerem. Zdarzało się, że bywały tu codziennie przed południem. Vera i ja pijemy kawę o wpół do jedenastej.

– Czy coś się zmieniło w ostatnim czasie?

– Tak mi się zdawało. Jossan była bardziej roztargniona, że tak powiem. Jakby coś w sobie nosiła. Raz ją zapytałem. Uśmiechnęła się tylko i powiedziała, że wszystko w porządku, ale ojciec widzi...

Holger Johansson zapadł się w sobie. Vera jakby instynktownie to wyczuła, bo w tej samej chwili otworzyły się drzwi wejściowe. Nie patrząc na Ann, podeszła do mężczyzny i objęła jego ramiona. Ann utkwiła wzrok w jej dłoni spoczywającej na ramieniu Holgera. Vera oparła głowę o jego posiwiałą skroń. W pokrytej brązowymi plamkami dłoni trzymała pęk zielska, które wyrywała tak gorączkowo, że pozostawiło zielone ślady. Ann spojrzała na tę rękę i przeniosła się myślami do domu w Ödeshög i dziewczynki w rowie. A potem do Edvarda i jego starej Violi w domu na Gräsö.

Wstała powoli i położyła dłoń na ramieniu kobiety. Vera spojrzała na nią wzrokiem bez wyrazu. Kiedy Ann odwróciła się ostatni raz, kobieta wyprostowała się. Wyjrzała przez okno i Ann podążyła za jej wzrokiem. W ogrodzie kwitły hortensje.

Mężczyzna podrapał się w głowę i Ann dostrzegła ranę prześwitującą przez rzadkie, zaczesane do tyłu włosy.

Ann Lindell wyjechała z podwórza, omal nie uderzając w słup bramy. Po pięćdziesięciu metrach zahamowała. Nie mogła odegnać tego obrazu i jęknęła bezgłośnie, myśląc o pokaleczonym ciele dziewczynki. Coś w środku niej się buntowało. Zamordowane dziecko, bo postrzegała to jako morderstwo, było najgorszym, co mogła sobie wyobrazić. Wcześniej tylko raz widziała zwłoki dziecka. Była wtedy aspirantką i miała niewiele ponad dwadzieścia lat. Piętnaście lat temu. Chora psychicznie matka udusiła niemowlę w łóżeczku. Okropne, ale to teraz było gorsze. Czy to przez lato, idyllę w dolinie, chude nóżki dziewczynki wystające spod sukienki i to, że zbierała kwiatki?

Ann opuściła przednią szybę. Nic nie jadła od porannej kawy i czuła się dość marnie. Była szósta, ale wciąż świeciło jasne słońce. Zrobiła kilka głębokich wdechów i mdłości przeszły.

Już nienawidziła Svena-Erika Cederéna. Gdzie on się podział? Rozejrzała się, jakby mógł się znajdować gdzieś w pobliżu. Czy próbował przeczekać? Czy oglądał dzisiejsze wiadomości?

Czemu miałby zabijać żonę i dziecko? Istniał tylko jeden motyw i była nim zazdrość.

– Znajdę cię, gdziekolwiek jesteś – powiedziała ze złością, wrzuciła bieg i pojechała dalej żwirowaną drogą.

Uderzyło ją nagle, że wcale nie jest pewna winy mężczyzny. Czemu tak zakładamy, pomyślała. To tylko blokuje. Może on też nie żyje. Jechała ostrożnie, wlokąc się wąską drogą. Może był świadkiem potrącenia, zobaczył żonę i dziecko na poboczu, stracił głowę i uciekł?

Wydało jej się to nieprawdopodobne, ale niczego nie można było zakładać ani wykluczać. Zbyt wiele błędów popełniono, opierając się na powziętych z góry założeniach.

Wiedziała, że zebranie już się zaczęło, ale postanowiła zostać w Uppsala-Näs. Rzadko jej się zdarzała taka nieobecność. Nie chciała przeoczyć żadnej informacji i czuła się częścią zespołu, ale teraz pokój zebrań wydawał jej się przytłaczającym bunkrem z tymi samymi zmęczonymi twarzami i tymi samymi komentarzami.

Chciała spokojnie pomyśleć. Najlepiej jej się myślało w cukierni Savoy, bo choć szukała samotności, lubiła mieć ludzi wokół siebie. Savoy był pod tym względem idealny. Siadała tam, piła kawę, czasem czytała gazety, ale przede wszystkim patrzyła na innych gości. Jej praca polegała na obserwowaniu ludzi i rozumieniu ich. W cukierni jej mózg odpoczywał, a zarazem wchodził na najwyższe obroty. Pamiętała kilka przypadków, kiedy odnalazła związki i wpadła na rozwiązania w prowadzonych śledztwach właśnie w Savoyu, pośród paplaniny nianiek, krzyków dzieci, dyskusji rzemieślników i szelestu czasopism w tle.

Pojechała do willi Cederénów. Przeczuwała, że Fredriksson jeszcze tam jest. Berglund może też. To jej pasowało. Przy nich mogłaby się spokojnie rozejrzeć.

Garstka ciekawskich kręciła się na drodze przed willą. Starali się sprawiać wrażenie, że wszystko jest jak zwykle, że to ich normalne zachowanie, ale zdradzały ich wygłodniałe spojrzenia. Może jestem niesprawiedliwa, pomyślała Ann, może byli przyjaciółmi Josefin i Emily i po prostu starają się razem poradzić sobie z szokiem.

Skręciła w podwórze, wysiadła i dostrzegła coś, co przeoczyła przy pierwszej pobieżnej wizycie tego dnia. Tuż koło masztu na flagę stała psia buda, prawie ukryta za krzewami bzu. Była tam również miska z wyschniętymi resztkami jedzenia. Ann przykucnęła, by zajrzeć do środka. Zobaczyła koc i parę kości do gryzienia.

Nikt nie wspomniał o psie. Stała przez chwilę przed budą. Słyszała głosy sąsiadów na drodze i postanowiła zapytać wprost.

Wiatr przyniósł zapachy wczesnego lata, kiedy wyszła na drogę. Skierowała się w stronę mężczyzny stojącego z plikiem poczty w ręce.

– Ann Lindell z komisariatu policji w Uppsali.

Mężczyzna ujął jej wyciągniętą dłoń.

– To okropne – powiedział.

– Czy jest pan sąsiadem Cederénów?

Mężczyzna skinął głową, upuszczając przy tym gazetę i kilka listów. Zmieszany podniósł szybko pocztę, zerkając jednocześnie na Ann.

– Wie pan może, czy mają psa?

– Tak, sukę pointera. Wabi się Isabella.

– On czasem zabiera ją ze sobą – wtrąciła jakaś kobieta.

Mężczyzna postąpił o krok w stronę Ann, jak gdyby chciał ją od niej odgrodzić, i zaczął opowiadać z ożywieniem o psie i zwyczajach rodziny Cederénów.

Okazało się, że pies sprawiał kłopoty. Josefin Cederén zawsze miała z nim problemy i był to istny dopust Boży dla otoczenia. Na dworze, sama w budzie, suka wyła długo i żałośnie. W domu gryzła wszystko, dywany, firanki i kwiaty. Dlatego Sven-Erik Cederén często zabierał ją do pracy. Był jedyną osobą, która zdawała się radzić sobie z psem.

Powinnam tu zostać i posłuchać, pomyślała Ann, ale bardzo pragnęła pobyć trochę w spokoju, więc zbyła pytania ciekawych sąsiadów paroma grzecznościowymi formułkami.

Wróciła na podwórze. Samochód Fredrikssona stał zaparkowany przed wejściem. Allan wrócił i zaczynał odzyskiwać dawną formę. Po wyczerpującym pościgu za mordercą na jesieni i w zimie poszedł na zwolnienie lekarskie. Nikt nie sądził, że powróci do wydziału, ale włączył się niespodziewanie do skomplikowanego śledztwa w sprawie zbiorowego gwałtu. Nawet Ottosson, ich szef, wydawał się tym zaskoczony.

Kiedy Fredriksson pojawił się niezapowiedziany na porannej odprawie, zapadła taka cisza, jakby zobaczyli ducha. Ottosson zakaszlał i wstał. Zebrani policjanci zaczęli się uśmiechać. Sammy wyciągnął stare krzesło Fredrikssona.

Teraz siedział w salonie pochylony nad stertą papierów. Szybko podniósł wzrok i na jego twarzy odmalowała się niemal ulga. Może pomyślał, że wraca Riis.

– Jak idzie?

– Mnóstwo papierów.

– Co to jest?

– Stare dokumenty, takie, które się przechowuje.

Fredriksson odchylił głowę na oparcie kanapy i potarł oczy.

– Chyba powinienem sobie sprawić okulary do czytania – powiedział.

Ann usiadła naprzeciw niego.

– Musimy również znaleźć Isabellę – rzekła.

– Kto to jest?

– Pies.

Fredriksson zrobił ruch, jakby chciał wrócić do przeglądania dokumentów, ale znów opadł na oparcie kanapy.

– Kiedy się rozglądasz po domu Cederénów, jakie masz pierwsze wrażenie?

– Bogactwo – odparła krótko.

– Tak, bogactwo, ale jeszcze coś. Straszny tu bałagan, powiedziałbym wręcz, że syf. Za każdą szklaną figurką jest pełno kurzu, pod dywanami też. Kuchnia cała się lepi i wanna jest brudna.

– Mhm – powiedziała wyczekującym tonem.

– Prawie dwieście metrów kwadratowych nieposprzątanej willi. Wiemy, że Josefin nie pracowała zawodowo. Od urodzenia córki siedziała w domu. Cokolwiek robiła przez całe dnie, na pewno nie sprzątała.

– Co to oznacza?

– Nie wiem. Ludzie są różni. Ja bym nie wytrzymał nawet dnia w takim syfie.

Ann milczała. Słowa kolegi nie podsunęły jej żadnych skojarzeń ani pomysłów.

– Sądzę, że była nieszczęśliwa – ciągnął Fredriksson. – Przyszła tu i zapuściła jedną z najpiękniejszych willi w Uppsala-Näs.

– Pewnie miała inne priorytety – odrzekła Ann.

Nie podobało jej się, że Fredriksson źle mówi o zmarłej, która dziś rano leżała na poboczu drogi prowadzącej na grób jej matki, razem z córką, a jednak parę metrów od niej. Josefin Cederén nawet nie mogła jej objąć ostatni raz. Nieposprzątane, okej, ale teraz już nie żyła.

– Myślę, że źle się tu czuła – podjął Fredriksson. – To nam coś mówi.

– Nie jest powiedziane, że ma to związek z jej śmiercią – zaoponowała Ann.

– To prawda, ale jest w tym jakiś znak zapytania.

– W życiu każdego człowieka jest wiele znaków zapytania – odparła Ann. – Teraz trafiliśmy akurat tutaj.

Wstała i wyszła do kuchni. Obserwacja Fredrikssona była trafna: kuchnia lepiła się od brudu. Duża, otwarta przestrzeń z wolno stojącym barkiem, którego masywny dębowy blat był zastawiony przyborami kuchennymi. Stały tam talerze z zaschniętą maślanką i otwarte opakowanie margaryny, walały się okruchy chleba. Może chciała to pozbierać po powrocie z kościoła, pomyślała Ann usprawiedliwiająco, ale prawda była taka, że kuchnia robiła nieprzyjemne wrażenie.

Kto to teraz posprząta? Jej ojciec?

Ann weszła po schodach. W pokoju dziewczynki zobaczyła pełno pluszowych zabawek. Podwójne łóżko w sypialni Cederénów nie było pościelone. Na podłodze leżała biała piżama. Spod łóżka wystawała para kapci.

Podeszła do stolika nocnego i wzięła do ręki leżącą na nim książkę. Amerykańska powieść. Na drugim stoliku leżała teczka z notatkami, które, jak przeczuwała Ann, dotyczyły MedForsk. Przejrzała papiery. Tabele z objaśnieniami, część po angielsku, część po hiszpańsku. Gdzieniegdzie pojawiały się niewyraźne notatki ołówkiem, znaki zapytania i wykrzykniki na marginesach.

Wszystko trzeba było przeczytać, kartka po kartce, w nadziei, że znajdą tam wyjaśnienie, dlaczego zabił swoją rodzinę. A może sam został zabity? Czy istniała osoba trzecia, która pozbawiła ich wszystkich życia?

W takim razie gdzie on był? Ann przemknęła przez głowę myśl o psie. Pointer. Czy one są w cętki?

Stała z teczką w ręce. Trzasnęły drzwi wejściowe, więc pomyślała, że technicy wrócili do pracy po szybkim posiłku.

Na piętrze były jeszcze dwa pokoje. Salon dla gości ze spartańskim umeblowaniem oraz pokój do szycia z maszyną, manekinem i stołem, na którym leżał czarny materiał. Ann spojrzała na manekina, bezpłciowego i z powbijanymi szpilkami Wyciągnęła górną szufladę komody, odróżniającej się od reszty mebli barokowymi kształtami, z marmurową płytą i wygiętymi nóżkami. Pogrzebała ostrożnie pośród kawałków materiału. W następnej było pełno papierów – szkiców, jak się zorientowała. Głębiej, pod wykrojami, leżała niebieska książka w płóciennej oprawie. Ann otworzyła ją na pierwszej stronie i od razu zrozumiała, że na coś trafiła, że zbliżyła się do Josefin Cederén. To był jej pamiętnik, który leżał ukryty w królestwie Josefin.

Pamiętnik zaczynał się w maju 1998 roku. Pierwszy zapis brzmiał: „Po roku niepewności wiem już wszystko. Nie mogę powiedzieć, że jestem zdziwiona, ale to tak boli. Może powinnam winić samą siebie".

Pismo było wyraźne i czytelne. Ann przewróciła kartkę. Najskrytsze myśli człowieka, zapisywane przez ponad dwa lata. Ostatni raz z datą czwartego czerwca.

Niebieską książeczkę przenikał smutek. Josefin pisała, zamiast sprzątać.

Ann dalej przeglądała szuflady, by sprawdzić, czy nie ma tam innych części pamiętnika, ale nic nie znalazła. Albo była tylko ta jedna, albo te z wcześniejszego okresu znajdowały się gdzie indziej.

Wzięła pamiętnik ze sobą.

– Mam lekturę na wieczór – powiedziała, pokazując znalezisko Fredrikssonowi, który nadal siedział przy stole.

Podniósł na nią wzrok.

– Szkoda, że ja nie znalazłem żadnych osobistych zapisków, ale tu jest tylko materiał z jego pracy. Będę potrzebował medyka jako tłumacza.

Allan Fredriksson był ożywiony mimo tego narzekania.

– Dobrze, że wróciłeś – rzekła Ann.

Kiedyś unikał jej wzroku. Teraz spojrzał na nią z uśmiechem i kiwnął głową.

Jeden z techników wyszedł z kuchni. Ann trochę mu się wcześniej przyglądała. Miał trzydzieści parę lat i to specyficzne połączenie siły i delikatności, które tak jej się podobało. „Jest żonaty, do tego szczęśliwie", powiedział wtedy Sammy Nilsson, widząc jej spojrzenie.

– Przeglądamy śmieci i jedyna ciekawa rzecz to resztki biletu lotniczego. Reszta to zwyczajne odpadki. Chcesz zobaczyć ten bilet?

Wyszli do kuchni i Ann nie mogła się powstrzymać, by nie wciągnąć nosem zapachu jego wody po goleniu czy co to było.

Technik trzymał pincetą kawałek papieru.

– Sądzę, że to część okładki biletu lotniczego – powiedział. – Jest notatka odręczna, „8.25". Poza tym nic oprócz nazwy linii lotniczych. To British Airways.

Ann Lindell patrzyła na to wzrokiem bez wyrazu.

– Zachowajcie to – powiedziała i wyszła z kuchni.

– Można jednego?

Na stole w salonie stała miseczka z cukierkami. Ann zdążyła już porządnie zgłodnieć i na widok słodyczy ślinka napłynęła jej do ust.

– Mogą być zatrute – ostrzegł ją Fredriksson.

Ann odwinęła z papierka miętowy karmelek. Zwykle nie jadała słodyczy, ale teraz nie mogła oprzeć się pokusie. Wzięła jeszcze jednego i następnego.

Fredriksson spojrzał na nią.

– Zjedz lepiej coś konkretnego.

– Jestem głodna, ale jednak nie. Potrzebowałam właśnie cukierków.

– Myślę, że ludzie powinni jeść więcej bananów – powiedział Fredriksson.

– Bananów – parsknęła śmiechem Ann.

W dłoni trzymała pamiętnik. Wiedziała, że są w nim nitki prowadzące do kłębka. Co sprawiło, że Josefin zaczęła pisać? Wewnętrzne napięcie stało się zbyt silne i musiała wyrzucić z siebie niepokój i rozpacz. Co przeczuwała i co się później potwierdziło? Może dowie się tego wieczorem.

Kiedy Ann Lindell wyszła z willi, spotkała na podwórzu Berglunda i Havera, którzy przyjechali pomóc Fredrikssonowi.

– Przynajmniej do dziesiątej – powiedział Haver.

– Jedź lepiej do domu do dziewczynek – odparła Ann.

Na początku maja Haver został ojcem małej córeczki. Teraz tylko się uśmiechnął. Zamienili parę słów o tym, co przyniosło zebranie w komendzie.

Ann zadzwoniła do Ottossona i powiedziała mu, że nie przyjdzie. Będzie czytać pamiętnik.

Sąsiedzi znikli. Na drodze panowała cisza. Pachniało latem, a nad domem przeleciało szerokim łukiem kilka kaczek.

Coś się nie zgadzało. Ann pomyślała o wypielęgnowanych, pomalowanych paznokciach Josefin. Ogólnie robiła wrażenie bardzo zadbanej kobiety, nawet po śmierci. Dom silnie z tym kontrastował – nieposprzątany i zabałaganiony ponad miarę, wręcz brudny. Wyglądała na kobietę, która przywiązuje dużą wagę do wyglądu – garderoba i półki były pełne ubrań, eleganckich i z pewnością drogich. Dużo szyła sama, czerpiąc inspiracje z magazynów mody, a jej toaletka była zastawiona wszelkiego rodzaju słoiczkami i opakowaniami.

Czemu nie sprzątała? Cederénowie nie mogliby zaprosić nikogo do domu. Jak wyglądało ich życie towarzyskie? Ann poczuła impuls, by znów pojechać do jej ojca, ale postanowiła zaczekać z tym do jutra.

Mdłości nasiliły się podczas jazdy samochodem do miasta, więc zatrzymała się przy McDonaldzie i kupiła hamburgera.

Zdążyła akurat wejść do domu i do toalety, kiedy znów ją dopadły. Schyliła się nad sedesem, przeklinając w duchu, że o siebie nie dba. Wypiła trochę wody z kranu, wypłukała usta i oparła czoło o chłodną porcelanę. Co za dzień. Wczoraj papierkowa robota i spotkanie w sprawie tej nowej organizacji, dziś zdziesiątkowana rodzina.

Pomyślała o ranie na głowie Holgera Johanssona. Miał egzemę czy podrapał się do krwi w ciągu dnia?

Rzuciła pamiętnik na podłogę w przedpokoju. Przeszła nad nim, kierując się do kuchni. Przycisk wiadomości na automatycznej sekretarce mrugał, więc nacisnęła odsłuchiwanie. Pierwsza była z Ödeshög. Do Ann zaczynało docierać, że jej rodzice nie są już młodzi i w każdej chwili może odebrać telefon powiadamiający o chorobie, a może o śmierci. Tym razem usłyszała jednak tylko zwykłe słowa matki:

– Co u ciebie? U nas jak zawsze. – I parę zdań o kwiatach, które zakwitły już w ogrodzie.

Przy drugiej wiadomości ugięły się pod nią kolana. Głos Edvarda brzmiał jak z innej epoki, innej planety. Dobrze go znała, a jednak wydawał się taki obcy.

– O Boże – wymamrotała i opadła na krzesło.

Był w dobrym nastroju i to jeszcze przyspieszyło bicie jej serca. Patrzyła przed siebie, kiedy mówił o Gräsö, pracy i przekazywał pozdrowienia od Violi. Na koniec jego głos przycichł, wyczuwało się w nim wahanie, jak gdyby nie był pewien, jak zakończyć.

Usłyszała szybkie „cześć" i to było wszystko.

Odpuść, pomyślała, zostaw mnie w spokoju. Przewinęła taśmę do tyłu i ponownie odsłuchała wiadomość. Jego głos. Widziała go przed sobą, stojącego przy oknie wychodzącym na zatokę i słoneczny krajobraz. Albo siedzącego na wiklinowym krześle.

Mówił głównie o pracy. O naprawie stodoły. Skąd on bierze te wszystkie zajęcia? Majsterkuje, zajmuje się stolarką, karczuje, podnosi i podważa, piłuje i dopasowuje, żyje wśród innych ludzi, śmieje się i pije kawę oparty o czerwoną ścianę. Jego ręce.

Pokaleczone, z bliznami, czasem tak szorstkie, że drapały jej plecy, czasem z czubkami palców tak startymi, że nie dałoby się z nich zdjąć pełnego odcisku palca.

Słyszała jego ciężkie kroki na schodach. Rozmowy z Violą. Czuła jego oddech.

Ann przysunęła do siebie telefon i wcisnęła ósemkę w szybkim wybieraniu. Ödeshög. Mama i tata.

– Tak, czuję się dobrze. Mam dużo pracy.

Nie chciała mówić o Cederénach. Matka paplała dalej.

– Tak, może, ale mam nawał pracy.

Najbliżsi sąsiedzi, Nisse i Ingegerd, zostali dziadkami. Chłopiec. Cztery kilo. Matka mówiła, a Ann w międzyczasie otworzyła lodówkę i zajrzała do środka.

– W lipcu i pierwszej połowie sierpnia – powiedziała, wyjmując margarynę i kawior. – Oczywiście, że przyjadę. Obiecuję.

W domu nie było chleba.

– Też tęsknię. Pozdrów tatę.

W głębi lodówki leżało pół opakowania chrupkiego pieczywa.

– Bogate we włókna – mruknęła i szybko posmarowała cztery kanapki, nałożyła kawior, wyjęła karton mleka i poszła do salonu, po czym wróciła do przedpokoju i podniosła pamiętnik.

Teraz była przygotowana. Żołądek skręcał jej się z głodu, a głowa pulsowała bólem. Ugryzła parę kęsów, nalała mleka, Edvard nauczył ją pić mleko, i znów usiadła wygodnie w fotelu.

Niebieska książeczka leżała na stole. Była ciekawa, ale czuła jakiś wewnętrzny opór. Josefin nie pisała dla innych. Teraz ktoś miał dokładnie przeczytać jej zapiski. Jej ubrania, zdjęcia, lekarstwa i kosz na śmieci też miały zostać przejrzane, zbadane i ocenione.

Ann gryzła z chrzęstem, rozejrzała się po pokoju i postanowiła, że zacznie częściej sprzątać.

Sama nie prowadziła pamiętnika, przynajmniej od czasów nastoletnich. Miała tylko jeden list, który mógł uchodzić za bardziej prywatny. Od Edvarda, napisany w styczniu. Pod koniec przerwy świątecznej opuściła wyspę i zarazem jego. Była zbyt tchórzliwa, by powiedzieć mu to wprost, ale sposób, w jaki zniknęła, wskazywał wyraźnie, że na zawsze.

Po kilku tygodniach przyszedł niespodziewanie list. Ann czytała go z drżącymi rękami. Nie miała pojęcia, że Edvard potrafi tak obrazowo pisać. Tak jakby wszystkie słowa, które zebrał w czasie swojej dobrowolnej izolacji, trysnęły i przelały się na papier. Zdziwiła się, że w ogóle miał papeterię, ale pewnie pożyczył ją od Violi.

Pisał, że ją kocha, ale życie tak daleko od siebie jest zbyt trudne. Teraz już nie chce się z nią spotykać – jakby to nie ona uciekła – powinien poświęcić się pracy i swoim synom. To drugie było dla niej nowiną. Jens i Jerker prawie nie zjawiali się na wyspie w ciągu tych dwóch lat i ich kontakty z ojcem były, delikatnie mówiąc, sporadyczne.

Nie dała rady zjeść ostatniej kanapki, ale zlizała z niej kawior. Teraz najważniejszy był pamiętnik.

Czytała przez pół godziny, nim znów go zamknęła. Zostało jej jeszcze dwadzieścia pięć stron, ale miała już przypuszczalny motyw zamordowania Josefin. Dziwniejsze było jednak zabójstwo Emily.

Josefin napisała, że jedyne, czego jest pewna to to, że Sven-Erik kocha córkę ponad wszystko.

Myśli o Edvardzie powracały przez resztę wieczoru. Przez długi czas było im dobrze razem. Kochali się z intensywnością przewyższającą wszystko, co przeżyła wcześniej.

Dużo ją nauczył, powaga w jego spojrzeniu i myślach była jak ożywczy powiew w jej świecie złodziei, morderców i innych zbrodniarzy. Wierzyła, że dzięki niemu stała się lepszą policjantką. Może fascynował ją jego język, słowa płynące prosto z życia blisko ziemi i upraw. Nadawał nazwy rzeczom, których nie dostrzegała albo się nad nimi nie zastanawiała. Ożywił także coś z tego, co było jej dziedzictwem i mową. Dialekty się różniły, ale w jego mowie słyszała swoją i rodziców.

Edvard i jej rodzice spotkali się jeden raz i po początkowym skrępowaniu powstało między nimi osobliwe porozumienie. Jej ojciec zabrał Edvarda na równiny. Jeździli wąskimi drogami i Bóg jeden wie, o czym rozmawiali, ale kiedy wrócili, sprawiali wrażenie starych przyjaciół.

Stali długo przy samochodzie, przyglądając się okolicy. Ona i matka obserwowały ich z okna.

Edvard powiedział w drodze powrotnej do domu, że jej ojciec nosi w sobie jakieś pęknięcie, a Ann zastanawiała się, co ma na myśli. Edvard długo milczał, ona nauczyła się czekać, aż zacznie mówić, lecz tuż przed Södertälje zagłębił się w wywody na temat równiny Östergötlandu i wszystkich wiosek i osad, przez które przejeżdżał z ojcem Ann. Ojciec pokazywał mu zamknięte sklepy, do których przez dwadzieścia pięć lat dowoził napoje i piwo. Teraz większość z nich zamieniono na domy mieszkalne, ale łatwo było je rozpoznać po frontowych schodkach i dużych oknach. W jednym miejscu pozostał nawet szyld „Sklep spożywczy Arnego".

– Byliście więc prawdziwymi zwiadowcami – wtrąciła Ann.

– Właśnie. Robiliśmy zwiad, a twój ojciec opowiadał. To w jego opowiadaniach było to pęknięcie.

– Nikt się nie interesuje jego dawnymi wyprawami. Czy wiesz, że często jeździłam z nim latem?

– Mówiłaś mi o tym na naszym pierwszym spotkaniu, nie, na drugim, pamiętasz? Kiedy szliśmy starą szosą. Opowiadałaś, jak śpiewał w samochodzie. Wtedy się w tobie zakochałem.

Potem umilkł. Czy sprawiło to wspomnienie tamtego spaceru? Tak sądziła i jechali w milczeniu aż do ronda przy wschodnim wjeździe do Uppsali. Ann zachowała wizytę w Ödeshög i podróż do domu jako jedno z najmilszych wspomnień z ich wspólnego życia.

Nie rozmawiali już o tym pęknięciu, ale chyba wiedziała, co miał na myśli. Na tyle znała Edvarda. Potrafił czytać krajobraz i jego mieszkańców, tak jak niewielu ludzi, których spotkała.

Radość ojca z wyprawy do dawnych miejsc, obowiązkowy klakson, kiedy podjeżdżał do wjazdu lub rampy, twarze sklepikarzy w drzwiach, rozmowy, kawały z brodą, brzęk pełnych skrzynek i głuchy odgłos pustych – w tamtą niedzielę mógł ponownie przeżyć to wszystko, co nadawało jego pracy sens.

Edvard to widział, ale także coś więcej. Pęknięcie. Kiedy ojciec zagłębiał się we wspomnienia, Edvard to rozumiał. Brakowało jej tego – jego intensywności, jego spojrzenia.

Wstała z fotela. Czy powinna sobie nalać kieliszek czerwonego wina? Uśmiechnęła się i wybrała mleko.

Niebieska książka leżała otwarta, a ona chciała przeczytać więcej. O pęknięciach Josefin.

6

„Dzień drugi", zapisała Ann Lindell w swoim notatniku. Potem długo nic. Potem jeszcze coś.

– Czy możesz z tym żyć, Svenie-Eriku Cederénie? – powiedziała głośno i zapisała w notesie jego nazwisko.

Na lotniskach i w portach zaostrzono kontrolę, poprzedniego popołudnia ogłoszono alarm ogólnokrajowy, ale nic to nie dało. Wszyscy wiedzieli, jak łatwo jest wyjechać z kraju. Może pojechał do Kappelskär, a stamtąd statkiem do Finlandii?

Zapisała w notesie Helsinki, ale szybko je skreśliła. Cederén nie jeździł do Finlandii.

Następnym słowem była „kochanka". Wpatrywała się w kartkę. „Kocha". Po lekturze pamiętnika Josefin wiedziała, że w życiu Svena-Erika była inna kobieta. Z treści nie wynikało, kim była ani gdzie mieszkała. Josefin albo tego nie wiedziała, albo nie chciała pisać wprost jej imienia. Nienawidziła tej kobiety, to oczywiste, ale może też nie chciała uwieczniać jej imienia na papierze, nadawać jej kształtu i tożsamości.

Pojawiała się tylko w napomknieniach. Wspólne życie Josefin i Svena-Erika kręciło się wokół kochanki, choć on nie wiedział, że ona wie. A może wiedział? Kłócili się o tę kobietę? Ann w to nie wierzyła. W pamiętniku nie było żadnej wzmianki na ten temat. Ona tylko tam była, jak kamień toczący się po pięknej, nieposprzątanej willi w Uppsala-Näs, o który potykała się Josefin. Mierzyła się z tą kobietą, badała swego męża i jego reakcje.

Josefin zadręczała się. Świadomość, że istnieje inna kobieta, wyniszczała ją. Jednocześnie była w ciąży. Świadczył o tym pamiętnik, a sekcja zwłok to potwierdziła. Sammy Nilsson przyniósł raport, z którego wynikało, że była w drugim miesiącu ciąży.

Może ktoś inny był ojcem? Pamiętnik nie dawał na to bezpośredniej odpowiedzi, ale różne sformułowania wskazywały na jedno: ojcem był Sven-Erik. Ann zapamiętała zdanie: „Jak mógł przyjść od niej do mnie?" Zastanawiała się, jak ona sama mogłaby przyjąć mężczyznę do łóżka, kochać się z nim ze świadomością, że ma kochankę, ale wyczuwała, że Josefin zrobiła ten desperacki krok, by go odzyskać. Może to dziecko miało uratować małżeństwo.

Ann wyjęła listę pracowników MedForsk. Razem dziesięć nazwisk, w tym trzy kobiety. Wszystkie po trzydziestce. Ogólnie dość młody personel. Ani jednej osoby po pięćdziesiątce, większość między trzydziestką a czterdziestką.

Ann postanowiła przesłuchać kobiety. Wczorajsze zeznania nic nie dały, prócz typowego: „Wydawał się być w dobrej formie" i „Nie zauważyłam niczego szczególnego". Ann zwróciła uwagę, że przesłuchania prowadził Wende i do tego zdążył jeszcze sporządzić protokoły. Do każdego z nich przypiął zdjęcie przesłuchiwanego pracownika. To robiło wrażenie. Musiał pracować w nocy.

Wypisała w notesie nazwiska kobiet, przyglądając się uważnie zdjęciom. Wszystkie były ładne – dwie blondynki i jedna ufarbowana henną. Kochanki chyba poznaje się w pracy? Ann skupiła się na jednej z blondynek.

MedForsk znajdował się na obrzeżach miasta, w rejonie, w którym Ann Lindell bardzo rzadko miała jakieś sprawy do załatwienia. Nie znała nawet nazw ulic. Tu miały swoje siedziby świetnie prosperujące przedsiębiorstwa w dziedzinie badań medycznych i technologii informacyjnych. Wszystkie mieściły się w niepozornych budynkach wyglądających jak rząd pudełek z żółtej cegły, choć, jak rozumiała, były przyszłością tego miasta, z nazwą firmy i logo dyskretnie umieszczonymi na szczytowych ścianach i wejściach. Trudno było się domyślić, co się kryje za fasadami. Ucieszyła się, kiedy zobaczyła w pełni zrozumiałą nazwę firmy: „Warsztat Lassego – wszystko dla samochodu". Żałowała, że to nie jest jej punkt docelowy. Podnośnik i ściany z wiszącymi narzędziami, odgłos szlifierki i iskry ze spawarki były dla niej czymś rozpoznawalnym.

Teraz znajdowała się na obcej ziemi. Hol firmy MedForsk był pusty i sprawiał zimne wrażenie. Recepcja, w której nikt nie siedział, troje drzwi, wszystkie zamknięte na klucz, stolik i para foteli. Nie było słychać żadnych odgłosów, żadnych oznak ludzkiej aktywności i Ann miała wrażenie, że wszyscy pracownicy zostali w domach.

Za jednymi z drzwi pojawiła się nagle kobieta, otworzyła je szybkim ruchem i spojrzała pytająco na Ann.

– Ann Lindell z policji kryminalnej – przedstawiła się Ann, wyciągając rękę.

Rozpoznała kobietę ze zdjęć. Ta ufarbowana henną. Jej dłoń była równie zimna jak pomieszczenie, w którym się znajdowały. Miała oczy bez wyrazu, częściowo ukryte za okularami.

– Tak? – odrzekła nieco pytającym tonem, jakby nie rozumiała, dlaczego policja przychodzi do MedForsk.

– Prowadzę śledztwo w sprawie wczorajszego wypadku.

– Rozumiem.

– I zniknięcia Svena-Erika Cederéna.

– Byłam już przesłuchiwana.

Dama z henną wyprostowała swoje szczupłe ciało, żeby wyglądać jeszcze bardziej nieprzystępnie. Niebieska sukienka z wąskim srebrnym paskiem w talii podkreślała jej wężowe kształty. Ręce miała skrzyżowane na drobnych piersiach.

– Wiem. Chcemy zebrać trochę informacji uzupełniających.

– Mieliśmy już wizytę. Rano był tu pełny radiowóz.

– Próbujemy stworzyć sobie obraz przedsiębiorstwa.

Kobieta weszła za kontuar recepcji i wzięła cienki notes w twardych okładkach. Ołówek przytwierdzony do grzbietu okładki był mocno obgryziony.

– Podzieliliśmy to między siebie i mnie przypadły trzy kobiety zatrudnione w MedForsk.

– Przypadły – powtórzyła kobieta.

– Mogę zacząć od pani, jeśli wolno.

– Jestem trochę zajęta i do tego pilnuję... ale możemy iść do pokoju socjalnego.

Kobieta podeszła do najbliższych drzwi, stukając obcasami, wbiła kod i przepuściła Ann przodem.

Pokój socjalny, zaskakująco przytulnie urządzony, zajmował środkowe pomieszczenie w budynku. Ann zdążyła dostrzec kilka pokoi biurowych, a za jednymi szklanymi drzwiami mignęło jej coś, co wyglądało na laboratorium.

Ann wyjęła notes. Kobieta usiadła na brzegu fotela, trzymając złączone nogi i nie spuszczając wzroku z policjantki.

Nazywała się Sofi Rönn i miała trzydzieści pięć lat. Ann już to wiedziała, ale pozwoliła kobiecie opowiedzieć trochę o sobie. Pracowała tu od pięciu lat. Innymi słowy, była weteranką.

Zajmowała się sprawami administracyjnymi i nie miała do czynienia z badaniami.

– Jak by pani opisała Svena-Erika Cederéna?

Kobieta przez chwilę milczała.

– Jest zdolnym naukowcem i ma duże ambicje – powiedziała w końcu.

– Jakie ambicje?

– Pracuje dzień i noc – odrzekła Sofi Rönn i spojrzała na Ann takim wzrokiem, jakby cała reszta była tylko czczą gadaniną. – Wcześnie przychodzi i wychodzi jako jeden z ostatnich. Dużo podróżuje, jeździ na konferencje i ma szeroką sieć kontaktów.

– Czy jest lubiany? Wiem, że pytanie brzmi trochę głupio i rozumiem, że nie chce pani źle mówić o współpracowniku.

– Jest lubiany. Wszyscy go lubimy.

Po raz pierwszy coś się zmieniło w wyniosłej, chłodnej postawie kobiety. Opuściła ramiona i przeniosła wzrok z Ann na nieokreślony punkt w pokoju.

– Czy znała pani Josefin Cederén?

– Tak, bywała tu czasami, ale dość rzadko. Nie miałyśmy zbyt częstego kontaktu.

– A ze Svenem-Erikiem?

– Co pani ma na myśli?

Rzuciła Ann szybkie spojrzenie.

– Kontakt prywatny.

– Spotykaliśmy się na imprezach firmowych, nic więcej, jeśli o to chodzi.

– Nie chodzi mi o nic szczególnego, tylko o to, czy spotykała się pani ze Svenem-Erikiem i czy poznała go pani bliżej, że się tak wyrażę.

Cisza przedłużała się. Sofi Rönn zaczynała wreszcie rozumieć, do czego Ann zmierza tymi pytaniami i rzuciła jej zimne spojrzenie.

– Sven-Erik i ja nie spotykaliśmy się na gruncie prywatnym – powiedziała krótko.

– Zbieram informacje niezwiązane z pracą. To możemy zbadać dość łatwo, ale trudniej jest poznać prywatne życie człowieka. Dobry kolega z pracy często staje się dobrym przyjacielem. Dobrym przyjaciołom można się zwierzać. Czy Sven-Erik powiedział coś, co może tłumaczyć jego zniknięcie?

Kobieta pokręciła głową.

– To nie wygląda dobrze – powiedziała Ann. – Jego żona i sześcioletnia córeczka Emily, ją też pewnie pani poznała, zostają brutalnie zamordowane, a on sam znika bez śladu. To nie wygląda dobrze.

Zaczekała, aż jej słowa dotrą do świadomości rozmówczyni, nim podjęła wątek.

– Niektórzy myślą, że to on zabił swoją rodzinę. Co pani o tym sądzi?

– Nigdy w życiu – odpowiedziała Sofi szybko i bardzo zdecydowanie.

Zdjęła okulary i trzymała je teraz w ręce.

– Nigdy w życiu – powtórzyła – nie zrobiłby czegoś takiego. Nie własne dziecko. Emily była uroczą dziewczynką.

Jej zimny pancerz powoli się rozpadał. Ann milczała, nie chcąc jej przeszkadzać w wewnętrznych rozważaniach. Szybkim ruchem potarła policzek.

– On kocha Emily. Ciągle o niej mówi.

– Czy kocha swoją żonę?

– Czemu miałby nie kochać?

Ann przyglądała się kobiecie. Kilku pracowników minęło zamknięte drzwi pokoju socjalnego i z korytarza dobiegł ich śmiech.

– Wydawał się trochę nieobecny, że tak powiem.

– I myśli pani, że to ma związek z jego małżeństwem? Czy mówił coś konkretnego?

Sofi w odpowiedzi pokręciła głową, ale było oczywiste, że nad czymś się zastanawia. Początkowa rezerwa zmieniła się w bardziej pojednawczy ton, kobieta chciała mówić i Ann nie widziała powodu, by ją poganiać.

– Dużo podróżował i może kogoś poznał. Nie wiem.

– Proszę powiedzieć coś więcej.

– Zmienił się.

– Dokąd podróżował?

– Mamy filię w Maladze, UNA Medico. Często tam jeździ.

– I myśli pani, że kogoś tam poznał?

– Możliwe.

– Jak się zmienił?

Kobieta poruszyła się i wygładziła dłonią idealnie gładką sukienkę. Jej paznokcie przypominały paznokcie Josefin.

– Wcześniej był taki uroczy. Żartował i tak dalej.

W głosie Sofi Rönn pobrzmiewał teraz dialekt, który Ann skojarzyła z Hälsinglandem. Nagryzmoliła coś w notesie i spojrzała na zegarek.

– Stał się milczący. Mało mówi. Siedzi w swoim pokoju i stuka w klawiaturę. Rzadko przychodzi tu na kawę.

– Czy to się zmieniło po podróżach?

– Tak, może nasiliło, ale ogólnie się zmienił, jest bardziej drażliwy.

– Czy w firmie są konflikty?

Znowu cisza. Ann żałowała, że nie ma czegoś do picia, albo chociaż do pogryzania.

– Sven-Erik i Jack nie bardzo się dogadują.

– Jack jest szefem?

Sofi skinęła głową.

– Razem założyli firmę. Jack jest dyrektorem zarządzającym. Mają udziały po połowie. Kłócili się. Czasem to słyszeliśmy. To mała firma.

– O co?

– Nie wiem. Tylko wyczuwało się w powietrzu złą atmosferę i zdenerwowanie.

Ann Lindell zakończyła rozmowę, tworząc sobie obraz pozostałych pracowników MedForsk. Sofi Rönn wyliczyła kolejno wszystkich zatrudnionych i ich obowiązki. Ann potrafiła to docenić, zwłaszcza w świetle jej początkowej rezerwy. Sofi starannie dobierała słowa, lecz Ann i tak miała wrażenie, że stara się przedstawić jak najbardziej bezstronny obraz firmy.

Po zadanym wprost pytaniu, czy Svena-Erika Cederéna mogło coś łączyć z którąś z pozostałych pracownic, Sofi Rönn znów przybrała postawę pełną rezerwy.

– Nigdy – powiedziała ostrym tonem. – Bardzo dobrze znam Lenę i Tessę. Lenę od ponad dziesięciu lat, pracowałyśmy razem w Pharmacii, a Tessa jest bardzo szczęśliwa. Spodziewa się dziecka i szaleją z mężem z radości. Starali się przez wiele lat. Żadna z nich nie mogłaby zrobić skoku w bok, a już na pewno nie ze Svenem-Erikiem.

– Dlaczego nie ze Svenem-Erikiem?

– Nie jest w ich typie.

– A w jakim jest typie?

Sofi znów się zawahała.

– Ma w sobie jakąś melancholię, która może być trudna do zniesienia. Często jest w dobrym nastroju, który nagle się zmienia.

– Wydaje się być dość ekstrawertyczny, gra w golfa i tak dalej.

– Jest świetnym golfistą. W zimie wyjeżdża czasem grać w golfa. Sądzę, że w ten sposób odreagowuje stres, jaki ma w pracy.

Melancholia. Studiowała uważnie jego twarz na pozowanym zdjęciu rodzinnym, które znalazła w willi. Rodzaj fotografii, jaką stawia się na biurku w pracy. Szczęśliwa rodzina. Wyglądał na naprawdę szczęśliwego, obejmując ramieniem elegancko ubraną i umalowaną Josefin, z córeczką na kolanach. Czy ten mężczyzna mógł być niewiernym mężem? Zdecydowanie tak, rozstrzygnęła Ann. Czy mógł zabić swoją rodzinę? Być może, pod silną presją i w afekcie. Gniew, zazdrość i paląca nienawiść mogą zmienić każdego. Ann i jej koledzy aż nazbyt często mieli z tym do czynienia.

Zadała to pytanie Sofi, która odrzuciła tę myśl jako absurdalną.

– Więc dlaczego zniknął?

– Nie wiem. Może był świadkiem tego wszystkiego i doznał szoku.

– Dziękuję, naprawdę nam pani pomogła – powiedziała Ann, wstając.

Kobieta powstrzymała ją ruchem ręki.

– Jest jeszcze coś. Myślę, że Josefin była w ciąży.

– Tak, to prawda. Sądzi pani, że ktoś inny może być ojcem?

Sofi zrobiła minę, z której Ann wyczytała, że nie można tego wykluczyć.

– Skąd pani wiedziała, że była w ciąży?

– Josefin wspomniała o tym w zeszłym tygodniu. Jack urządził małą imprezę, świętowaliśmy przełom w badaniach. Josefin nic nie piła. Skomentowałam to trochę żartobliwie, a ona powiedziała wprost, że spodziewa się dziecka.

– Czy wyglądała na zadowoloną?

– Trudno powiedzieć. Powiedziała to bez szczególnego entuzjazmu. Wiadomo, trudno się cieszyć pośród tych wszystkich ataków mdłości i tak dalej.

Ann pokiwała głową. Pomyślała o niebieskim pamiętniku. Josefin pisała w nim o swoich mieszanych uczuciach wobec tego dziecka. Z jednej strony chciała je urodzić, ale coraz częściej pojawiała się myśl o aborcji. Nie pisała o tym wprost, ale miała na tyle silne wątpliwości, że ta myśl musiała chodzić jej po głowie. „A jeśli on mnie zostawi?" – zadawała sobie to pytanie kilka tygodni temu, dwudziestego drugiego maja. Trzeciego czerwca zanotowała: „Powiem mu wieczorem. Musimy podjąć decyzję".

Tydzień później nie żyła. Ktoś podjął decyzję.

Ann Lindell przed wyjściem z MedForsk rozmawiała także z Leną Friberg i Teresią Wall. Od śmierci Josefin i Emily minęła dokładnie doba.

Ann tęskniła za czekoladowymi biszkoptami w Savoyu, ale kiedy była już blisko cukierni, postanowiła zamiast tego zjeść normalny posiłek i przypomniała sobie restaurację, o której mówił Haver.

Wyjechała z Börjegatan i zaparkowała zbyt blisko przejścia dla pieszych. Brostugan przypominała jej trochę Savoy. Wystrój nie był zupełnie nowy i stwarzał wrażenie przytulności, kiedy weszła do środka.

– Gołąbki – usłyszała zamówienie jednego z klientów i od razu zdecydowała się na to samo.

Usiadła przy oknie. Telewizor był włączony, ale ze ściszonym dźwiękiem. Leciał na nim program kulinarny z kucharzem o niemal tragikomicznym wyglądzie. Ann śledziła ruchy jego warg, próbując zrozumieć, o czym mówi. Na pewno nie o gołąbkach.

Wbrew swemu zwyczajowi przyglądania się gościom w lokalach, rzuciła się na jedzenie z łapczywością, która ją zdumiała.

Przy kawie podsumowała wizytę, wyjęła notes, zrobiła parę notatek i zastanowiła się nad tym, co powiedziała Teresia Wall. Ósmego czerwca dyrektor zarządzający Jack Mortensen i Sven-Erik Cederén ostro się pokłócili. Sven-Erik właśnie wrócił z Hiszpanii. Był mocno opalony, ale wyglądał na wyczerpanego, „jakby na ciężkim kacu", jak wyraziła to Teresia.

Do konfrontacji doszło w gabinecie Jacka, lecz podniesione głosy było słychać aż w pokoju socjalnym. Nie wiedziała, o co chodzi. Zapytała Jacka, ale zbył ją ze złością i wymamrotał coś o „cholernym wiecznym niezdecydowaniu Svena". Teresia pomyślała, że pokłócili się o zbliżające się wejście na giełdę. Firma stała u progu wielkiej ekspansji i potrzebowała dużych pieniędzy. Może Cederén wahał się co do formy prospektu giełdowego, bo następnego dnia Jack zamknął się w swoim pokoju i intensywnie pracował. Wszyscy sądzili, bo szeptało się o tym ostatnio w laboratorium, że wprowadzał ostatnie poprawki redakcyjne przed ogłoszeniem prospektu. Konferencja prasowa była zwołana na szesnastego czerwca.

W dzień po kłótni, dziewiątego czerwca, Sven-Erik w ogóle się nie pojawił. Zadzwonił do Leny Friberg w sprawie planowanego spotkania z konsultantem. Chodziło o wyposażenie techniczne.

Goście restauracji wchodzili i wychodzili. Słychać było śmiech. Z pewnością bywało tu wielu stałych klientów, bo wymieniali różne ksywki, a na krótkie pytania o pracę padały równie krótkie, czasami ironiczne odpowiedzi.

Starszy mężczyzna czytał „Uppsala Nya", trzymając gazetę blisko oczu. Złożył ją starannie, wstał z widocznym trudem, odniósł tacę i grzecznie podziękował. Kobieta za ladą uśmiechnęła się.

Haver znów ma rację, pomyślała Ann. Powinna tu kiedyś wrócić. Tu było życie, codzienne życie, którego tak bardzo potrzebowała, prawdziwi ludzie z prawdziwą pracą, w ubraniach roboczych, z drobnymi narzędziami w kieszeniach i logo firmy na plecach i kieszonkach na piersi. Ludzie, którzy nikogo nie zabili.

Ale może regularnie leją swoje żony, pomyślała bluźnierczo i rozejrzała się dokoła.

Axel Olsson przyjął ją boso. Jeden z jego wielkich palców był wyraźnie zdeformowany. Miał mokre stopy. Był bardzo chudy, z ascetyczną twarzą i wielkimi dłońmi, z którymi nie bardzo wiedział, co zrobić.

– Przepraszam – powiedział tonem usprawiedliwienia. – Żona leży.

Ojciec Svena-Erika Cederéna w ogóle często przepraszał.

Kiedy włożył skarpetki i kapcie, podczas luźnej pogawędki o soli do moczenia nóg i wizycie lekarza domowego, przeszli do pokoju gościnnego. Gości często przyjmowano w kuchni, lecz Axel Olsson szybko zamknął kuchenne drzwi i pokierował Ann Lindell ruchem dłoni w głąb mieszkania.

Było niewietrzone. Standardowo umeblowane, w stylu, który Ann dobrze znała. Duży kredens z intarsjowanymi drzwiami, stolik przed wytartą bordową kanapą, regał z niewielką liczbą książek, ale sporą kolekcją szklanych naczyń, zdjęć i pamiątek, dwa wysiedziane fotele i postument ze zwisającym asparagusem.

Ann przyglądała się zdjęciom, a gospodarz znowu przepraszał. Był na nich jego syn, synowa i wnuczka, w różnych ujęciach. Kilkanaście starych fotografii w owalnych brązowych ramkach – Ann domyślała się, że to starsi, nieżyjący krewni – zajmowało całą półkę.

– Sven-Erik jest państwa jedynym dzieckiem?

Mężczyzna skinął głową.

– Nie zdążyłem posprzątać – tłumaczył się – ale proszę usiąść.

Sam stanął przy drzwiach balkonowych.

– Nie szkodzi, domyślam się, że ma pan co innego na głowie.

– Żona kiepsko się czuje.

– Straciliście wnuczkę i synową, rozumiem – powiedziała Ann.

Mężczyzna nerwowym ruchem chwycił asparagus, szarpnął z całej siły i chmura żółtych pędów spadła jak deszcz na podłogę.

Małżonkowie Olsson mieli już wczoraj wizytę policji i powiedzieli, że nie wiedzą, gdzie może być ich syn.

– Sven-Erik się nie odezwał?

– Nie rozumiem tego – przyznał mężczyzna.

– Wiem, że się nad tym zastanawialiście, kiedy dostaliście wiadomość. Czy nic się nie pojawiło, żaden nowy pomysł, gdzie on może być?

Mężczyzna zamknął oczy. Wyglądał na całkiem zamroczonego. Ann domyślała się, że był na środkach uspokajających.

– Sven-Erik nie dzwonił?

Otworzył oczy, utkwił w niej wzrok i powiedział bardzo powoli:

– Nie dzwoni zbyt często.

Ann miała uczucie, że mężczyzna lada moment zaśnie na stojąco.

– Dużo pracuje – dodał. – Mówiliśmy mu to. Zapracowuje się na śmierć.

Axel Olsson podszedł do najbliższego fotela i położył dłoń na jego oparciu. Poruszył szyją, jak gdyby miał wygłosić mowę.

– Nie był szczęśliwy – dodał i zauważył, że mówi o synu w czasie przeszłym, więc szybko się poprawił. – Jest nieszczęśliwy. To przez tę pracę.

– Czy był szczęśliwy z Josefin?

Mężczyzna drgnął, jak gdyby dźwięk jej imienia dał mu nowy zastrzyk energii. Obszedł fotel i usiadł, pochylił się i po raz pierwszy od początku rozmowy spojrzał Ann prosto w oczy.

– Naciskała go, rozumie pani. Ciągle chciała mieć więcej. Tę willę, samochody i nowe ubrania. Sven-Erik nie umiał jej odmówić.

Umilkł równie nagle, jak zaczął mówić, i znowu zamknął oczy.

– Kłócili się?

– Miało być tip-top. Sven-Erik nie umiał się sprzeciwić. Musiał pracować. Ona chciała mieć ciągle nowe rzeczy. Czy się kłócili? Nie wiem, nie na tyle, żebyśmy coś zauważyli.

Nic w pamiętniku Josefin Cederén nie wskazywało na różnice w podejściu małżonków do stylu życia i pieniędzy. Nie napisała niczego, co mogłoby sugerować, że jest niezadowolona ze sposobu życia małżonka, prócz jego niewierności.

– Czy Sven-Erik był wierny Josefin?

– Kto twierdzi co innego? Jej ojciec? Powinna pani wiedzieć, że nigdy nie przyszedł tu z wizytą. Z początku zapraszaliśmy jego i Inger, ale nigdy nie przyjęli zaproszenia. On był takim ważniakiem. Teraz oczywiście obwinia o wszystko Svena-Erika.

Mężczyzna znów zapadł się w sobie.

– Nie dam rady – załkał.

Tak jakby wyczerpał wszystkie siły. Ann przyglądała się mu, siedząc nieruchomo. Ściskał dłonie między kolanami. Stęchłe powietrze w mieszkaniu drażniło gardło Ann. Wstała bezgłośnie. Z regału patrzyło na nią duże zdjęcie Svena-Erika Cederéna w studenckiej czapce.

Chciała położyć dłoń na ramieniu mężczyzny, powiedzieć mu coś na pocieszenie, ale nie potrafiła. Jego syn mógł być mordercą i Ann nie potrafiła ukoić bólu ojca, a może nawet nie chciała. W jego zachowaniu było coś, co wzbudzało w niej uczucie niesmaku, jeśli nie awersji.

Zamknęła za sobą drzwi ze świadomością, że powinna była mu zadać jeszcze wiele pytań, porozmawiać z kobietą, która znajdowała się za jednymi z zamkniętych drzwi. Może siedziała milcząca w kuchni. Próbowała ją sobie wyobrazić: duża, ciężka, zniszczone włosy z resztkami trwałej, posępny żal zmieszany z bezsilnością i być może gniewem. Głównie niemy żal. „Kiepsko", powiedział jej mąż. Ann smakowała to słowo. „Kiepsko".

Po wyjściu na świeże powietrze zadzwoniła do Sammy'ego Nilssona, który powiedział jej, że przegląd spraw MedForsk zajął dużo czasu. Powiązanie z filią w Hiszpanii nie było całkiem jasne. Prowadzili znaczną część swojej działalności względnie samodzielnie, ale to tam najwyraźniej wykonywano największą część pracy laboratoryjnej. Większość dokumentów była po angielsku, niemniej zostawało całkiem sporo po hiszpańsku. Wezwano tłumacza. Kontaktami z Malagą zajmował się Sven-Erik Cederén, ponieważ znał język.

Beatrice sprawdziła ubezpieczenia. I Josefin, i Emily były ubezpieczone w Skandii, a Sven-Erik był uposażony. Kwota sięgała miliona.

– Jak wyglądają ich prywatne sprawy finansowe?

– Dobrze – podsumował krótko Sammy Nilsson. – Mają akcje na około pół miliona, głównie w branży farmaceutycznej, kredyt na skromne dziewięćset tysięcy, aktywa bankowe na pół miliona i tyle samo w obligacjach.

– Brzmi nieźle – powiedziała Ann, myśląc o własnym chudym koncie. – Inaczej mówiąc, żadnego nagłego deficytu.

– Nie, ani żadnych gwałtownych ruchów finansowych w ostatnim czasie. Regularne wpływy i żadnych większych wypłat. Teraz pracujemy nad różnymi kartami Svena-Erika. Sixten w tym grzebie.

– Coś ciekawego z willi?

– Nie. Nie ma więcej osobistych notatek.

Ann usłyszała głosy w tle, zadzwonił telefon i któryś z kolegów Sammy'ego się roześmiał. Pewnie Riis tak rechocze, pomyślała.

– Dobrze się bawicie?

– Berglund się wygłupia. Wygrał dziesięć tysięcy na loterii. Znalazł los w samochodzie.

– Znalazł?

– Zapomniał o nim – wyjaśnił krótko Sammy. – Co u ciebie?

Ann zdała sprawozdanie ze swoich wizyt.

– Gdzie on jest? – zapytała.

– Za granicą – odparł Sammy.

– Może w Hiszpanii.

– Stawiałbym na Dominikanę. Próbujemy rozpracować tę historię z domem. Tłumacz pomaga nam przy dokumentach.

– Dobrze, Sammy. Pozdrów Berglunda.

Zakończyła rozmowę i odwróciła się, by spojrzeć na dom, w którym żyli w zaduchu rodzice Svena-Erika. Była prawie pewna, że Axel Olsson, a może również jego kiepsko czująca się żona, obserwują ją z okna.

O co mu chodziło, kiedy mówił o Josefin i jej zamiłowaniu do rozrzutnego życia? Ann mu nie wierzyła. Jej garderoba rzeczywiście była imponująca ilościowo, lecz nie sensacyjnie droga. A dom, pomijając bałagan, niczym szczególnym się nie wyróżniał.

Znaczące było to, że rodzice się nie znali. Mogło tu chodzić o różne środowiska, z jakich się wywodzili – ojciec Josefin miał z pewnością wyższą emeryturę. Nie wiedziała, czym zajmował się Axel Olsson, ale sądziła, że pracował fizycznie. Mamrotał też coś o zarozumiałości, że czuł się gorszy, ale po spotkaniu z ojcem Josefin trudno jej było wyobrazić go sobie jako pyszałka. Prawdopodobnie chodziło o jakieś zadawnione niesnaski. Nie utrzymywali kontaktów towarzyskich, i tyle, stwierdziła.

W pokoju socjalnym siedzieli Ottosson, Wende i Beatrice razem z mężczyzną, którego nie znała. Domyśliła się, że to ten hiszpański tłumacz, i szybko uzyskała potwierdzenie.

Kiedy się przedstawił jako Eduardo Cruz, cofnęła się o parę lat w czasie do śledztwa, które prowadzili w sprawie zamordowania młodego peruwiańskiego uchodźcy Enrico, którego brat miał taki sam akcent.

Beatrice, jak zawsze spostrzegawcza, zauważyła jej reakcję i zaczęła mówić o tym, co ona i Wende ustalili w kwestii prywatnych finansów Cederénów.

Ann, która słyszała już większość tego od Sammy'ego, słuchała nieuważnie. Od Enrica i Ricarda jej myśli powędrowały do ostatniego telefonu od Edvarda.

– Co o tym sądzisz? – zapytał Ottosson, patrząc na nią przyjaźnie.

– Nie uważałam, szczerze mówiąc. Potrzebuję kawy – powiedziała, wstając.

Wróciła z filiżanką kawy i czekoladowym ciastkiem, a Beatrice mruknęła coś o poziomie cukru we krwi.

– Udało nam się nawiązać kontakt z Republiką Dominikany – powiedział Wende. – Mieliśmy problem z odbiorem faksu.

– Jaka jest różnica czasu? – zapytał Ottosson.

– Pięć godzin – odparł tłumacz.

– Eduardo przetłumaczył odpowiedź i wynika z niej, że Cederén kupił ziemię w północno-zachodniej części kraju, niedaleko Haiti.

– Ziemię?

– Tak, nie dom, tylko ziemię, dokładnie dwa hektary. Zapłacił osiemdziesiąt pięć tysięcy dolarów.

– Skorzystał z usług firmy maklerskiej West Indies Real Estate w Sosua – wtrąciła Beatrice.

Ann nie chciała spekulować w obecności tłumacza, co to oznaczało, spytała jednak, czy faks dostarczył więcej informacji.

– Sven-Erik Cederén był tam kilka razy osobiście, ostatnio piątego czerwca. Wtedy sfinalizowano transakcję i Cederén przelał pieniądze z konta MedForsk do Banco Nacional, osiemdziesiąt pięć tysięcy dolarów amerykańskich.

– Ile to jest?

– Jakieś osiemset pięćdziesiąt tysięcy – policzył Wende.

Ottosson pogłaskał brodę.

– Zatem MedForsk posiada teraz dwadzieścia tysięcy metrów kwadratowych karaibskiej ziemi – rzekł. – Po co?

– Płatność została zarejestrowana w Handelsbanku – dodała Beatrice.

– Dziękujemy za pomoc – powiedziała Ann do tłumacza. – Na pewno jeszcze się zwrócimy.

Wyciągnęła rękę.

– Skąd pan jest?

– Z Chile – odrzekł Eduardo Cruz i wstał.

Ann odprowadziła go wzrokiem.

– Przypomina mi sprawę Ricarda – rzekła i był to pierwszy raz, kiedy wymówiła przy kolegach jego imię.

Jego śmierć, kiedy rzucił się z okna po wejściu policji, w otoczeniu Ann była tematem tabu. Żaden z kolegów z pracy nie chciał rozdrapywać tej rany. Przez chwilę siedzieli w milczeniu przy stole, zanim Wende przerwał ciszę.

– Jack Mortensen nie miał pojęcia o tej transakcji. Przynajmniej tak twierdzi. Myślał, że Cederén był w Hiszpanii.

– Jak chyba wszyscy w MedForsk – zauważyła Ann.

– Bardzo mętne – powiedziała Beatrice.

– O co w tym chodzi? – Ann skierowała to pytanie w przestrzeń.

– Karaiby – odpowiedział Wende.

– Może zamierzał się tam przenieść z kochanką – rzekła Ann.

– Kto to jest?

Ann oparła się wygodnie na krześle.

– Musimy znowu sprawdzić wszystkie loty, wynotować jego podróże, przejrzeć listy pasażerów. Może ona tam jest. Jeżeli planowali się przenieść do cieplejszego kraju, musiała z nim polecieć chociaż raz.

– Ale czemu zapłacił pieniędzmi z firmowego konta? – wtrącił się Ottosson. – Chyba powinien się z czymś takim kryć.

– Jest mężczyzną – odrzekła Beatrice – uważa się za niepokonanego i myśli, że może robić, co mu się żywnie podoba i zawsze mu się uda.

Ann pokręciła głową.

– Mamy kogoś, kto zna hiszpański? – zapytała Ottossona.

– Może Riis – powiedział i parsknął śmiechem. – Ma przecież domek letni w Hiszpanii.

– Czy mamy wysłać Riisa na Dominikanę? – zapytała rozbawiona Beatrice.

– Ja mogę jechać z Chilijczykiem – rzekła Ann.

Po powrocie do swojego pokoju Ann usiadła z notesem. Narysowała parę esów-floresów i uporządkowała informacje, które już miała. Na stole przed nią leżało też kilka teczek, które zawierały dane o MedForsk i prywatnych finansach rodziny Cederénów oraz wypisy z przesłuchań, które zdążyli dotąd przeprowadzić i spisać.

Plik papierów już był całkiem pokaźny, a wiedziała z doświadczenia, że znacznie się powiększy do końca śledztwa. Była pod wrażeniem skuteczności swojego wydziału, mimo wszelkich turbulencji, jakie miały miejsce w komisariacie. Rozumiała, że trafiła do dobrego zespołu.

Na samym dnie stosu leżała również notatka służbowa od szefa policji: „Kwestie dotyczące niezbędnej restrukturyzacji straży miejskiej". Przeczytała tytuł, nie po raz pierwszy zresztą, nim wrzuciła ją do najniższej szuflady biurka. Tekst może zaczekać. Z pewnością niedługo przyjdzie następna notatka, rewidująca w całości lub częściowo wcześniejsze wnioski i propozycje.

Kiedy ostatni raz widziała szefa, był w mundurze i wybierał się właśnie na jakieś zebranie. Uwielbiał swój mundur. Ann wolałaby, żeby poświęcał prawdziwym problemom uppsalskiej policji równie dużo uwagi jak swemu umundurowaniu.

On dzwonił, pomyślała i jej myśli jak zwykle powędrowały do Edvarda. Ostatnio zdarzało się to rzadziej, co postrzegała jako oznakę zdrowienia, ale on wciąż tam był. Wiedziała, że gdyby oddzwoniła, byłaby zgubiona. Wystarczyło usłyszeć jego głos. „Nie, ty gąsko, nie jesteś przecież głupiutką nastolatką".

– Twoje ręce – powiedziała głośno i uśmiechnęła się.

Zdjęła papierek z ostatniego kawałka czekolady, którą wzięła do kawy, i postanowiła nie dzwonić. Niech on tam sobie chodzi po tej swojej wyspie, ze swymi pięknymi rękami i poważnymi myślami.

Przypomniała sobie, że muszą jeszcze raz przesłuchać dyrektora zarządzającego MedForsk Jacka Mortensena i zaczęła szukać numeru telefonu do firmy.

Odebrała Sofi Rönn i powiedziała, że Mortensen załatwia jakąś sprawę w terenie i już go dziś nie będzie. Ann dostała numer jego komórki.

– Jeszcze jedno, skoro już rozmawiamy: co pani wie o Republice Dominikany?

– Właściwie nic – odrzekła Sofi. – A dlaczego?

– Byłam tylko ciekawa – powiedziała Ann i podjęła szybką decyzję, że powie o faksie z West Indies Real Estate.

– To dla mnie nowina – rzekła Sofi Rönn. – Po co miałby kupować tam ziemię?

– Nic pani nie słyszała, że firma planuje zbudować tam jakiś zakład?

– Nie, ani słowa, a myślę, że bym wiedziała, gdyby mieli takie plany.

Ann też tak myślała, bo Sofi zdawała się wiedzieć najwięcej o MedForsk i jego pracownikach.

– Proszę nikomu o tym nie mówić – poprosiła ją Ann.

– To zostanie między nami – odrzekła Sofi Rönn i zakończyły rozmowę, obie przekonane, że w najbliższym czasie będą się jeszcze często kontaktować.

Ann zadzwoniła na komórkę Mortensena, lecz włączyła się poczta. Przedstawiła się i poprosiła dyrektora, by oddzwonił jak najszybciej.

Usłyszała delikatne pukanie do drzwi. Ola, pomyślała od razu. Nie pomyliła się.

– Udało mi się, choć nie bez przeszkód, zdobyć informacje o kartach bankowych Cederéna – powiedział, kładąc przed Ann kilkanaście wydruków. – Trzy różne karty, jedna firmowa, Visa, do tego MasterCard i Hydro.

Haver usiadł.

– Starałem się usunąć rzeczy moim zdaniem nieistotne. Zaznaczyłem te transakcje na zielono, są głównie prywatne. Tu mamy firmowe, w tym loty, to te zaznaczone na niebiesko. Potem wyjścia do restauracji, na biało, i pozostałe na czerwono.

Ann spojrzała na kartkę leżącą na wierzchu i stwierdziła to, o czym właśnie mówił – kolorowe kropki przed każdą pozycją.

– Tankowanie benzyny zaznaczyłem na mapie, a zakupy zagraniczne zebrałem na osobnej liście – ciągnął beznamiętnym głosem Haver.

Wziął plik papierów i rozrzucił je po całym biurku Ann. Spojrzała na mapę.

– Wydaje się, że benzynę kupował głównie kartą Hydro przy zachodnim wyjeździe z miasta?

– Tak, jeśli jechał do domu drogą 55, to jest najbliższa stacja. Ale tankował również przy E4, przy Råbyvägen i Öregrundsvägen.

– A restauracje?

– Pomyślałem tak: jeżeli miał kochankę, to na pewno czasem gdzieś razem wychodzili. Zestawiłem wszystkie wizyty, kiedy prawdopodobnie jadły dwie osoby.

Ann uśmiechnęła się.

– Lubisz to, prawda?

Haver podniósł wzrok.

– W ciągu ostatnich dwóch miesięcy dwadzieścia razy jadł kolację we dwoje w ośmiu różnych lokalach.

Umilkł, czekając na reakcję Ann.

– Obejdziemy wszystkie z fotografią Cederéna i może czegoś się dowiemy – powiedziała po chwili namysłu. – Czy możesz jeszcze popracować nad tymi listami? Myślę, że coś tu znajdziemy.

– Kogo mam wziąć do restauracji?

– Porozmawiaj z Ottossonem. Niech on zdecyduje.

– Listy zagraniczne daj Beatrice i Wendemu. Pracują nad Hiszpanią i wątkiem karaibskim.

Haver zamknął teczkę.

– Możesz zatrzymać te wydruki – powiedział. – Zrobiłem kopie.

– Dobra robota – rzekła Ann, kiedy otwierał drzwi.

Skinął głową i cicho zamknął je za sobą.

Ann wstała i podeszła do okna. Odbiło jej się niespodziewanie i poczuła w ustach smak gołąbków. Nie podobało jej się to wszystko. A jeśli udało mu się wyjechać za granicę?

Stała przy oknie przez kwadrans. Czuła się ociężała i ćmiła ją głowa. Edvard.

Pomyślała o jego pierwszej wizycie. To było w starym pokoju, jego ostrożne pytania, niepokój, ciekawość, kim był młody chłopak, którego znalazł martwego, jak na nią patrzył i ujął na pożegnanie jej dłoń. Już wtedy, po dziesięciu minutach, zobaczyła w jego oczach coś, czego nigdy nie miała zapomnieć. Miał w spojrzeniu jakiś głód i bezwiedną impertynencję pomieszaną z niepewnością. Oczy chłopca, a spojrzenie mężczyzny.

Wiedziała, gdzie jest, ale go nie odwiedziła. Znała na pamięć numer jego telefonu, ale nie zadzwoniła. Czy był to rodzaj samoudręczenia? Zostawiła go i wybrała samotność, pracę, może też nadzieję, że inny mężczyzna pozwoli jej zapomnieć o jego niezdecydowaniu i melancholii. Nie znalazła innego, a ściślej mówiąc, nie spotkała dotąd nikogo, kto mógłby zastąpić Edvarda.

Teraz wiedziała, co ją skłoniło do opuszczenia wyspy. Nie były to problemy praktyczne – on na Gräsö, ze swoją niewypowiedzianą lojalnością wobec wiekowej gospodyni, właścicielki domu, w którym mieszkał, ona w Uppsali, ze swoją pracą. Nie, to była jego niezdolność do kierowania własnym życiem. On tylko pozwalał, by rzeczy się działy. Nie dbał o kontakt ze swoimi dwoma synami. Odłożył swoje życie na bok i przeżywał je w bierności i rozproszeniu.

Wiedziała jednak, i drażniło ją to jeszcze bardziej, że męczy go takie życie. Ileż to razy go zachęcała, by przerwał izolację i odnowił kontakt z Jensem i Jerkerem? Podjął jakąś aktywność, by jego frustracja obecnym stanem rzeczy mogła znaleźć ujście, a życie zyskało sens.

Najpierw myślała, że to jej obecność jest powodem tych wahań, że wstydzi się przed synami i nie chce ich z nią konfrontować. Poznali ją w końcu jako policjantkę prowadzącą śledztwo w sprawie morderstwa. Byli podejrzani, ale zostali oczyszczeni z zarzutów. A jednak to ich postępowanie doprowadziło pośrednio do śmierci Enrica. Tym ważniejsze było odnalezienie chłopców.

Szybko się jednak zorientowała, że nie chodzi o nią. Edvard po prostu nie umiał żyć, a ona nie chciała być wciągana w to milczenie i tłumioną udrękę. Chciała żyć pełnią życia. Praca dostarczała jej wystarczająco dużo zmartwień, by miała jeszcze psuć sobie humor po powrocie do domu.

A jednak, przeklinała siebie samą, on tu jest. Dlaczego miałby dzwonić i nagrywać tę cholerną wiadomość?

– I spójrz prawdzie w oczy – upomniała głośno samą siebie z czołem przyciśniętym do szyby – sama przynosisz zły humor do domu.

Ale bez Edvarda. Bez jego oczu, rąk i zagubionej miłości. Ty prawie co wieczór wlewasz w siebie dwa kieliszki czerwonego wina. Wychodzisz z dziewczynami, upijasz się na umór i lądujesz w łóżku z mężczyzną, którego twarz ledwo pamiętasz. Czy to takie zabawne?

Dźwięk telefonu przerwał jej wewnętrzny monolog i stwierdziła ze zdziwieniem, że była sam na sam ze swoimi myślami przez całe piętnaście minut.

Podniosła słuchawkę. To był Jack Mortensen.

7

Ola Haver od razu przystąpił do sprawdzania restauracji. Do tego zadania wyciągnął dwóch kolegów z wydziału porządkowego i czterech ze śledczego.

Już po godzinie usiedli z listą restauracji. Haver cieszył się, że może wyjść z komisariatu i wyglądało na to, że pozostali też.

– Normalnie nie stać mnie na restaurację – wyznał Malm z porządkowej – więc to jedyna okazja.

– Jest ich osiem: Orient Svenssona w Hali Targowej, grecka naprzeciw V-dala*, La Commedia, włoska za rogiem, Piwnica Wermlandzka, dwie chińskie przy Kungsgatan, Drób i Ryby w Tunabackar i Kung Krål w Starym Rynku – zaczął Haver. –

* V-dala – Västmanlands-Dala Nation, jedna ze studenckich korporacji na Uniwersytecie w Uppsali.

Proponuję, żeby każdy wziął po jednej. Jest nas siedmiu. Ja mogę wziąć obie chińskie, są blisko siebie.

– Ja chętnie pójdę do Piwnicy Wermlandzkiej – powiedział Valdemar Andersson z wydziału śledczego. – Tam jest tak drogo, że normalnie bym nie poszedł.

Rozdzielili między siebie restauracje i wzięli po fotografii Svena-Erika Cederéna oraz Josefin i trzech kobiet z MedForsk.

– Pokażemy najpierw fotografię Cederéna i sprawdzimy, czy ktoś z personelu go rozpoznaje, a jeśli tak, zapytamy, czy bywał w towarzystwie kobiety, postaramy się, by sobie coś przypomnieli, wygląd, ubrania, cokolwiek, i czy to wyglądało na bliską zażyłość. Pamiętajcie, by najpierw opisali kobietę, a potem pokażcie zdjęcia. Okej?

Dwóch śledczych wymieniło spojrzenia. Haver to zauważył.

– To oczywiste, prawda? – powiedział z uśmiechem. – Weźcie wizytówki z moim numerem telefonu, gdyby któraś z kelnerek przypomniała sobie coś później i chciała zadzwonić.

Silna siedmioosobowa grupa rozciągnęła się po mieście jak wachlarz. Słońce mocno świeciło. Niebo było błękitne, a ulice skąpane w blasku. Szli szybko. Każdy myślał o tym, by zamówić piwo, choćby niskoprocentowe.

Pod wieloma względami było to rutynowe zadanie policyjne: obejść restauracje, pokazać fotografię i starać się ocenić reakcje ludzi, zobaczyć, jak ich pamięć przywołuje obrazy, dostrzec wahanie, a także nieufność. To był fikcyjny szablon, spopularyzowany przez amerykańskie filmy policyjne i seriale, ale także ich własna wizja tego, jak powinna wyglądać praca policjanta – czysta, schludna, elegancka i niezbyt trudna.

Mogli choć raz zostawić papierkową robotę, wyjść między ludzi. Mieli szansę wykazać się umiejętnościami lub dzięki łutowi szczęścia rozwiązać jakiś supeł, a może nawet całą sprawę. Chcieli, mimo tych wszystkich reorganizacji, co do których mieli wyrobioną opinię, wykonać dobrą robotę. Potrzebowali przełomu. Fajerwerków myśli. Szczęścia, dużo szczęścia.

Wszyscy szli lekkim krokiem, oprócz Magnussona, który był właśnie w drodze do Svenssona. Rozejrzał się niespokojnie po St. Persgatan i popatrzył w stronę centrum. Kiedy szedł Dragarbrunnsgatan, jego zmysły wyostrzyły się jeszcze bardziej. To tutaj zwykle włóczył się jego syn.

Za wszelką cenę chciał uniknąć spotkania. Erik był uzależniony od narkotyków i Magnusson podejrzewał, że jest nosicielem wirusa HIV. Nie zostało już nic z Erika, którego kochał.

Któregoś razu zszedł do aresztu i zobaczył syna. Ledwo go rozpoznał. Kolega, który dał mu znać o aresztowaniu Erika, stał parę metrów dalej. Kiedy Magnusson odwrócił się, spojrzeli na siebie. Obaj wiedzieli, że rokowania są bardzo złe.

– Przykro mi – powiedział kolega.

Magnusson z ulgą minął Dombron. Erik nie zapuszczał się zwykle na lewą stronę Fyrisån.

U Svenssona było zamknięte. Magnusson zastukał mocno w drzwi i przycisnął twarz do szyby. Restauracja miała być otwarta za pół godziny i policjant był przekonany, że personel już jest, więc załomotał jeszcze raz.

Pojawił się jakiś mężczyzna, wskazując demonstracyjnie na szyld z godzinami otwarcia. Magnusson wyjął legitymację, przyłożył ją do szyby i został wpuszczony.

Trzech kelnerów studiowało w skupieniu fotografię. Na ich twarzach nie było już widać wcześniejszej nonszalancji.

– Ja go znam – powiedział jeden z nich. – Czasem tu przychodzi.

Magnusson widział, jak kelner wytęża pamięć.

– Był tu kilka razy, zawsze chwali jedzenie.

– A wy?

Pozostali dwaj pokręcili głowami.

– Raz był tu w towarzystwie. Pamiętam, bo jedna z dziewczyn przewróciła butelkę wina.

Magnusson wyjął zdjęcia trzech kobiet z MedForsk.

– Czy to była któraś z nich?

– Ta – powiedział szybko kelner, wskazując na Teresię Wall. – Może – dodał po chwili.

– Czy był kiedyś w towarzystwie jednej kobiety?

– Może. Nie jestem pewny.

Policjant wyjął zdjęcie Josefin.

– Poznaje ją pan?

Mężczyzna patrzył na pięć fotografii na stole, wodząc wzrokiem od jednej do drugiej.

– Mam pamięć do twarzy – powiedział. – Wydaje mi się, że był tu pod koniec maja, ale z żadną z tych kobiet.

– Pamięta coś pan?

Mężczyzna milczał.

– Co jedli? Jak byli ubrani?

– Kobieta jadła chyba sushi. W każdym razie nie mięso.

– Wegetarianka?

– Nie, jadła rybę.

Magnusson czekał, aż kelner wywoła obrazy z pamięci.

– Była blondynką, tyle pamiętam. Miała długie jasne włosy. I coś niebieskiego, może szeroką opaskę na włosy albo sukienkę.

Spojrzał niepewnie na Magnussona, który skinął głową. Kelner uśmiechnął się.

– To było trudne – przyznał. – A o co chodzi?

– Ile miała lat?

– Jakieś trzydzieści, trzydzieści pięć. W każdym razie wyglądała dość świeżo. Gdybym ją zobaczył, to bym poznał. Mam pamięć do twarzy – powtórzył.

– Czy to mogło być piętnastego maja? – zapytał Magnusson, zerkając na listę płatności Cederéna kartą.

– Możliwe.

W dwóch następnych restauracjach, Akropolis i Trattoria Commedia, Sven-Erik Cederén też był znany. Okazało się, że parę razy w tygodniu jadł tam lunch, co potwierdziło kilku pracowników MedForsk. Często szło tam kilka osób z firmy. Nikt nie potrafił natomiast wskazać Josefin ani przypomnieć sobie innej kobiety u boku Cederéna.

Kiedy Haver zrobił podsumowanie, stało się oczywiste, że tylko wizyta u Svenssona dała jakiś punkt zaczepienia, chociaż dość słaby: blondynka po trzydziestce, która jadła rybę zamiast mięsa, świeża, być może w niebieskiej sukience.

– Pasuje co najmniej do dziesięciu tysięcy – powiedział Haver.

– Aż tyle wygląda świeżo? – zapytał Magnusson.

Haver przypomniał sobie, że pominął coś ważnego.

– Ale jestem głupi. Powinniśmy byli poprosić o listę tymczasowego personelu. Restauracje na pewno zatrudniają dodatkowych pracowników.

– Na pewno na czarno – mruknął Magnusson.

– Zajmiesz się tym?

Magnusson zrobił minę, którą Haver zinterpretował jako „tak".

Sören Magnusson od razu wziął się do pracy. Tak jak przewidywał, większość zaprzeczała, gdy pytał o dodatkowy personel. Kłamiecie, pomyślał z rozgoryczeniem, kiedy został spławiony w czwartym miejscu z kolei.

Ostatnia na liście Piwnica Wermlandzka połknęła jednak haczyk. W niektóre wieczory i czasami w weekendy obsługiwała gości młoda dziewczyna. Szef kuchni twierdził, że studiowała romanistykę na uniwersytecie i pracowała, kiedy tylko mogła. Była bystra, więc dzwonił po nią, kiedy potrzebował ludzi. Sądził, że wiosną przepracowała kilkanaście wieczorów.

– Może pan sprawdzić, czy pracowała dwudziestego drugiego maja?

Trwało chwilę, nim szef kuchni wrócił.

– Tak, była wtedy od szóstej aż do zamknięcia.

– Odprowadzacie za nią podatek?

– Co to do diabła ma znaczyć?

– Tylko żartowałem – uspokoił go Magnusson i wyjaśnił, czemu zapytał.

Magnusson spojrzał na kartkę: „Maria Lundberg". Wybrał numer, który dostał od szefa kuchni, mając nadzieję, że odbierze. Bardzo nie chciał wracać z pustymi rękami.

Odebrała od razu, z początku trochę skonsternowana i niepewna.

– Dostał pan mój numer w Piwnicy Wermlandzkiej?

– Tak, jestem policjantem.

– Skąd mam wiedzieć, że to prawda?

– Kiedy się rozłączymy, może pani zadzwonić na centralę i spytać o mnie, i wtedy będzie wiadomo.

Uderzyło go, że żyje w tak podejrzliwym społeczeństwie.

– Okej – powiedziała. – Jeżeli chce mi pan pokazać kilka zdjęć, to w porządku.

Przyszedł do kampusu dwadzieścia minut przed czasem. Maria Lundberg stała przed wejściem i czekała.

– To pan jest tym Magnussonem?

– Tak, we własnej osobie. Sören Edvin Magnusson – przedstawił się z uśmiechem. – Oto moja legitymacja.

Młoda kobieta patrzyła na legitymację, a on patrzył na nią. Dwadzieścia pięć lat, krótka fryzurka, lekki przodozgryz, do którego miał słabość. Jego pierwsza miłość miała taki sam.

– W porządku – powiedziała.

– Co takiego się wydarzyło, że nie ufa pani ludziom, kiedy dzwonią i chcą się z panią spotkać?

Kobieta patrzyła na niego. Czy widział w jej spojrzeniu strach?

– Zostałam zgwałcona trzy lata temu. – Co to za zdjęcia?

– Przepraszam, nie wiedziałem – wykrztusił Magnusson.

– No tak, tego nie widać.

Wyjął fotografie i pokazał jej najpierw Cederéna. Maria od razu kiwnęła głową.

– Tego znam – powiedziała zdecydowanym głosem.

– Na pewno?

– Na sto procent. Nazywa się Sven-Erik. Nie znam nazwiska, ale jego teść nazywa się Johansson.

– Skąd pani to wszystko wie?

Kobieta uśmiechnęła się.

– Zaciekawiłam pana, prawda?

Magnusson tak się niecierpliwił, że nie zauważył, jak ładnie wygląda, kiedy się uśmiecha.

– Prawda – powiedział opanowanym tonem.

– Wcześniej pracowałam jako opiekunka domowa. Bywałam w domu u Johanssona, po tym, jak został sam. Ma na imię Holger.

Kobieta umilkła. Sören Magnusson patrzył na nią niemal z wdzięcznością.

– Był taki smutny, przeważnie siedział w kuchni przy stole. Pomagałyśmy trochę przy gotowaniu i praniu. Nie był właściwie w złej kondycji, miał głównie depresję. Potem zaczęła mu pomagać sąsiadka i przestałyśmy tam jeździć.

– Spotkała pani jego zięcia?

– Tak, kilka razy.

– A potem zobaczyła go pani w Piwnicy Wermlandzkiej?

– Tak, raz. Jakiś miesiąc temu. Przyszedł z dziewczyną, która nie była jego żoną.

– Ją też pani spotkała?

– Żonę tak, kilka razy.

– Czy może pani opisać tę kobietę?

– Blondynka, ładna, na pewno zamożna.

– Czemu pani tak sądzi?

– Po ubraniu.

– Czy Sven-Erik panią rozpoznał?

– Tak, wyglądał na bardzo zmieszanego, więc domyśliłam się, że to nie jego siostra.

– Czy coś mówił?

– Parę ogólników. Zapytałam o Holgera. Nie rozmawiamy tutaj dużo z gośćmi.

Magnusson wyjął zdjęcie Josefin.

– Poznaje ją pani?

– To jego żona – odrzekła bez wahania.

Wyjął fotografie kobiet z MedForsk.

– Żadna z nich – powiedziała Maria Lundberg. – A co się stało?

– Jeszcze dokładnie nie wiemy, ale go szukamy.

– I kochanki.

Magnusson skinął głową.

– Chcę, żeby pani usiadła, spokojnie się zastanowiła, spróbowała sobie przypomnieć wszystko o tej kobiecie i zapisała to, nawet gdyby nie wydawało się ważne. Czy mogę zadzwonić wieczorem?

– Chce się pan ze mną umówić? – zapytała z powagą, ale się przy tym uśmiechnęła.

– Bardzo panią lubię – odrzekł Magnusson.

8

Rzadko odwiedzała Kåbo. Nie było tu chuliganów grasujących po ulicach i placach, dźgających się nożami i handlujących na lewo narkotykami i alkoholem. Ilu przestępców złapano w tej dzielnicy w ciągu ostatnich dziesięciu lat? Z tego, co Ann Lindell sobie przypominała, uczestniczyła tylko w jednym zatrzymaniu. Emerytowany lekarz wyrzucił po pijaku żonę przez drzwi tarasu, ale na szczęście był dość trzeźwy, by zatamować silny krwotok. Inaczej by umarła.

Dostał wyrok w zawieszeniu i z pewnością dalej mieszkał z pokiereszowaną małżonką.

Za fasadami luksusowych domów z pewnością działy się inne rzeczy, o których nie wiedział wydział kryminalny. Ann przyglądała się mijanym willom. Piękne ogrody z krzewami bzu, żywopłoty z ligustru, jedliny lub dzikiej róży, efektowne skalniaki, kule bukszpanowe i rododendrony w zacienionych miejscach.

Za płotami, żywopłotami i parkanami mieszkała klasa wyższa, częściowo stara, ze szlacheckimi nazwiskami lub tytułami akademickimi od pokoleń, ale przeważnie nowa: ludzie sukcesu w branży informatycznej, konsultingowej i farmaceutycznej, lekarze, prawnicy i piloci. Bogaci, krótko mówiąc. Sprzymierzeńcy policji, którzy poprzez swoje karty wyborcze domagali się prawa i porządku, więcej funkcjonariuszy i bardziej zdecydowanych działań.

Łączyło ich to, że wszyscy narzekali na ucisk podatkowy, ale nie wyglądali na cierpiących biedę. Na podjazdach do garażu stało często kilka samochodów, a po Kåbovägen, Rudbecksgatan i Götavägen nie jeździły stare złomy.

W tygodniu na ulicach można było obserwować wzmożoną aktywność pracowników różnych branż. Burzyli, budowali i rozbudowywali. Operatorzy koparek robili wykopy pod oczka wodne, kontenery napełniały się zużytymi sprzętami kuchennymi, a małe ciężarówki wjeżdżały z nowymi materiałami. Architekci krajobrazu wwozili cegły, wapień olandzki, kostkę brukową, kruszywo i czarnoziem. Kobiety albo sprzątały, albo wieszały firanki i dyskutowały o szczegółach wyposażenia kuchni z paniami domu, często zabieganymi i aktywnymi zawodowo.

Były oczywiście wyjątki: ci, którzy długo mieszkali w dzielnicy, kupili być może zaniedbane domy za niewielkie pieniądze przed okresem koniunktury lat dziewięćdziesiątych, kiedy podatki zostały obniżone, a ceny nieruchomości poszybowały w górę. Ich domy zmieniały się powoli i często dzięki ich własnej pracy.

Czy tu się dobrze mieszka? – zastanawiała się Ann, jadąc Villavägen. Kilka kobiet pakowało do mazdy sprzęt do sprzątania. Na pewno pracowały na czarno. Ann słyszała pogłoski o polskich sprzątaczkach krążących między eleganckimi domami jak nisko opłacane puchary przechodnie.

Może tu jest ładnie, ale ja bym nie wytrzymała nawet jednego dnia, pomyślała, wypatrując ulicy. Musiała skręcić parę razy, nim jej oczom ukazała się willa Jacka Mortensena.

Dom został zbudowany w stylu będącym osobliwym połączeniem secesji i funkcjonalizmu. Brzydki, oceniła Ann, która wolała porządne gotyckie zamki z drewnianymi zdobieniami i tajemniczymi zakamarkami. Na wjeździe stało średnio luksusowe volvo. Ann zaparkowała przy ulicy.

Pierwszym, co zwróciło jej uwagę, był wspaniały ogród. Po obu stronach wąskiej ścieżki prowadzącej od żwirowanego podjazdu rosły krzaki róż. Jeszcze nie kwitły, ale było już na nich widać mnóstwo drobnych pączków. Pośród morza roślinności wznosiła się pergola, muśnięta witriolem nadającym jej staroświecki wygląd. Służyła za podporę różnym pnączom, w tym kapryfolium roztaczającym przed gośćmi przyjemny zapach. Wejście główne zostało wyłożone brukową kostką i otoczone wiecznie zielonymi iglakami, które stały w zwartym szyku jak gwardziści. Taras przed domem, wielkości sypialni Ann, był brukowany czarnym łupkiem i zastawiony doniczkami w kolorze terakoty, z letnimi kwiatami, które nie zdążyły jeszcze w pełni rozkwitnąć. Mimo wszystko widok był imponujący. Ann przystanęła.

– Ładnie, prawda? – usłyszała głos z góry.

Jack Mortensen, dyrektor zarządzający MedForsk, wychylił się przez balustradę z kutego żelaza, otaczającą balkon na piętrze nad osłaniającym wejście występem.

– Bardzo – odrzekła Ann. – Jack Mortensen, prawda?

– Już schodzę. Proszę usiąść – powiedział, wskazując na zestaw ogrodowy. – Nastawiłem kawę.

Mortensen wyszedł z tacą, na której stały dwie filiżanki, dzbanek z kawą, porcelanowy, zauważyła ze zdziwieniem Ann, dwie złożone serwetki, półmisek ze słodkimi bułeczkami i słoik marmolady.

– Pomyślałem, że może pani być głodna.

Pieczywo było złocistobrązowe i ciepłe.

– To marmolada z derenia. Dostałem ją od brata z Danii.

– Pan jest z Danii?

– Tak, ale mieszkam w Szwecji od dziesiątego roku życia. Rodzice się rozwiedli i przeprowadziłem się z mamą do Szwecji. Jest Szwedką.

Marmolada była naprawdę dobra. Mimo solidnej porcji gołąbków Ann czuła, że mogłaby zjeść wszystkie bułeczki z półmiska.

– Dowiedzieliście się czegoś o Svenie-Eriku? – zapytał dyrektor i miodowy niemal głos, jakim zaczął rozmowę, zmienił się na bardziej rzeczowy.

– Niestety nie. Badamy właśnie jego życie towarzyskie – powiedziała Ann, zastanawiając się, co właściwie chciała przez to wyrazić.

– Życie towarzyskie? – powtórzył Mortensen pytającym tonem. – Nie sądzę, by prowadził intensywne. Jest raczej samotnikiem. Gra w golfa. To miłość z wzajemnością. Trawa staje się bardziej zielona, kiedy Sven-Erik robi zamach kijem. Piłki golfowe uwielbiają, kiedy Sven-Erik je uderza i lecą tam, gdzie on chce. Ma pewien handicap, innymi słowy.

Skąd ten ironiczny ton? Ann nie bardzo rozumiała jego kwieciste sformułowania.

– Gra pan w golfa?

– Nie, od tego mam pracowników – odparł Mortensen z krzywym uśmiechem. – Tak, próbowałem, ale to nie moja specjalność.

– A co jest pana specjalnością?

Mężczyzna uśmiechnął się. Ciągle się uśmiecha, pomyślała Ann.

– Ogród – powiedział, pokazując ręką otaczającą ich zieleń.

Ann podążyła wzrokiem w tym samym kierunku i kiwnęła głową.

– Poza tym zbieram tekstylia. Mama zaczęła, a ja podzielam jej pasję.

– Tekstylia?

Jeżeli Mortensen wyczuł lekką kpinę w głosie Ann, nie dał tego po sobie poznać.

– Głównie z Ameryki Południowej i Azji Południowo-Wschodniej.

Ann zupełnie się na tym nie znała, ale starała się udawać zainteresowaną.

– Jak pan sądzi, gdzie jest Cederén? – zapytała po chwili milczenia.

– Bóg jeden wie.

– Może za granicą?

– Mało prawdopodobne. Dokąd miałby pojechać?

– Może na Dominikanę?

Mortensen podniósł do ust filiżankę, wypił parę łyków zimnej już kawy i odstawił ją na stolik. Rzucił Ann szybkie spojrzenie, nim odpowiedział.

– Wiecie już, że Sven-Erik kupił kawałek karaibskiego raju. Szczerze mówiąc, sam nie mam pojęcia dlaczego.

– Pytał go pan?

– Tak, rozmawialiśmy o tym i nie potrafił dać przekonującej odpowiedzi.

– Może golf?

Mortensen zrobił ruch głową, jakby chciał powiedzieć: Kto byłby taki głupi, żeby kupować ziemię do gry w golfa?

– To zagadka – powiedział. – Proszę się częstować.

Ann nie odmówiła. Skrystalizowana słodycz marmolady przywodziła jej na myśl agrestowy placek mamy. Słaby podmuch wiatru przyniósł zapach kapryfolium i czegoś, co wydało jej się jaśminowcem. Ugryzła kęs bułeczki.

– Zapłacił pieniędzmi firmy – stwierdziła, odkładając bułeczkę na talerzyk.

– I to mnie martwi.

– Pytał go pan dlaczego?

– Powiedział, że nie miał wystarczających środków na swoim koncie, ale niezwłocznie przeleje pieniądze.

– Zrobił to?

– Nie – odparł krótko dyrektor.

– Niepokoi to pana?

– Oczywiście. Sven-Erik jest uznanym badaczem i do tego moim przyjacielem od wielu lat. Razem założyliśmy firmę. On jednak ostatnio jakby stracił grunt pod nogami. Zakup ziemi w jakimś sensie to potwierdza.

– Sądzi pan, że przejechał żonę i córkę?

Mortensen nie odpowiedział od razu. Patrzył na ogród, jak gdyby odpowiedź kryła się pośród kwitnących krzewów, fruwających białych motyli i porannej krzątaniny małych ptaszków. Ann obserwowała, jak wraz z tokiem myśli zmienia się wyraz jego twarzy.

– Tak – powiedział w końcu. Odwrócił się w jej stronę i lekko pochylił. – Co gorsza, myślę, że jego też spotkało coś strasznego.

Ann czuła jego oddech nad małym ogrodowym stolikiem. Wziął filiżankę i odchylił się do tyłu. Wypił łyk i odstawił filiżankę równie starannie jak poprzednio.

– Strasznego?

Mortensen kiwnął głową.

– W ostatnim czasie był bardzo rozkojarzony. Próbowałem z nim rozmawiać, parę innych osób też. Któregoś dnia zadzwoniłem nawet do Josefin, żeby porozmawiać z nią.

– Co powiedziała?

– Od razu zrozumiała o czym mówię, ale jest bardzo lojalna.

– Więc nie powiedziała nic, co mogłoby wyjaśnić jego stan psychiczny?

– Nie, mówiła, że Sven-Erik może być przepracowany, ale on zawsze dużo pracował.

– Czy ma kochankę?

Mortensen porzucił zaczepną postawę, opadł na krzesło i znów zapadła cisza. Myśli albo gra, pomyślała Ann, lecz nie ponaglała go do odpowiedzi.

– Nie wiem, może, ale czemu miałby zdradzić taką żonę jak Josefin? To fantastyczna kobieta. Ładna, mądra i wspaniała matka. Dawała rodzinie wszystko, ona...

Umilkł nagle i spojrzał na Ann niemal zmartwionym wzrokiem. Zdawało się jej, że widzi błysk w jego oczach.

– Dużo o tym myślałem – podjął, odwracając głowę. – Czemu miałby je zabijać? Co się dzieje z tym światem? Nic nie jest już pewne. Długo pracowaliśmy razem nad tym, by uśmierzać ludzkie cierpienie, szukać lekarstw na najcięższe choroby, więc trudno mi zrozumieć, że mógłby zrobić coś takiego.

Jego wcześniejszy ironiczny ton światowca znikł, zastąpiony przez głos cichy i pełen niedowierzania. Twarz też mu się zmieniła. Bruzdy na opalonym czole pogłębiły się i rozejrzał się niepewnie dookoła.

Ann obserwowała go. Mów dalej, myślała, ale powietrze wypełniał tylko świergot ptaków. Słońce przesunęło się podczas ich rozmowy i wyglądało teraz zza szczytowej ściany domu. Ann odgarnęła włosy i rozkoszowała się przez chwilę ciepłem.

– Czy Josefin mogła mieć innego?

Mortensen drgnął.

– Nigdy – powiedział zdecydowanym głosem. – Była wierna.

– Skąd ta pewność?

– Jestem pewny – powiedział tylko i Ann czuła, że rozmowa zaczyna zmierzać do końca, ale chciała zadać jeszcze kilka pytań dotyczących Svena-Erika. Musiała stworzyć sobie pełniejszy obraz zaginionego, by móc go wytropić.

Mortensen opowiedział o letnich podróżach rodziny Cederénów i trochę o pracy w MedForsk, ale po pytaniu, czy wiedział o ciąży Josefin, zamknął się jak ślimak w skorupie. Zaprzeczył, że o tym wiedział. Ann mu nie wierzyła. Nie wiedziała dlaczego, ale coś w zachowaniu Mortensena mówiło jej, że wie o relacjach w rodzinie Cederénów więcej, niż chce zdradzić.

– Proszę opowiedzieć o Hiszpanii – rzekła na koniec.

W odpowiedzi usłyszała barwną opowieść o hiszpańskiej filii. Spora część praktycznej pracy rozwojowej odbywała się w Maladze. W dwóch zakładach pracowało pięćdziesiąt parę osób i ich liczba stale rosła.

Zakończyli rozmowę jakby na umówiony znak. Mortensen wstał, zaczął zbierać porcelanę, strzepnął okruchy ze stołu i zakręcił słoik z marmoladą.

Ann zamknęła notatnik. Nie zanotowała wielu słów. W ustach wciąż czuła smak marmolady z derenia.

– Powinienem pani pokazać trochę z tych tekstyliów, ale jest mało czasu. Muszę wyjść. Może przyjdzie pani jeszcze raz? Sądzę, że spodobają się pani zbiory prekolumbijskie. To ładne prace, które przetrwały stulecia. Mogę poprosić mamę, żeby też przyszła. Może opowiadać godzinami, jeśli ma słuchacza.

– Może przyjdę.

– Zapraszam. Mam jeszcze trochę marmolady.

Mortensen uśmiechnął się i tym razem jego uśmiech wydawał się bardziej szczery. Ann poczuła impuls, by pogłaskać go po policzku. Był uosobieniem samotności. Albo raczej pewnej bezradności, jaką odsłonił przed Ann – sprzątnął stół i sprawiał wrażenie, jakby nie wiedział, dokąd ma iść z tacą.

– Dam znać, jeśli sobie coś przypomnę. Mogę prosić o pani numer?

Ann dopisała swój numer stacjonarny i podała mu wizytówkę. Przeczytał ją uważnie.

– Jest pani młoda jak na prowadzenie śledztwa w sprawie morderstwa – powiedział, jakby z wizytówki wynikało, ile ma lat.

– Pan też prowadzi coś w rodzaju naukowego śledztwa, a jesteśmy w podobnym wieku.

Rzucił jej szybkie spojrzenie.

– Dziękuję za odwiedziny – powiedział i zabrzmiało to tak uroczo i absurdalnie, że Ann z trudem powstrzymała śmiech.

Wiedziała, że odprowadza ją wzrokiem, kiedy zeszła ścieżką, minęła samochód i skręciła na ulicę za masywnym granitowym słupem bramy.

Paliła ją twarz i czuła, że lato naprawdę już przyszło. Nic nie mogło jej bardziej cieszyć. Wtedy pojawiła się myśl, która ją zaniepokoiła. Po raz pierwszy od wielu lat niczego nie planowała.

W zeszłym roku pojechała z Edvardem do Danii. Zjeździli Fionię i Jutlandię, czasem rozbijając namiot, a czasem nocując w małych pensjonatach po drodze. Pływali, oglądali wystawy i jedli, w ciągu dwóch tygodni przytyła trzy kilo. Niczym się nie martwiła, telefon miała przeważnie wyłączony, tylko parę razy zadzwoniła do rodziców, a Edvard był wyjątkowo odprężony. Pamiętała jego śmiech i figlarny humor, gdy rzucali się z pluskiem w zimne fale Morza Północnego. „Szczęście" było słowem, które przychodziło jej na myśl, kiedy wyjmowała kluczyki od samochodu.

Co będzie robić w tym roku? Pojedzie do rodziców, to już postanowiła, ale przecież nie spędzi w Ödeshög czterech tygodni, najwyżej trzy, cztery dni. Uderzyło ją, że nikt jej nie pytał, co będzie robić latem.

Siadając za kierownicą, poczuła przygnębienie. Spotkanie z Jackiem Mortensenem obudziło w niej coś, co nie powinno było nigdy wypłynąć na powierzchnię. Zdecydowanie nie w czasie pracy. Wieczorem, przy kuchennym stole, przed telewizorem, albo jeszcze częściej, kiedy wślizgiwała się do łóżka, łatwiej było jej to znieść. Mogła sobie z tym poradzić, znieczulając się kieliszkiem wina albo intensywnie planując pracę na następny dzień, by odpędzić myśli. Mortensen obrazował samotność. Miał swój ogród, dobrze prosperującą firmę, zbiór tekstyliów, matkę, choć słowo „matka" brzmiało dla Ann deprymująco, ale nie potrafił ukryć samotności. Oddychał nią, wyczuwała to przez ogrodowy stół.

Sądziła, że zadzwoni, była tego prawie pewna, i nie wiedziała, co czuje. Co miały sobie do powiedzenia dwie samotne dusze pochłonięte pracą? A może źle to odebrała i pytanie o telefon było zupełnie neutralne, na wypadek gdyby sobie coś przypomniał. Czemu dopisała swój numer domowy?

Wiedziała, że nie wygląda najgorzej i mężczyźni się za nią oglądają. Mortensen przyglądał się jej lewej dłoni, żeby sprawdzić, czy nie ma obrączki. To było naturalne, sama też to robiła, ale teraz ją zirytowało. Co on sobie myślał?

Przekręciła kluczyk w stacyjce i w tej samej chwili wyobraziła sobie, że samochód nie zapali.

9

Gabriella Mark znała większość grzybów, przynajmniej tych, które atakowały jej ogród warzywny, a jednak się wahała. Inwazja, którą właśnie oglądała, była nie do opanowania. To były jej najładniejsze rośliny, nowy gatunek kalafiora z jędrnymi, zwartymi główkami, niewielkimi, ale wyjątkowo smacznymi. Teraz musiała je usunąć, ale wciąż się wahała.

Czemu nie zauważyła tego wcześniej? Może dałoby się uratować część roślin? Tak pracowała, uprawiała, przenosiła skrzynki z nasionami i doniczki, obkładała nawozem w wyplewionych rzędach, zmiękczała, wietrzyła i przykrywała starymi dywanikami, kiedy nadciągał wieczorny chłód. Oszukała zdradliwe zimno, ale nie grzyby.

Wyrywała szybkimi ruchami zdeformowane główki. Jedna po drugiej lądowały w stojącym obok plastikowym worku, który miał trafić do śmieci. Grzyby zostaną spalone w komunalnych piecach i nie zainfekują jej starannie zebranego kompostu.

Wstała i zakręciło jej się w głowie. Kiedy otworzyła oczy i wyciągnęła rękę, jakby szukała oparcia, wiedziała, że on nie przyjdzie. Powinien był zjawić się wczoraj, ale nie dał znaku życia. Z każdą upływającą minutą rosło jej przekonanie, że nie przyjdzie już nigdy.

Z dumą pokazywała mu kalafiory. Śmiał się, pochylał ostrożnie nad grządkami, by nie ubrudzić garnituru i mówił coś o stoisku z warzywami w B&W. Często jej dokuczał, ale wiedziała, że uwielbia nowalijki.

Ziemia wydawała się wręcz nienaturalnie ciepła. Wiosna była idealna, gdy po trzecim kwietnia ustały nocne przymrozki. Teraz zrobiło się ciepło. Okna parowały. Małe kliny, których używała do wietrzenia, były maksymalnie wbite, co sprawiało, że inspekt przypominał morze niezgrabnych, błyszczących zwierzątek z uchylonymi pyszczkami. Grządki kumkały jak żaby, wciągały i wypuszczały powietrze. Para skroplona na szkle opadała cicho na kapustę, cebulę, marchew i rzodkiewkę. Tej ostatniej zebrała pierwszy rzut – mały, kruchy smakołyk.

Wiedziała to. On już nie wróci. Poczucie odrzucenia tkwiło w jej sercu jak kolec. Kochał ją, wiedziała o tym, jakby to było jakieś pocieszenie. Przez to cała sprawa stawała się jeszcze bardziej idiotyczna.

Chwyciła worek i odciągnęła na bok. Spojrzenie miała utkwione w jeden punkt i oddychała miarowo, dokładnie tak, jak zalecił jej psycholog. „Nie rozpraszaj się, koncentruj się na tym, co robisz – mówił – w takiej kolejności, jak chcesz, ale konsekwentnie".

Mięśnie jej nóg pracowały, worek podskakiwał na żwirowanym podwórzu. Na jej czoło wystąpiły krople potu. Rozumiała, że uprawa roślin, całe to systematyczne grzebanie i zbieranie, pełni dla niej funkcję terapeutyczną. Nie mogła zjeść wszystkiego, co wyprodukowała. Tym bardziej nie teraz.

Przy maszcie na flagę siedział Emil, wiewiórka, która dotrzymywała jej towarzystwa od prawie dwóch lat. Przeważnie łobuzował. Wiedziała, że plądruje ptasie gniazda, zaskoczyła go raz w domku dla sikorek na dachu starej pralni, ale cóż, ciągle tu wracał i był jej przyjacielem.

Gabriella cmoknęła językiem, jak to miała w zwyczaju. Emil spojrzał w górę, zrobił parę susów i znikł.

Oparła worek o pojemnik na śmieci. Chłopaki zabiorą go razem z nimi. Mogła zapłacić rzodkiewkami.

Skrzynka na listy była otwarta. Przypomniała sobie, że nie wzięła porannej gazety. Od razu zobaczyła zdjęcia na pierwszej stronie, przeczytała tekst i upadła na otaczający podwórze żywopłot z tawuły.

Kiedy odzyskała przytomność, najpierw zobaczyła krew. Zakręciło jej się w głowie i omal znów nie zemdlała. Gałązka żywopłotu przeorała jej rękę. Patrzyła nieruchomym wzrokiem na krew, która zaczynała już krzepnąć.

Pozbieranie się i wzięcie tej koszmarnej gazety zajęło jej pół minuty. Poszła w stronę domu, zrobiła pięć powolnych kroków po schodach i otworzyła skrzypiące drzwi.

Przemyła ranę i stwierdziła, że nie jest tak poważna, jak jej się z początku wydawało.

– Nie chcę mieć blizny – wymamrotała, oglądając rękę. Owinęła ją ręcznikiem. Lustro ją niepokoiło, więc kucnęła przed umywalką i wycofała się z łazienki, nie patrząc na swoje odbicie.

Wypiła szklankę soku z rabarbaru i usiadła w kuchni. Na stole stały jeszcze resztki śniadania, więc sprzątnęła je zdrową ręką.

Muszę coś zrobić, pomyślała, ale nie ruszyła się z miejsca. Pot napływał falami, ciało ją paliło i miała wrażenie, że unosi się w powietrzu. Zamknęła oczy, by opanować zawroty głowy. Ułożyła wargi w „o" i wypuściła powietrze z płuc, wzięła głęboki wdech i znów je wypuściła. Chciała krzyczeć, ale oddychała dalej, nim wróciła na swoje miejsce przy stole. Muskała palcami obrus, okruchy chrupkiego pieczywa chrzęściły pod jej palcami.

Otworzyła gazetę i przeczytała cały artykuł, z opisem widoku, jaki zastali dziennikarz i fotograf. Były tam również komentarze policji, sąsiadów i okolicznych mieszkańców.

Dom wypełnił się przeciągłym krzykiem, który przyniósł jej ulgę i jednocześnie ją przestraszył.

– On nie żyje! – krzyknęła głośno i zrozumiała, że jej miłość nie wystarczyła, że on już nigdy nie pójdzie z nią nad jezioro i nie wypowie jej imienia. Już nigdy. Kiedy uświadomiła sobie, że nie poświęciła ani jednej myśli zabitej kobiecie i jej dziecku, zawstydziła się w pierwszej chwili, ale jego obraz zaraz powrócił przed jej załzawione oczy.

– Już nie chcę – wymamrotała i wyszła półprzytomna do łazienki. W szafce leżało kilka starych tabletek. Zachowała je na pamiątkę i patrzyła na nie z triumfem, przekonana, że czas, gdy potrzebowała ich, by zasnąć, minął bezpowrotnie. Teraz wzięła jedną, a potem następną. I z rozpędu kilka niebieskich tabletek sobrilu.

– On nie mógł umrzeć – wyszeptała.

10

Ann Lindell wybrała drogę koło Savoya. Wejście na kawę odczuła jako coś w rodzaju wyzwolenia. Żołądek miała pełen bułeczek i słodkiej marmolady, ale potrzebowała czasu, by pomyśleć.

Po chwili wahania wyłączyła komórkę i usiadła z pączkiem i filiżanką kawy. Pojawiła się hałaśliwa grupa robotników, ale na szczęście przy ładnej pogodzie woleli usiąść na zewnątrz. Ann miała lokal i swoje myśli tylko dla siebie. Na stole przed nią leżał „Året Runt" i zaczęła machinalnie kartkować zaczytany tygodnik.

Podsumowała krótko to, co Mortensen powiedział o Cederénie. Był skłonny wierzyć, że naukowiec przejechał swoją żonę i córkę. Kto jak kto, ale on powinien znać swego kolegę z pracy i wieloletniego przyjaciela. Czy byli przyjaciółmi? W głosie dyrektora zarządzającego było coś, co jej się nie podobało i czego nie umiała zinterpretować.

Czy naprawdę mógł zabić rodzinę? Ann coraz bardziej w to wątpiła. A jeśli nie, gdzie był teraz? Oczywiste było, że istniał jakiś związek między tragedią w Uppsala-Näs i jego zniknięciem. Mortensen mówił o zapracowaniu Cederéna i jego rozkojarzeniu. Kobiety w MedForsk też wspomniały o zmianie w usposobieniu Svena-Erika, o tym, że coraz częściej zostawał w swoim pokoju i nie pił z nimi kawy i bywał ostatnio nerwowy i opryskliwy. Dlaczego? Czy to z powodu ciąży Josefin? Problemów z kochanką?

Ann zjadła ostatni kęs ciastka, próbując sobie wyobrazić sytuację w willi Cederénów. Ona w ciąży, sama z Emily w niesprzątanej willi, on niewierny i zawalony pracą. Poza tym kupił ziemię w Republice Dominikany. To była zagadka.

Wiedziała, że odpowiedź musi się znajdować w MedForsk.

– Pieniądze – mruknęła pod nosem. Firma stała w obliczu dużych zmian i miała się rozwijać, może powstały rozbieżności co do kierunku przyszłych działań? Ale dlaczego Josefin i Emily?

Czy Cederén zwyczajnie nie wytrzymał presji, w domu i w pracy, i do tego stopnia stracił głowę, że zabił własną rodzinę?

Ann dała sobie pół godziny w cukierni. Pojawiła się starsza kobieta z balkonikiem i kelnerka podała jej kawę i kanapkę z krewetkami. Jeśli staruszka miała problemy z poruszaniem się, to na pewno nie z jedzeniem. Kanapka znikła z talerza w ciągu kilku minut. Ann popatrzyła zafascynowana na ten szybki posiłek i wstała do wyjścia. Kobieta stłumiła serwetką beknięcie, a Ann się do niej uśmiechnęła.

Sammy Nilsson, Beatrice i Wende siedzieli w pokoju Ottossona.

– Próbowaliśmy cię złapać – powiedział szef wydziału.

– Myślałam – odrzekła Ann i usiadła.

Beatrice przyglądała jej się z boku. Ann czuła jej spojrzenie i wcale jej się to nie podobało.

– Sądzimy, że MedForsk kantował z księgowością – zaczął Sammy. – Molin znalazł parę dziwnych rzeczy. Wygląda na to, że przelewali pieniądze do Hiszpanii, nie opodatkowując ich w Szwecji.

– O jaką kwotę chodzi?

– Trzy miliony, może więcej.

– Rozmawialiście z tymi od przestępczości gospodarczej?

Sammy pokręcił głową.

– Mamy też dziwną transakcję z przedsiębiorstwem na jakiejś wyspie, w raju podatkowym.

– Aha – westchnęła Ann. Miała problemy z rozumieniem spraw finansowych. Było w tym za dużo techniki, za dużo cyfr. Z trudem odczytywała własny pasek wypłaty.

– Prosiliśmy Molina o krótkie zestawienie – rzekł Ottosson – żebyśmy wiedzieli, dokąd mamy pójść dalej. Może to nie ma nic wspólnego z tym zabójstwem w Uppsala-Näs.

– Molin zawsze się streszcza – zauważyła Beatrice.

Ann milczała. Nie chciała się wpakować w żadne śledztwo ekonomiczne, tym mógł się zająć wydział do spraw przestępczości gospodarczej.

– Może włączymy Bossego Wanninga z gospodarczego?

Pytanie Ottossona zawisło w powietrzu.

– Przynajmniej mówi w zrozumiały sposób – nie poddawał się szef.

Ann skinęła głową.

– Weźmiemy Bossego i Molina i zobaczymy, co z tego wyniknie.

Umilkła na chwilę i spojrzała na zegar ścienny. Chciała wziąć prysznic. Chciała znowu jeść. Chciała spać. Chciała zadzwonić do Edvarda. Wszystko, byle nie ten duszny pokój, klejący się do ciała podkoszulek i poczucie przytłoczenia nadmiarem problemów.

– Jakieś wieści o Cederénie? – zapytała.

– Zupełnie nic – odparł Sammy – choć pracuje nad tym cały komisariat.

– Gdzieś się ukrywa – powiedziała Beatrice nietypowym dla niej ostrym tonem.

Ann Lindell wyszła z budynku parę minut po siódmej i postanowiła zrobić po drodze zakupy przy placu Vaksala.

Często miała poczucie nierealności, kiedy długo i intensywnie pracowała, a potem wchodziła w zupełnie zwyczajne otoczenie. Gondole z konserwami, kaszą i zdrową żywnością w sklepie ICA wyglądały obco, podobnie jak klienci, którzy kręcili się przy swoich wózkach, rozmawiali o tym, co będzie na obiad, i upominali dzieci.

Ann chodziła bezmyślnie między półkami i wrzucała do wózka, co popadnie. Nieokreślone uczucie głodu zmieszane z obojętnością sprawiło, że zrobiła parę okrążeń, wciąż nie bardzo wiedząc, co właściwie chciałaby kupić.

Zdecydowała się na pieczonego łososia, ser pleśniowy, świeżą pastę, cztery batoniki Dajm, kilka słoików krojonych pomidorów i kawę rozpuszczalną. Potem wyczerpały się jej pomysły i siły i wyszła ze sklepu z niepokojącym uczuciem, że nie kupiła niczego sensownego.

Ogarnęło ją uczucie żalu, kiedy położyła siatkę na tylnym siedzeniu. Czy tak już będzie zawsze? Stała przy samochodzie z jedną ręką na rozgrzanym od słońca dachu, a drugą opuszczoną wzdłuż ciała, jak uosobienie bierności. Usłyszała śmiech i zobaczyła czwórkę młodych ludzi stojących przed oknem sklepu meblowego. Rozmawiali o wystawionym tam łóżku, ale po chwili poszli dalej i zniknęli za rogiem.

W tym miejscu trzydzieści lat temu zginęło w strasznym wypadku samochodowym dwóch chłopców, braci. Opowiedział o tym Ann starszy kolega, jeden z pierwszych, którzy przybyli wtedy na miejsce. Stało się to bardzo wczesnym rankiem i jedynym świadkiem był kierowca taksówki, który siedział w swoim samochodzie przy słupie pięćdziesiąt metrów dalej.

Opowiadanie kolegi wryło się w pamięć Ann i za każdym razem, kiedy przechodziła przez to skrzyżowanie, myślała o braciach i trzecim chłopaku w przewróconym samochodzie, który prowadził i przeżył. Każde miejsce miało swoją historię, często zawierającą w sobie smutek i śmierć, ale większość ludzi nieświadomych, że to się stało właśnie tu, przechodziła tamtędy w drodze do własnych celów i wspomnień.

Jako policjantka znała zbyt wiele smutnych miejsc, co uświadamiała sobie wraz z upływem lat. Czy nie umiała już patrzeć na miasto bez przywoływania obrazów przemocy, tragedii i spiętych twarzy tych, którzy musieli to oglądać i pamiętać?

Ann wsiadła do samochodu przekonana, że musi zadzwonić do Edvarda. Musi. Nie było innej możliwości. Czemu opuściła mężczyznę, którego kochała i być może kocha nadal? Jak inaczej mogłaby wytłumaczyć silne wzruszenie, a także tęsknotę, kiedy usłyszała głos Edvarda w automatycznej sekretarce?

Samotność wsączała się w nią coraz bardziej i choć się do tego przed sobą nie przyznawała, bała się, że zostanie sama. Nie była już najmłodsza i kiedyś będzie nienawidzić siebie za to, że w porę nie zrobiła czegoś ze swoim życiem. Jeżeli chciała mieć dziecko, też był już na to najwyższy czas. Bawiła się kiedyś myślą, że zajdzie w ciążę z Edvardem, nie pytając go, czy tego chce, a potem go zostawi, jeśli nie będzie chciał znów zostać ojcem.

Edvard miał swoje wady, ale nie był przecież gorszy od innych. Przeciwnie. Miał w sobie sporo cech, których Ann szukała u mężczyzny. Musi do niego zadzwonić. Usłyszeć jego głos, może się z nim spotkać. Czy on nigdy nie jeździł do miasta? Mogliby przynajmniej wypić razem kawę.

Pierwszą rzeczą, jaką zrobiła po wejściu do domu, było włączenie telewizora. Słuchała jednym uchem, rozbierając się. Prognoza pogody obiecywała więcej ciepła. Powąchała się pod pachą i od razu poszła do łazienki. Spłuczka ciekła już od paru tygodni. Odkręciła pokrywę i zajrzała do rezerwuaru, ale niewiele jej to dało. Postanowiła napisać ogromną kartkę przypominajkę i przymocować do drzwi lodówki. Administrator domu, jeżeli teraz ktoś taki istniał, naprawi to w pięć minut, była tego pewna.

Długo stała pod prysznicem, namydlając się starannie i pozwalając, by ciepła woda oblewała jej ciało. Myślała przy tym o Edvardzie. Może powinna spędzić parę tygodni urlopu na Gräsö?

Włożyła szlafrok, przekonana, że to lato będzie udane. Tak jakby stłumiona miłość do Edvarda wybuchła pod wpływem jego słów i ciepła prysznicowej kabiny. Zarumieniona twarz w lustrze uśmiechała się. Wyszczotkowała włosy energicznymi ruchami. Próbowała sobie wyobrazić, co on w tej chwili robi, jak by zareagował na jej telefon. Uderzyła ją myśl, że może on już przezwyciężył tęsknotę za nią i teraz chciałby nawiązać relację wyłącznie towarzyską. Nie sądziła, by tak było, ale myśl ta sprawiła, że upuściła szczotkę i przejrzała się w lustrze. Potem wróciła do czesania. Znała go bardzo dobrze i wiedziała, że nigdy by nie zadzwonił tylko po, by pogawędzić. To był jego głos. Wciąż ją kochał, więc to musiało być to. Muszę zadzwonić, pomyślała i wyszła z łazienki.

Butelka czerwonego wina, którą otworzyła parę dni temu, była pełna do połowy, więc nalała sobie kieliszek. Zanim wypiła pierwszy łyk, posprzątała naczynia w kuchni, podlała kwiaty i wytarła stół. Następny łyk. Telewizor grał na cały regulator, więc poszła do pokoju i go wyłączyła. Wieczorne słońce prześwitywało przez żaluzje i tworzyło pasiasty wzór na zakurzonej podłodze. Przyrzekła sobie, że odkurzy całe mieszkanie, zmyje podłogę w kuchni i sprzątnie graty na balkonie, żeby w końcu zrobić tam miejsce na ogrodowe krzesło, gdyby Edvard teraz odebrał i chciał się z nią spotkać.

Wróciła do kuchni, wypiła łyk wina i wzięła telefon. Kiedy wprowadzała numer, uderzyło ją, że przez kilka godzin nie myślała o Svenie-Eriku Cederénie.

Odebrał po drugim sygnale i Ann chwyciła kieliszek wina, ale był pusty.

11

Jack Mortensen grzał się w zachodzącym słońcu. Nad Kåbo unosił się ciężki zapach grilla. Najbliższy sąsiad, niewidoczny za wysokim żywopłotem z jarzębia, urządził imprezę, która wraz z upływem wieczoru stawała się coraz głośniejsza.

Mortensen oparł głowę o chropowatą ścianę. Sąsiedzka impreza przeszkadzała mu, ale nie na tyle, by nie mógł przeanalizować wydarzeń z ostatnich dni. Rozmowa z Malagą zmartwiła go najbardziej. Zakup ziemi na Karaibach był kroplą, która przepełniła czarę cierpliwości Hiszpanów. Nie przejęli się równie mocno śmiercią żony i córki Cederéna ani jego zniknięciem. Można było nawet odnieść wrażenie, że de Soto odczuł ulgę. Właściwie trudno się dziwić – nie najlepiej mu się współpracowało ze Svenem-Erikiem i nigdy nie spotkał Josefin, a tym bardziej Emily.

Czy na pewno? Trzy lata temu, właśnie w tym ogrodzie, kiedy udało im się wypromować Cabolem. To tamte pieniądze włożyli teraz w projekt parkinsonowski.

Wtedy świętowali. Sam nie pił zbyt wiele, był przecież gospodarzem, ale inni sobie nie żałowali. Pamiętał, jak de Soto i jego partnerka, czy jak ją nazwać, pili i miętosili się przez całą imprezę, żeby w końcu wylądować razem w hamaku. Mówiło się zawsze o Szwedach, że trudno im zachować umiar, ale Hiszpanie wcale nie byli lepsi. Jeden z nich, jasnowłosy Bask, który mówił o ETA, kąpał się w basenie w ubraniu, a z innym, kierownikiem drugiego laboratorium, nie można było się dogadać już po godzinie zabawy.

Mortensen wstydził się. Jeżeli hałas u sąsiadów był męczący, co miał powiedzieć o tamtej imprezie? Następnego dnia spotkał jednego z sąsiadów, nazywanego profesorem, choć był tylko docentem, i ten wspomniał coś o wrzaskach i krzykach w środku nocy. Mortensen przeprosił, ale od tamtej pory zawsze było mu głupio, kiedy się przypadkiem spotkali na ulicy.

Ten młody policjant, chyba Molin, który przeglądał dokumenty firmy, wydawał się trochę nieporadny i niedoświadczony, ale Mortensen był przekonany, że odkryje transakcję z grudnia. Niedobrze. On sam z początku się opierał, chociaż rozumiał praktyczne i finansowe korzyści, ale dał zielone światło na trzy dni przed Bożym Narodzeniem. Teraz wiedział, że było za późno, operację dałoby się skutecznie ukryć, gdyby zadziałał wcześniej.

Hiszpanie byli wściekli, ale Mortensen ich uspokoił. Przekonywał, że szwedzka policja do spraw gospodarczych jest przeciążona i brakuje jej ludzi i umiejętności. Trochę potrwa, nim te trzy miliony trafią na ich biurko, a zręczny prawnik będzie mógł przeciągać sprawę w nieskończoność. Da się to chyba podciągnąć pod działanie w dobrej wierze, mające na celu tylko zwiększenie możliwości rozwoju przedsiębiorstwa. Mogli winić za to swój brak doświadczenia i profesjonalizmu – byli tak pochłonięci pracą laboratoryjną, iż nie zauważyli, że popełnili przestępstwo gospodarcze.

Gorsza była Uppsala-Näs, zakup działki budowlanej i zniknięcie Cederéna. Tego policja tak łatwo nie odpuści. Myślał o wizycie Ann Lindell. Wyglądała na bardzo bystrą, ale dziwnie nieobecną duchem. Czy uda się jej odnaleźć Gabriellę? To zależało od samej Gabrielli, czy będzie potrafiła siedzieć cicho. Mortensen w to wątpił. Była słaba psychicznie. Dzwonił do niej, ale nie odebrała. Uznał to za zły znak. Może była ze Svenem-Erikiem, ale gdzie?

Z drugiej strony Gabriella nie wiedziała o niczym, co mogłoby zaszkodzić wizerunkowi MedForsk, jeżeli Sven-Erik z nią o tym nie rozmawiał. Nie mógł tego wykluczyć. Jego wspólnik od jesieni stawał się coraz bardziej miękki, kwestionował całą działalność firmy i swoją w niej rolę, coraz częściej uciekał na pole golfowe, tracił zapał i stał się po prostu nieprzyjemny.

Odrzucał ze zniecierpliwieniem argument, że musi się udać i to szybko. Podwójna moralność, myślał Mortensen, bo z początku Sven-Erik przecież się zgadzał? Wtedy nie protestował, przeciwnie, Mortensen pamiętał jego entuzjastyczne przemówienie na kwietniowej konferencji dwa lata temu, kiedy opracowywali cały projekt.

Teraz dobrze jest dyskutować o etyce, myślał z goryczą. Zawsze tak robią, przychodzą i awanturują się, kiedy narastają problemy. A kiedy wszystko idzie dobrze, zgarniają dla siebie całą chwałę. Podobnie było w Pharmacii.

Czuł nieprzyjemny ucisk w żołądku. Nie mógł się uwolnić od myśli, że Hiszpanie są w gruncie rzeczy zadowoleni, że Sven-Erik zniknął ze sceny. Jeśli zginęła również jego rodzina, nic nie mogli na to poradzić. Komentarz de Soto, że teraz wreszcie będą mieć trochę spokoju w pracy i pójdą dalej, wydawał się równie cyniczny jak jego biznesowa moralność.

Mortensen popatrzył na swoją dłoń, czując pulsowanie pod skórą w zgięciu kciuka. Zacisnął pięść, aż zbielały mu kostki palców. Sąsiad widocznie wszedł do domu, bo dokoła było zupełnie cicho.

Czy powinien zadzwonić do matki? Ona już dzwoniła parę razy w ciągu dnia, była niespokojna i pytała, jak sobie radzi. Mortensen uśmiechnął się do siebie. Cała ona, pomyślał. Jutro na pewno przyjdzie na śniadanie, ze świeżym chlebem i świeżo wyciśniętym sokiem z marchwi.

Podniósł się sztywno. Jak długo siedział oparty o ścianę? Na pewno kilka godzin. Godziny, które mógł poświęcać pracy w ogrodzie, były dla niego zwykle najlepszą formą relaksu, teraz jednak nie czuł radości, patrząc na przepych roślin.

Od zniknięcia Cederéna telefon dzwonił bez przerwy. Nie licząc Hiszpanów, chyba wszyscy w MedForsk chcieli dyskutować z nim o tym, co się wydarzyło. Wszyscy byli zmartwieni, wstrząśnięci, ale wyczuwało się także niepokój o przyszłość firmy, a zarazem ich własną.

Mortensen ich uspokajał. Oczywiście, że będziemy ciągnąć to dalej, powtarzał.

Gdyby tylko wiedział, gdzie jest Sven-Erik. Był przekonany, że się odezwie, więc wziął ze sobą do ogrodu telefon bezprzewodowy, ale zadzwonił tylko jakiś dziennikarz z „Aftonbladet". Arogancki typ, którego Mortensen spławił szybko, choć w grzeczny sposób. Nie chciał, by mu zarzucano, że źle traktuje pismaków. Miał już wystarczająco złą prasę.

Gdzie on może być, jeśli się nie ukrywa u Gabrielli? Mortensen wytężał umysł, ale nie przychodziło mu do głowy nic sensownego. Przez chwilę myślał, że Cederén pojechał do jego domku letniego na Möja. Znał to miejsce i wiedział, gdzie leży klucz. Dzwonił tam kilkanaście razy, ale nikt nie odbierał. Nie wspomniał o tym Ann Lindell. Czemu jednak Sven-Erik miałby tam jechać? Bardziej prawdopodobne było, że uciekł za granicę. Czy policja znalazła jego paszport? Lindell nic o tym nie mówiła.

Jeżeli Sven-Erik żyje, prędzej czy później się odezwie. Będzie chciał porozmawiać. Wytrzyma kilka dni w ukryciu i odosobnieniu, ale Mortensen znał go zbyt dobrze, by sądzić, że da radę dłużej.

A jeśli nie żyje? Mortensen nie chciał w to wierzyć. Przyjaźnili się od czasów, kiedy obaj studiowali chemię. Przez pewien krótki okres dzielili jedno mieszkanie, włóczyli się po Europie, kochali w tej samej kobiecie. Oczywiście Sven-Erik wyciągnął dłuższą słomkę. Stali się wrogami, ale pojednali się w Pharmacii. Tak naprawdę Sven-Erik Cederén był dla niego najbliższym człowiekiem, oprócz matki. Tym, który znał jego siłę oraz słabości, ale nigdy ich nie wykorzystywał, nigdy nie docinał, że nie potrafi utrzymać przy sobie kobiety dłużej niż przez miesiąc czy dwa i nigdy nie powiedział złego słowa o jego matce.

Zawsze ufał Svenowi-Erikowi, on w ogóle wzbudzał zaufanie. Promieniował siłą woli. Żaden tam czaruś i dusza towarzystwa, lecz wierny przyjaciel i niezwykle rzetelny pracownik.

Podjęli pracę w w MedForsk, który z ryzykownego przedsięwzięcia stał się odnoszącą sukcesy firmą z pozytywnymi ocenami w „Veckans affärer" i dobrą opinią wśród konkurencji i w kręgach naukowych. Teraz stali przed największym krokiem od początku, wejściem na giełdę. Trzysta milionów. Wszystko było już zapięte na ostatni guzik. Zatrudnili specjalistę od PR, by przygotował grunt, i udało mu się ponad oczekiwania. Wynik spółki również mówił sam za siebie – ubiegłoroczny zysk przekroczył pięćdziesiąt milionów.

Teraz to wszystko było zagrożone i Mortensen nie wiedział, jak zminimalizować szkody. Hiszpanie szaleli, szef laboratorium był podejrzany o morderstwo i przepadł jak kamień w wodę, policja dokładnie sprawdzała wszystko i wszystkich, a media zwietrzyły trop.

Mortensen wzdrygnął się. Wziął telefon i wszedł do domu. Kiedy zatrzasnął za sobą drzwi i włączył alarm, owładnęło nim przeczucie zbliżającej się katastrofy. Opuścił stalowe rolety w pokoju z tekstyliami. Wyblakłe tkaniny, oprawione w szkło i srebrne ramki, nie dawały mu radości. W ogóle zaczynał się zastanawiać, dlaczego włożył tyle pracy w stworzenie najbardziej imponującej prywatnej kolekcji tekstyliów z Ameryki Południowej i Azji Południowo-Wschodniej w całym kraju. Dla kogo? – myślał, kiedy zamykał za sobą drzwi, ryglował je i włączał alarm. Nikt przecież nie ogląda tych zbiorów oprócz przypadkowych gości, którzy zresztą wyglądają na umiarkowanie zainteresowanych.

Czy powinien zadzwonić do tej ładnej policjantki? Kartkę z numerem jej domowego telefonu przypiął na tablicy ogłoszeń nad biurkiem. Wszedł do gabinetu i włączył komputer, spoglądając przy tym na kartkę.

Co miałby jej mówić? Powiedzieć o Gabrielli? To kusiło. Chciał podać jakąś ważną informację, żeby tu wróciła, ale zdradzenie tożsamości Gabrielli było za bardzo ryzykowne. Cena za to mogła być zbyt wysoka. Ann Lindell interesowała się nim tylko z racji wykonywanej pracy i z radością zajmie się najpierw Gabriellą, a dopiero potem przyjdzie jego kolej.

Długo stał przed komputerem i zastanawiał się, czy popracować trochę z CAD-em. Postanowił kiedyś zaorać jedną czwartą ogrodu, zbudować jeszcze jedno oczko wodne i połączyć je z istniejącym, a do tego stworzyć mały lasek dla rododendronów. Rysunek w komputerze był prawie gotowy, trzeba jeszcze tylko dodać listę roślin. Przed jesienią będzie można zacząć prace.

Kiedy pochylał się nad komputerem, zadzwonił telefon. Spojrzał na zegar i podniósł słuchawkę. Malaga. Zdążył tylko powiedzieć, że Sven-Erik nie dał jeszcze znaku życia, kiedy de Soto przerwał mu z irytacją. Mortensen umilkł, przysunął krzesło i usiadł.

Długi monolog Hiszpana poraził go. Położył słuchawkę bez słowa.

12

Ola Haver stał jeszcze przez chwilę w otwartych drzwiach. Bricanyl zaczął działać i Gina znów spokojniej oddychała. Podszedł do łóżka, otulił dziewczynkę kołdrą i położył na jej poduszce pluszową zabawkę. Powieki małej drgnęły i zakaszlała.

Z sypialni dobiegł krzyk maleństwa, które nie mogło znaleźć piersi mamy. Rebecka przywołała męża półgłosem i Ola wyszedl z pokoju Giny, rzucając na nią jeszcze jedno spojrzenie. Żeby tylko trochę pospała, pomyślał i cicho przymknął drzwi, nie zamykając ich całkiem.

– Pamiętaj o aptece – powiedziała Rebecka.

Ola mógł tylko się uśmiechnąć. Prawie całkiem straciła głos, był zachrypnięty i ledwo slyszalny, ale miała dość siły, by przypomnieć mu kilka razy o tym samym.

– Jasne. Co za rodzina, a niedługo będzie noc świętojańska – powiedział Haver, podchodząc do łóżka.

Rebecka uśmiechnęła się i wyciągnęła do niego rękę. Maleństwo sapało zadowolone przy piersi. Może usnęła.

Haver wziął jej rękę i lekko uścisnął. W sypialni panował półmrok, rolety były opuszczone i paliła się tylko lampka przy łóżku.

– Zdrowiej szybko – powiedział. Pochylił się i pocałował córeczkę w karczek. Jej włoski, puszyste, ale już ciemne i mocne po mamie, połaskotały go pod nosem. Wciągnął delikatny zapach niemowlęcia i przepełniło go uczucie szczęścia.

Wyjechał z Valsätra parę minut po wpół do ósmej. Przyszedł mu do głowy pewien pomysł. Tak samo, jak sprawdzali restauracje, w których bywał Cederén, mogli sprawdzić stacje benzynowe.

W drodze do komisariatu próbował sobie wyobrazić tego Svena-Erika Cederéna. Zdjęcia w willi pokazywały go w wieku, w jakim był teraz, niespecjalnie przystojnego, przynajmniej zdaniem Beatrice, ale ona patrzyła krytycznie na większość mężczyzn. Krótko ostrzyżony, opalony i na oko w niezłej kondycji. Haver uważał, że był podobny do agenta nieruchomości, który pośredniczył w kupnie ich domu. Jeden z wielu trzydziestopięciolatków, którzy zbliżali się do wieku średniego i starali się kompensować zmiany nażelowaną fryzurą, treningami dwa razy w tygodniu, czasem grą w golfa i pewną siebie postawą, która nie zawsze odzwierciedlała ich życie wewnętrzne.

Haver przejrzał wszystkie papiery i dokumenty dotyczące Cederéna, ale nie potrafił wypełnić obrazu konkretną materią. Był zbyt anonimowy, zbyt przeciętny, zbyt ukierunkowany na pracę i badania. Nawet na zdjęciach z urlopu nie ujawniał niczego innego. Byly tam oczywiście fotografie, na których wyglądał na odprężonego, śmiał się i nawet przybierał zwariowane pozy, ale to nie wystarczało, jeżeli ktoś chciał go poznać. Haverowi brakowało głosu i gestów.

Na polu golfowym Edenhof w Bälinge Haver spotkał kilku znajomych Cederéna. Wszyscy podkreślali, że był miły i uczynny, choć niespecjalnie towarzyski. Życzliwy, ale nie otwierał się przed innymi, a o swoim życiu prywatnym mówił rzadko lub wcale.

Był dobrym golfistą, zdyscyplinowanym i wytrwałym w dążeniu do celu. Jeśli popełnił błąd i spudłował łatwy strzał, nie robił z tego wielkiej sprawy, tylko się lekko ironicznie uśmiechał. Grał spokojnie i metodycznie. Był popularny w klubie – można było na nim polegać i to on prowadził projekt sadzenia młodych drzewek i pracę z młodzieżą. Pozostali członkowie klubu lubili z nim grać. Jak to wyraził jeden z nich, roztaczał wokół siebie atmosferę spokoju.

Nie było w nim żadnych pęknięć, prócz tego, że prawdopodobnie zdradzał żonę. Skąd się wzięło takie odstępstwo w jego ogólnie poukładanym życiu? Haver szukał odpowiedzi na to pytanie na polu golfowym, ale wszyscy, z którymi rozmawiał, odrzucali teorię o kochance jako absurdalną. Większość znała Josefin, wprawdzie niezbyt dobrze, ale każdy charakteryzował ich związek jako stabilny, a nawet szczęśliwy.

Haver minął Svandammen, spoglądając tęsknie na cukiernię Ptasie Mleczko. Spędzał w niej sporo czasu w młodości, ale teraz rzadko miał okazję, by się tam zatrzymać. Może powinien zaprosić Ann Lindell na kawę i pączka z wanilią? Lubiła przesiadywać w cukierni. Nie, żadnych pączków – to było zarezerwowane dla niego i Rebecki. Ich mała, słodka waniliowa tajemnica.

Lista transakcji Cederéna kartą na stacjach benzynowych Hydro nie była zbyt długa. Prawdopodobnie tankował również na innych stacjach. Najczęściej przy ulicy Klangs gränd, co wydawało się dość oczywiste. Kilka transakcji przy Råbyvägen i przy autostradzie E4 oraz jakieś pół tuzina tankowań przy Öregrundsvägen.

Haver studiował listę i uświadomił sobie, że może nie powinien wysuwać tak daleko idących wniosków. Tankowanie odbywa się zwykle anonimowo przy dystrybutorze. Szanse, że ktoś zapamiętał Cederéna i jego ewentualne towarzystwo były bliskie zeru, ale z drugiej strony nie mieli innych tropów.

Öregrundsvägen była przypuszczalnie jedyną stacją godną uwagi. Jakie sprawy mógł mieć w tym miejscu? Służbowe? Mało prawdopodobne. MedForsk nie prowadził żadnej działalności na tej trasie. Cederén nie miał domku letniego. Może odwiedzał jakichś znajomych?

Haver przysunął bliżej telefon i wybrał numer do MedForsk. Odebrała Sofi Rönn. Zapytał ją, czy wie, dlaczego Cederén tak często jeździł Öregrundsvägen. Nie miała pojęcia i nie znała żadnych znajomych Svena-Erika, którzy mieszkali w Rasbo, Alunda czy innej miejscowości na północny wschód od miasta.

Haver podziękował i położył słuchawkę. Tankowanie odbywało się dość regularnie i nie wyglądało to na przypadek. Przeczuwał powód. Gdzieś w tamtej okolicy mieszkała kochanka.

Wstał i podszedł do planu Uppsali na ścianie. To było jak szukanie igły w stogu siana. Sam bardzo rzadko jeździł tą drogą, ale próbował sobie wyobrazić, jak wygląda. Miał w pamięci dość mglisty obraz stacji benzynowej, ale czy nie było przy niej sklepu?

Otworzył książkę telefoniczną i zaczął szukać w branży „Sklepy spożywcze". Miał rację: Rasbo Allköp w Vallby. Zapisał numer, ale postanowił od razu tam pojechać ze zdjęciem Cederéna i sprawdzić, czy nikt go nie rozpozna.

Zadzwonił do Ann Lindell i powiedział jej o swoich planach.

– Jak w domu? – zapytała.

– Rebecka ma głos jak „Chrypiący Fredrik"*, a Gina prawie nie spała w nocy.

---

* „Hesa Fredrik" (szw.) – sygnał alarmu ostrzegawczego w Szwecji, nazwany przez dziennikarza Oscara Fredrika Rydqvista jego własnym imieniem.

– Jeżeli musisz jechać do domu, to jedź – powiedziała Ann.

Mimo nadciągających od południowego zachodu chmur był wciąż jasny dzień. Haver jechał Vaksalagatan, myśląc o malutkiej. Jakie imię jej dadzą? Rebecka proponowała Sarę, ale dla niego brzmiało to zbyt biblijnie. „A moje imię – zaoponowała jego żona – nie jest zbyt biblijne". Haver jednak upierał się przy swoim. Nie chciał mieć w otoczeniu samego Starego Testamentu. Znajdował się mimo wszystko na gorszej pozycji – on przeforsował Ginę, więc czuł, że teraz Rebecka powinna wybrać.

Znalazł w schowku okulary słoneczne. Był szczęśliwy, że wszystko się ułożyło. Lęk o ciążę przy ciągłych krwawieniach żony, dezorganizacja i mnóstwo nadgodzin w pracy plus poczucie, że zaniedbuje rodzinę – wszystko to kładło się cieniem na jego życiu zimą i wiosną. Teraz wreszcie zaświeciło słońce. Jechał zdecydowanie za szybko.

Nie złożył sobie jeszcze obrazu Cederéna. Naukowiec z sukcesami, na stanowisku kierowniczym, lubiany w środowisku golfista, mężczyzna ze stabilnym na pozór życiem prywatnym. A przy tym oszust i być może morderca. Haver przeczytał kilka fragmentów pamiętnika Josefin i zobaczył ją i Emily zmasakrowane na poboczu. Jaki właściwie był Cederén? Haver chciał go odnaleźć, by się tego dowiedzieć.

W okolicach Jälla nadciągnęły czarne chmury, a przy zjeździe na Hovgården zaczęło padać.

Dwie osoby z personelu sklepu rozpoznały Cederéna bez wahania, jedna nie była pewna.

– Często robi tu zakupy – powiedziała dwudziestoparoletnia dziewczyna z kolczykiem w języku i u nasady nosa. W połączeniu z rozczochraną fryzurą i lekko zwieszonymi ramionami nadawało jej to niezbyt rozgarnięty wygląd, ale Haver szybko musiał zrewidować swoje pierwsze wrażenie. Dziewczyna odpowiadała szybko i pewnie, czasem się przez chwilę zastanawiała, ale ogólnie była świadkiem doskonałym.

Wiedziała, że Cederén miał bmw, „samochód dla prawdziwego faceta", i regularnie tędy przejeżdżał. Czasami zatrzymywał się na stacji, a kilka razy zrobił zakupy w sklepie. Któregoś dnia wiosną wykupił wszystkie tulipany. Ekspedientka pamiętała, że było to siedem bukietów po dziesięć sztuk.

– Nie zapomina się klienta, który kupił siedemdziesiąt tulipanów – powiedziała. – To było takie romantyczne.

Haver uśmiechnął się do niej.

– Pani też by chciała dostać siedemdziesiąt tulipanów, prawda?

– Wolałabym róże – odrzekła dziewczyna.

– Czy był kiedyś w towarzystwie?

To było najważniejsze pytanie i dziewczyna szybko na nie odpowiedziała.

– Tak, następnym razem przyjechał z jakąś dziewczyną. Blondynka, koło trzydziestki, dość ładna. Nie śliczna jak laleczka, nie typ damy, jeśli pan rozumie, co mam na myśli.

Haver skinął głową.

– Poznałam ją. Robi tu czasem zakupy.

Haver wiedział, że jest blisko.

– Czy mieszka tu w okolicy?

– Nie wiem.

– Kiedy była ostatnio?

Dziewczyna zastanawiała się przez parę sekund, nim odpowiedziała.

– W zeszłym tygodniu. Kupowała nasiona.

– Nasiona?

– Marchewkę i inne.

Haver milczał przez chwilę. Wyglądał przez okno, patrząc na przejeżdżające samochody.

– Jeżeli znowu przyjdzie, czy może pani zapisać numery jej samochodu? Chce pani to zrobić?

– Oczywiście. To takie emocjonujące.

– Tu jest mój numer, proszę od razu zadzwonić.

– Czy ona jest niebezpieczna?

Haver pokręcił głową i podał jej wizytówkę. Studiowała ją przez chwilę.

– Czy jest poszukiwana?

– Nie, chcemy z nią tylko porozmawiać.

– Czy coś za to dostanę?

– Siedemdziesiąt tulipanów.

Ola Haver wyszedł ze sklepu w dobrym humorze. Przeczuwał, był prawie pewny, że młoda sprzedawczyni doprowadzi go do kobiety, która być może ukrywała Cederéna, a przynajmniej mogłaby rzucić trochę światła na jego zniknięcie.

W chwili, gdy otwierał drzwi samochodu, zadzwonił telefon. Na wyświetlaczu zobaczył numer Ottossona.

– Znaleźliśmy go – powiedział krótko szef wydziału.

– Gdzie?

– Niedaleko Rasbo. Nie żyje.

– O cholera. Samobójstwo?

– Na to wygląda. Gdzie jesteś?

– W Rasbo, to znaczy prawie.

Ottosson parsknął śmiechem. Haver widział go teraz przed sobą, z okularami przesuniętymi na czoło i dłonią mierzwiącą gęstą siwą brodę.

Dostał wskazówki, jak ma dojechać. Ann Lindell, Sammy, Beatrice i technik Ryde byli już w drodze.

Leśna droga, częściowo ukryta w gęstwinie wierzb, była ledwo widoczna. Nikt jej od dawna nie używał, bo wąski wjazd zdążył niemal całkowicie zarosnąć roślinnością. Samochody Ann i Rydego stały już przy żwirówce – inaczej Haver w ogóle by nie zauważył wjazdu. Rozejrzał się uważnie dookoła.

Gałąź rozłożystej wierzby uderzyła go w głowę. Czarny dzięcioł energicznie kuł pobrużdżony pień. Lekko odwrócił głowę, kiedy Haver przechodził, a jego spojrzenie mówiło: Ja tu byłem pierwszy.

Szkoda, że nie ma tu Fredrikssona, pomyślał Haver. Kolega uwielbiał zadania w terenie, najchętniej w lesie. Mógł wtedy brylować swoją wiedzą na temat ptaków.

Zarośnięta droga dla traktorów kryła się w cieniu, kłody wtopione w ziemię, która wiosną i jesienią z pewnością była podmokła, leżały jak gnijące trupy, a kiedy Haver na nich stawał, zapadały się z lekkim trzaskiem.

Skaliste podłoże po lewej stronie było porośnięte mchem torfowym i pojedynczymi wykrzywionymi drzewkami. Duże rozrzucone kamienie leżały z brzegu jak omszałe leśne zwierzęta. Haver miał wrażenie, że jest na cmentarzu.

Na lewo rozciągały się mokradła i Haver wyczuwał lekki słodkawy zapach, który mógł pochodzić od krzewów wystrzelających między szmaragdowymi pagórkami.

Po trzydziestu metrach wyszedł na polanę. Po jej drugiej stronie stało bmw Cederéna. Sportowy wóz zupełnie nie pasował do grubych pni sosen w tle. Przy drzwiach od strony kierowcy stało czworo policjantów. Haver wyobraził sobie ciało w środku, z głową na kierownicy.

Polana miała około dwustu metrów kwadratowych – mały leśny skwerek, na którym Sven-Erik Cederén zakończył swoje życie. Są gorsze miejsca, pomyślał Haver, podchodząc do auta.

– Szybko się uwinąłeś – zauważyła Ann.

– Byłem w pobliżu – odrzekł Haver.

Ann zarejestrowała odpowiedź jednym uchem i znów pochyliła się nad zmarłym.

– Boże, jak tu śmierdzi – powiedziała Beatrice.

– W samochodzie idzie szybko – stwierdził Ryde.

Zdążył już włożyć przezroczyste rękawiczki. Haver widział, że się niecierpliwi. Ann wyciągnęła rękę, wzięła ostrożnie świstek papieru leżący na tablicy rozdzielczej i wyprostowała się.

– „Przepraszam" – przeczytała.

Pismo nie było piękne. Jedenaście wielkich liter rozjeżdżało się w rzędzie tak nierównym, jakby pisała to ręka dziecka.

– Idiota – mruknęła Beatrice.

Stacyjka była włączona, ale silnik zgasł. Żółty plastikowy wąż biegł z rury wydechowej przez wąską szczelinę w tylnej szybie od strony kierowcy. Aby zapobiec uciekaniu gazu, szpara była uszczelniona kawałkiem materiału.

Twarz Cederéna spoczywała na kierownicy. Jeden kącik ust był lekko uniesiony, co wyglądało jak krzywy uśmiech. Półuśmiech. „Uciekłem", zdawał się mówić. Wyraźny odcień szarości pod mocną opalenizną psuł wrażenie zdrowego wyglądu. Był przystojny, pomyślała Ann.

– To spore zaskoczenie – powiedziała. – Chętnie bym zamieniła kilka słów ze zwłokami.

– Kto go znalazł?

– Miejscowy chłopak, mieszka w gospodarstwie, obok którego przejeżdżałeś – odrzekł Sammy Nilsson. – Miał przygotować zimową wycinkę.

– Co za szczęście – stwierdziła Beatrice. – Strach pomyśleć, jak by pachniał za tydzień lub dwa.

– Dla nas też szczęście – rzekł Ryde. – Nie musimy już szukać.

– To właśnie miałam na myśli, że to szczęście dla nas – zgodziła się Beatrice.

– Od smrodu jeszcze nikt nie umarł – rzucił sucho technik.

Reszta zebranych milczała. Haver czuł, że inni też myślą o Josefin i Emily. W jakimś sensie nie był naprawdę poruszony. Jeszcze nie. Wiedział, że to przyjdzie. Cederén może i był mordercą, ale jego bezradne, zwiotczałe ciało, rozchylone usta i zamknięte oczy wyglądały tak żałośnie, że nie wzbudzały gniewu.

Samobójstwo zawsze poruszało policjantów. Prawie każdemu przemknęła kiedyś przez głowę myśl, by odebrać sobie życie i konfrontacja z ciałem samobójcy wprawiała w przygnębienie wraz z osobliwą mieszaniną lęku, odrazy i złości.

Haver obejrzał przód samochodu. Prawy reflektor miał rysę biegnącą po przekątnej, ale poza tym bmw wyglądało na nieuszkodzone.

Zajrzał do środka przez przednią szybę. Cederén zaczynał łysieć. Na jego ciemieniu widniała lśniąca plamka.

– Dlaczego tutaj? – zapytał Sammy.

Ann rozejrzała się, tak jakby mogła znaleźć odpowiedź na polanie.

– Wjazd jest ledwo widoczny, a droga, oględnie mówiąc, nierówna. Musiał ją dobrze znać – odpowiedział sam sobie Sammy.

– Może zbierał tu grzyby – podsunął Ryde. – To teren grzybiarski.

Przez głowę Ann przemknął jak strzała obraz Edvarda zbierającego w lesie grzyby.

– Dlaczego byłeś w pobliżu? – spytała, zwracając się do Havera.

– Jestem na tropie kochanki – odpowiedział skromnie Haver.

– Tu w okolicy?

– Możliwe, ale nie mam pewności. Może ją wytropimy z pomocą dziewczyny ze sklepu w Vallby.

– Dlaczego Vallby? – zdziwił się Sammy.

– Stacja benzynowa Hydro. Cederén dość często tam tankował.

Ann posłała mu uśmiech i pełne uznania spojrzenie.

– Aha – mruknął Ryde. – Napatrzyłeś się już?

Schylił się i wydobył butelkę częściowo ukrytą pod siedzeniem.

– Gordons – stwierdził. – Zostało jakieś pół litra.

Podniósł butelkę i uśmiechnął się.

– Nie wyczuliście zapachu alkoholu? – zapytał.

Wyraźnie triumfował.

– Wlał w siebie prawie dwie trzecie litra? – zapytał z niedowierzaniem Sammy. – O do diabła.

– To litrowa butelka – odrzekł Ryde – i nie powiedziałem, że wypił wszystko. Jest otwarta, leżała na podłodze i pewnie część się wylała, ale to sprawdzimy.

Obszedł samochód dookoła, otworzył tylne drzwi i wyjął teczkę na dokumenty.

– Na razie możecie to wziąć – powiedział, podając ją Haverowi. – Poproście Jonssona, żeby zdjął ewentualne odciski palców, zanim zaczniecie w niej grzebać.

Zaczął od wyjęcia aparatu. Był nie tylko zdolnym tropicielem śladów, ale również dobrym fotografem. Czasami miał wystawy w sali zebrań. Były to nadwyżki ze śledztw, jak sam je nazywał, ale niekiedy zaskakiwał motywami z życia rodzinnego, fotografiami wnuków i zdjęciami z wakacji. Nadawało to bardziej ludzki rys szorstkiemu zwykle Rydemu i wydział techniczny głosował wtedy na najładniejsze zdjęcie. Zawsze wygrywała fotografia przedstawiająca jakiś motyw z pracy. Tak jakby koledzy nie potrafili sobie wyobrazić, że mogliby zagłosować na zdjęcie prywatne.

Czworo policjantów pozostawiło technikowi przeszukanie samochodu. Przeszli się niespiesznie polaną. Spomiędzy gałęzi prześwitywało słońce.

– Ładne miejsce – rzekł Sammy.

– Kto pojedzie do jego rodziców? – zapytała Ann.

Technicy mieli przed sobą przynajmniej kilka godzin pracy. Należało przeczesać samochód, polanę, okoliczny las i drogę. Nawet jeśli wszystko wskazywało na samobójstwo, musieli przeprowadzić badania jak na miejscu zbrodni.

Ann wróciła do miasta z Haverem, żeby dowiedzieć się więcej o tropie z Vallby. Teraz, gdy znaleźli Cederéna, poszukiwanie jego kochanki stało się bardzo pilne. To ona mogła rzucić trochę światła na motyw śmiertelnego potrącenia i samobójstwo. Odwiedził ją po wypadku, a potem odebrał sobie życie? To pytanie nurtowało Ann. O czym w takim razie rozmawiali?

Kłócili się? Opowiedział jej o tym, co się stało? Czemu nie zadzwoniła na policję?

Było w tym coś niejasnego, kwestie, które Ann musiała wyjaśnić. Relacja Havera ze sklepu dawała im nadzieję, że ją znajdą.

– Jeśli przyjmiemy, że ona mieszka w okolicy, gdzieś przy Öregrundsvägen, a on ją odwiedził, wiele osób mogło zwrócić uwagę na jego samochód – zastanawiał się głośno Haver. – Rzuca się w oczy, a ludzie na wsi są spostrzegawczy.

Ann kiwnęła głową. Jeśli kochanka się teraz nie odezwie, czy będą musieli chodzić ze zdjęciem samochodu, by uzyskać jakieś informacje?

– Co to za osoba?

Haver zerknął na Ann. W jej głosie brzmiało poirytowanie, zniecierpliwienie, które odebrał jako krytykę tej kobiety.

– Chcesz powiedzieć, że to jej wina?

– W pewnym sensie. Gdyby nie ona, rodzina Cederénów by dzisiaj żyła.

Umilkła. Haver czekał na ciąg dalszy, ale ona podjęła wątek dopiero przy wjeździe do Uppsali.

– Pewnie go kochała – rzekła – a to nie jest zbrodnia. Nie może przecież odpowiadać za jego czyny.

– Może wywierała presję?

– By zabił rodzinę?

– Kto wie. Choć nie sądzę, że jest taka – powiedział Haver. – W Vallby kupowała nasiona roślin.

Wieczorem szesnastego czerwca przyszedł wstępny protokół z obdukcji. Dla Ann było pewnym zaskoczeniem, że stało się to tego samego dnia. Wraz z raportem techników zaczął się układać pewien obraz.

Cederén zmarł czternastego czerwca, „około południa", jak było napisane w raporcie, z dopiskiem „11-14". Przyczyną śmierci było zatrucie tlenkiem węgla poprzez wdychanie spalin samochodowych. Cederén tuż przed śmiercią skonsumował około pięciuset mililitrów ginu marki Gordons Dry. W żołądku znajdowały się także resztki śniadania, „maślanka, płatki i kawa”, jak napisano w nawiasie.

Nie stwierdzono śladów zewnętrznej przemocy oprócz przebarwienia na prawym ramieniu, co wytłumaczono naciskiem ciała na kierownicę. Był w dobrej formie fizycznej.

Ann z westchnieniem zamknęła teczkę. „Dobra forma fizyczna”, ale psychiczna niespecjalnie. Nie wiedziała, co o tym myśleć. Nie podobała jej się ta historia z mordercą-samobójcą. Wyraźnie przecież napisano, że właśnie to bmw przejechało Josefin i Emily. W prawym przednim reflektorze znaleziono włókna z sukienki matki.

„Dlaczego?” to pytanie powracało ciągle w myślach Ann. Okej, przejechał żonę, można to wytłumaczyć załamaniem nerwowym i nienawiścią, ale dziecko? Czy Cederén przejechał nieumyślnie także Emily? Czy dlatego napisał tę patetyczną kartkę pożegnalną i odebrał sobie życie?

Czy zatrzymał się i stwierdził, że dziewczynka nie żyje, czy pojechał dalej? Nie było świadków, którzy mogliby im pomóc w uzyskaniu odpowiedzi. Mimo niestrudzonego wypytywania mieszkańców Uppsala-Näs nie znaleziono nikogo, kto by widział bmw Cederéna czy jakikolwiek inny samochód. Odcinek drogi, na którym to się stało, był otoczony polami i nie stał przy nim ani jeden dom.

Chyba się zatrzymał, cofnął i zobaczył, że dziewczynka nie żyje. Ale czemu pojechał do Rasbo? Był w drodze do kochanki, czy też od niej wracał, a potem zaczadził się na śmierć?

W notesie Ann przybywało takich rozważań. Pytanie, czy kiedykolwiek doczekają się wyjaśnienia. Gdyby znaleźli kochankę, może kilka kawałków układanki wskoczyłoby na miejsce.

Nie była jednak przekonana równie mocno jak Haver, że kobieta pokaże się w sklepie w Vallby. Znów westchnęła, wstała od biurka i podeszła do mapy. W samym Rasbo było kilkaset domów, a jeszcze więcej, gdyby powiększyć obszar o Uppsala--Tuna, Stavby, Rasbokil i Alunda.

Kiedy tak stała ze wzrokiem utkwionym w plątaninę dróg przebiegających przez wymienione miejscowości, przyszła jej do głowy pewna myśl: czy nie mógłby im w tym pomóc jakiś urząd? Ktoś, kto wiedział coś o samotnych kobietach po trzydziestce? Od razu odrzuciła opiekę społeczną. Kobieta nie wyglądała na przypadek kwalifikujący się tam. Była dobrze ubrana i kulturalna. Kościół? Może warto byłoby zadać sobie trud, obdzwonić pastorów w okolicy i zapytać, czy mają jakiś pomysł. Ann postanowiła przydzielić to Fredrikssonowi. Był właściwą osobą do dzwonienia po parafiach.

Ann Lindell zbyt głośno zatrzasnęła drzwi. Ottosson, który chyba nigdy nie szedł do domu, wyjrzał ze swojego pokoju. Na widok Ann uśmiechnął się.

– Coś nowego?

Ann pokręciła głową. Dziwne, że zachowuje dobry humor, pomyślała, podchodząc do szefa.

– Teraz jadę do domu wziąć kąpiel, wypić kieliszek wina i poczytać jakieś głupie pisemko dla kobiet – powiedziała, stając tuż obok niego.

– Czytasz coś takiego? Zaskoczyłaś mnie.

– Pójdę do Konsumu, zapytam, co powinna czytać kobieta w najlepszych latach swego życia, i kupię to po cichu.

– Możesz kupić „Amalię" – powiedział Ottosson. – To się chyba tak nazywa.

Ann pogłaskała go po policzku.

– „Amelia" – powiedziała i uśmiechnęła się.

Odwzajemnił jej uśmiech.

– Wiesz co? Lubię cię – powiedział.

– Wiem. Ja ciebie też.

Spostrzegła, że jej słowa poruszyły szefa wydziału. Był taki wrażliwy, tak się o nią troszczył. Nie chciała go wprawiać w jeszcze większe zakłopotanie, więc odwróciła się i wyszła na korytarz, ale obejrzała się, nim skręciła w stronę schodów.

Ottosson nadal tam stał z uniesioną dłonią. W bladym świetle jarzeniówki wyglądał jak dobry wujek, którym właściwie był. Zatrzymała się na ułamek sekundy i odpowiedziała na jego pozdrowienie, po czym zbiegła ze schodów.

Po raz pierwszy od długiego czasu czuła się szczęśliwa. Szczęśliwa, że ma pracę, którą lubi, szefa i kolegów, których szanuje i ceni, szczęśliwa, że Edvard odpowiedział. Miał ten sam wesoły ton jak na jej automatycznej sekretarce.

Powiedział, że nie może pracować z powodu kontuzji kolana. Spadł z drabiny z wysokości pięciu metrów. Ann próbowała sobie wyobrazić, jak spada na łeb, na szyję z tych pięciu metrów na ziemię. Przyznał, że opatrzność nad nim czuwała. „Mogłem skręcić kark", powiedział spokojnym głosem. Te słowa wstrząsnęły Ann, zrozumiała, że nadal bardzo go lubi. Nie może mu się stać nic złego.

Kiedy weszła do Konsumu, uświadomiła sobie, jak bardzo jest głodna, choć przez dobrych parę godzin wcale o tym nie myślała. Pchała przed sobą wózek i szybko wrzucała do niego rzeczy, gnana pragnieniem, by jak najszybciej znaleźć się w domu.

Chcę poganiać życie, pomyślała, przestępując z nogi na nogę w kolejce wijącej się jak wąż przez pół sklepu. Czy ludzie nie mogą robić zakupów kiedy indziej. Chciała, żeby już była noc świętojańska. Uzgodnili, że przyjedzie na Gräsö. Planowali posiłki. Ona miała załatwić wódkę i piwo. On miał przyrządzić kilka dań z matiasów. Miała wrażenie, że jest tak jak przedtem, jak gdyby te pół roku niewidzenia się było tylko parosekundową przerwą.

Teraz, kiedy sprawa Cederéna w jakimś sensie się rozwiązała, prócz kwestii motywu, powinno być trochę spokojniej w pracy. Żadnych morderstw, gwałtów i pobić, proszę. Czas do nocy świętojańskiej minie szybko, piękna pogoda się utrzyma, Edvard będzie odprężony i szczęśliwy, a morze piękniejsze niż zwykle. Po obu stronach wąskiej żwirówki prowadzącej do domu Violi i Edvarda zakwitnie geranium i trybula, a w miejscach bardziej suchych krwawnik i firletka.

Ann kochała łąki i pastwiska, wiatr od morza i brzęczenie trzmieli. Poprzednim razem we troje, choć Viola z początku się opierała, zbierali kwiaty i wyplatali wianki.

Nie było ani kąpieli, ani lektury czasopisma. Zmęczenie wzięło górę. Ogarnęła machinalnie mieszkanie, podczas gdy na kuchence gotował się ryż. Zjadła szybko, przeglądając przy tym poranną gazetę. Pisali o wypadku w Uppsala-Näs, ale dłużej się nad tym nie zatrzymywała.

Usiadła na kanapie z kieliszkiem wina, przed włączonym z przyzwyczajenia telewizorem. Czuła odurzające zmęczenie. Stanęli jej przed oczami wszyscy ludzie, których spotkała w ciągu dwóch ostatnich dni. Nie chciała myśleć o pracy, ale jej myśli jak zwykle przeskakiwały tu i tam, pojedyncze zdania i twarze przechodziły przez jej głowę jak na paradzie.

Starała się myśleć o czymś innym, ale nie mogła wpaść na nic ciekawego. Dlaczego nie mam życia prywatnego? Poślubiłam pracę, wlokę śledztwa ze sobą do domu, wszystko inne wydaje się nieważne. Co robią wszyscy samotni ludzie wieczorami?

Zdawała sobie sprawę z tego, że tak zaczyna się zgorzknienie. Choć kochała swoją pracę, przyjdzie kiedyś dzień, kiedy to wszystko wyda jej się może nie całkiem bez znaczenia, ale o wiele mniej ważne. Praca, wszystkie te dokumenty, cała bieganina będą ledwo dostrzegalne na szali, kiedy na drugiej znajdzie się jej stłumiona potrzeba miłości i bliskości. Bała się dnia, w którym to wszystko wypłynie na powierzchnię, a jej motywacja spadnie do zera. Jeśli czegoś nie zmieni, zostanie tylko pustka.

Najgorsze było to, że nie miała żadnych ambicji. Żadnego hobby jak łyżwiarstwo, obserwowanie ptaków, czytanie lub teatr, kręgle, tresura psów czy malowanie akwarelami, to wszystko, co ludzie robią z taką łatwością i pasją. Miała tylko poczucie, że powinna robić coś więcej niż pracować w dzień i pić czerwone wino wieczorami.

Jeśli nie wyjdzie z domu, nie pozna innych ludzi niż przestępcy i policjanci. Pomyślała o swoim ostatnim wyjściu z dziewczynami. Za dużo wina, za słaby osąd sytuacji. Facet, którego zaciągnęła do domu – a może on zaciągnął ją? Prawda była taka, że nie zapamiętała zbyt wiele z tamtej drogi powrotnej.

Kochali się, tyle pamiętała. Bez trzęsienia ziemi, ale był w tym niezły. Wyszedł, nim się zbudziła o dziesiątej. Jej łóżko pachniało mężczyzną i seksem. Leżała w nim, myśląc o Edvardzie.

Mógł przynajmniej zostawić kartkę. Nazywał się Bengt-Åke, tylko się zaspokoił i wymknął. Beatrice go rozpoznała i twierdziła, że jest żonaty. Ann zaprzeczyła, że poszedł z nią do mieszkania. Na pytanie Beatrice odpowiedziała, że tylko ją odprowadził do domu.

Z trudem dźwignęła się z kanapy. Jej ciało pragnęło bliskości, ale nigdy więcej jakiegoś Bengta-Åkego, postanowiła sobie w ten wieczór szesnastego czerwca. Edvard jest mężczyzną, którego mam kochać. To jego ręce będą głaskać moje ciało i jego zapach pozostanie w mojej pościeli.

Zdjęła spódnicę i podkoszulek, poszła do łazienki i uśmiechnęła się ironicznie do własnego odbicia w lustrze. Nigdy więcej jakiegoś Bengta-Åkego, powtórzyła głośno. Usiadła na sedesie i zamknęła oczy, by powstrzymać łzy. Skąd ta melancholia, płaczliwość, kiedy ma się spotkać z Edvardem? Czy to był skradający się podstępnie lęk? Ten sam lęk, który widziała także u niego i który usilnie próbowała przełamać przez dwa lata? To ona była aktywna, przejmowała inicjatywę, podczas gdy Edvard tylko za nią człapał. Lubił jej przebojowość, a zarazem stawiał jej bierny opór, rozdarty między czasem minionym a przyszłością.

Ann Lindell odpędziła te myśli, postanowiła przezwyciężyć melancholię. Wykonała mechanicznie wszystkie czynności w łazience i nastawiła się na sen. To była sprawdzona metoda, kierowana przez instynkt samozachowawczy, konieczność spania.

13

W następnych dniach nie wydarzyło się nic, co mogłoby rzucić trochę światła na dramat rodziny Cederénów. Ann Lindell i jej koledzy czuli, że zabrnęli w ślepy zaułek. Galop Fredrikssona między pastorami z okolicznych parafii także nic nie dał. Prawda była taka, że większość duszpasterzy nie kryła niechęci do współpracy z policją w poszukiwaniu kochanki Svena-Erika Cederéna, która, jak zakładali z braku innych przesłanek, mieszkała na północny wschód od Uppsali.

Haver zadzwonił parę razy do sklepu w Vallby i rozmawiał z ekspedientką, ale nie miała nic nowego do powiedzenia. Kobieta od tamtej pory się nie pojawiła.

Ann liczyła na ostatnią wątłą szansę, pogrzeb Cederéna. Został pochowany na cmentarzu w Uppsala-Näs, dokładnie w tydzień po znalezieniu jego ciała w lesie. Miała nadzieję, że ona tam się pokaże, lecz nadzieja ta okazała się płonna. W kościele zebrała się zaledwie garstka uczestników. Poza rodzicami Cederéna, którzy wyglądali na wystraszonych, było tylko dwóch kolegów z pracy, Mortensen i jeden pracownik laboratorium. Poza tym zaprzyjaźniony golfista z Edenhof, którego wskazał jej Haver. Mężczyzna był już wcześniej przesłuchiwany. Wygłosił nawet krótką mowę przy katafalku. Rodzice podczas niej skurczyli się jeszcze bardziej i kiedy zakończył wspomnienie o zmarłym, w kościele zaległa krępująca cisza.

Ann została dłużej na cmentarzu w nadziei, że poszukiwana kobieta pojawi się po ceremonii pogrzebowej, kiedy wszyscy już pójdą. Ale to się też nie zdarzyło. Ann rozważała wzięcie cmentarza pod obserwację. Może ona zechce się pożegnać w jakiś sposób ze zmarłym. Mieli jednak za mało ludzi, by móc zostawić jednego policjanta na pełnym etacie w Uppsala-Näs. Gdyby była podejrzana o morderstwo, może uzyskaliby na to zgodę, ale nie na to, by odnaleźć zrozpaczoną kochankę.

Ann porozmawiała jednak na wszelki wypadek z dozorcą cmentarza i powiedziała mu, by miał oczy szeroko otwarte i zgłosił im, jeśli zobaczy jasnowłosą kobietę odwiedzającą grób Cederéna. Zgodził się, ale powiedział, że spędza na cmentarzu niewiele godzin w tygodniu, więc szanse są małe.

Dlaczego się nie odezwała? Ann zadawała sobie to pytanie, ale po głębszym namyśle nie wydało jej się to takie dziwne. Przyczyniła się przecież, choćby tylko pośrednio, do śmierci Josefin i Emily i samobójstwa kochanka. Ann była przekonana, że kryje się w tym jakaś historia, dramat namiętności z rodzaju tych, którymi nikt się nie chwali, a już na pewno nie ta kobieta. Przyszło jej cierpieć anonimowo, została sama ze swoją rozpaczą. Może się wstydziła? Może zerwała związek z Cederénem, popychając go tym do nieobliczalnych czynów?

Ann chciała znać odpowiedzi na wszystkie te pytania, ale miała świadomośc, że szanse zmniejszają się z każdym dniem. Wydział też zaczął traktować sprawę jako wyjaśnioną. Zostały tylko podejrzenia co do popełnienia przestępstw gospodarczych, ale to nie należało do wydziału zabójstw.

Mortensen do niczego się nie przyznał, obwiniając po części Hiszpanów, a po części zawirowania wokół wprowadzenia firmy na giełdę, które teraz zostało przesunięte. MedForsk drżał w posadach. Firma wynajęła jednego z najlepszych prawników handlowych, który nie szczędził wysiłków, by wcisnąć podejrzane transakcje w ramy dozwolone prawem. Paru kolegów z wydziału do spraw przestępczości gospodarczej było przekonanych, że mu się uda.

Praca w wydziale zabójstw wróciła w stare koleiny. Ann czuła to za każdym razem po dużej mobilizacji, kiedy w zasadzie cały komisariat, wydział kryminalny, śledczy, porządkowy, technicy i inni funkcjonariusze łączyli siły i brali się do roboty, by doprowadzić do przełomu. Wielu odczuwało to jak kaca.

Stare śledztwa, które odkładało się na bok, wracały na biurka i monitory komputerów. Wydawały się takie banalne. Powrót w zwykłe tryby zajął Ann i jej kolegom kilka dni. Myślami wciąż przebywali na drodze w Uppsala-Näs albo na leśnej polanie w Rasbo.

Ann nie była zadowolona. Pozostało zbyt wiele znaków zapytania. Poczucie niewystarczająco dobrze wykonanej pracy na pewien krótki czas zablokowało sprawność jej myślenia.

Sama prowadziła co najmniej trzy śledztwa. Właściwie było ich więcej, ale wyparła je ze świadomości – po prostu wrzuciła akta na dno najniższej szuflady biurka w swoim pokoju. Od czasu do czasu zaglądała jednak do stosu papierów.

Najpierw była ta historia z narkotykami, powiązana z groźbami i pobiciem. Grupa antynarkotykowa, której mimo wszystkich reorganizacji udało się przetrwać, wykonała fantastyczną pracę, zbierając informacje o grupie młodych ludzi, którzy w zeszłym roku zaopatrywali rynek w ecstasy. W sprawie pojawiły się co najmniej trzy pobicia, bezprawne groźby, bezprawne pozbawienie wolności oraz nielegalne posiadanie broni. Śledztwo rozrastało się z każdym dniem i Ann spędziła wiele godzin, wczytując się w materiały, siedząc w sali przesłuchań i uczestnicząc w spotkaniach kolegów z wydziału narkotykowego.

Wraz z prokuratorem przygotowali akt oskarżenia, przeprowadzając jednocześnie nowe zatrzymania i aresztowania. Śledztwo przybierało gigantyczne rozmiary.

Sprawa rodziny Cederénów wciąż jednak powracała w dyskusjach, podczas przerw na kawę i czasem na porannych odprawach. Ola Haver był tym, który nie chciał odpuścić. Czekał na telefon ze sklepu w Vallby.

Jedyną nową okolicznością, jaka się pojawiła, był fragment podartego listu napisanego po hiszpańsku, który odnaleziono w pojemniku na śmieci przed willą Cederénów w Uppsala-Näs. Napisał go niejaki Julio Piñeda. Była to skarga, tyle wynikało z analizy zachowanego skrawka tekstu. Tłumacz Eduardo Cruz znów się pojawił i miał spory problem, by ustalić jakiś kontekst. Julio Piñeda chciał pieniędzy, przynajmniej to było oczywiste.

Nie było też jasne, z jakiego kraju wysłano list. Mogli wysnuć na ten temat tylko dwa uzasadnione domysły. Większość typowała Hiszpanię, Ann Lindell zapytała Mortensena, czy mówi mu coś nazwisko Piñeda, dyrektor zarządzający zaprzeczył jednak, by kiedykolwiek je słyszał.

Może był to pracownik filii MedForsk w Maladze, który został zwolniony lub czuł się w inny sposób skrzywdzony przez firmę i teraz zwrócił się do osoby w Szwecji, którą znał i której ufał.

Mortensen obiecał, że sprawdzi, czy na hiszpańskich listach płac znajduje się lub kiedykolwiek znajdował Julio Piñeda.

Tłumacz sądził, że list przyszedł z Dominikany. W charakterze pisma, jakości papieru, a może przede wszystkim w stylu było coś, co wskazywało na Karaiby. Nie potrafił podać konkretnych powodów, to było raczej ogólne wrażenie, lecz Ann mu wierzyła.

Teraz strzępy listu zostały poskładane, na ile się dało, skopiowane i zarchiwizowane. Osoba Julia Piñedy mogła się pojawić w przyszłości. Ann jechała parokrotnie odcinkiem drogi przy kościele w Uppsala-Näs i za każdym razem wyobrażała sobie tego Piñedę stojącego na poboczu.

Przed południem siedziała z tłumaczem pochylona nad listem, próbując zrozumieć kontekst i miała wrażenie, że słyszy głos autora. Nauczyła się tekstu na pamięć. Był napisany prostym, niemal dziecinnym stylem.

„Doznaliśmy wielu cierpień" przetłumaczył Cruz „i teraz zwracamy się do Pana z prośbą o..." Reszty zdania brakowało.

– Doznaliśmy wielu cierpień – powtórzyła Ann na poboczu. Ojciec Josefin będzie musiał przejeżdżać tędy jeszcze wiele razy w ciągu swego życia. Zawsze wspominając. Niesprawiedliwe, wręcz nierealne zdarzenia, jakie rozegrały się w tym miejscu, zostawią w nim głęboką ranę. A może Holger Johansson znał jakiś objazd?

Jakiego cierpienia doznał Julio Piñeda? Jaką rolę odegrał w tym Cederén? Ann szła poboczem. Minął ją jadący powoli samochód. Kierowca przyjrzał się jej z zaciekawieniem, a ona odpowiedziała mu nieprzyjaznym spojrzeniem.

Przypomniało jej się parę zdań z pamiętnika Josefin. „Sven-Erik wyszedł z Isabellą. Nie było go przez dwie godziny. Dlaczego on tyle pije? Jack mówi, że to stres i potrzeba mu odpoczynku. Nie wierzę mu. Sven-Erik uwielbia, kiedy wokół dużo się dzieje. Już mnie nie dotyka. Już mnie nie kocha".

Jeśli Cederén nie kochał już swojej żony, czemu miałby ją zabijać? Motyw finansowy? Ann od razu odrzuciła tę myśl. Co się zdarzyło tamtego ranka? Wziął gazetę, jak zwykle zamienił parę słów z sąsiadem i pojechał, jak się wydawało, do pracy. Wziął ze sobą psa. Dokąd się wybrał?

Josefin zaplanowała coroczny spacer na grób matki. Nikt nie widział, jak wychodziła z domu. Nic nie wskazywało na to, by z kimś rano rozmawiała, ani przez telefon, ani po drodze. Zrobiła to, co zamierzała, wzięła córeczkę za rękę i wyszła.

Ann nic z tego nie rozumiała. Była zła, że nie rozumie.

14

W czwartej klasie Ann Lindell grała kreta w szkolnym przedstawieniu. Miała na sobie futro, bardzo ciepłe i o wiele za duże, a na głowie czapkę, przerobioną tak, by przypominała nos zwierzątka i jego ślepe oczy.

Przy wejściu potknęła się, ale nie straciła głowy, zaimprowizowała i sprawiła, że jej niezręczność stała się dodatkowym atutem. Przy końcowym aplauzie ukłoniła się tak nisko, że spadła jej czapka, i kiedy szukała jej po omacku na podłodze, patrząc jednocześnie na tłum ludzi na widowni, zobaczyła wśród nich swego ojca. Klaskał z wielkim entuzjazmem, zarumieniony na twarzy jak ona, z otwartymi ustami i wzrokiem utkwionym tylko w niej.

Wszyscy pozostali w szkolnej auli, nauczyciele i rodzice, zlali się w niewyraźną masę, klaszczącą żywiołowo i wrzeszczącą, a jednak pozbawioną twarzy. Widziała tylko ojca.

Wziął ze sobą skrzynkę lemoniady, którą zespół miał podzielić między siebie za kulisami po zakończonym przedstawieniu. Wszyscy byli podnieceni, mówili gorączkowo jeden przez drugiego, zdejmowali stroje – gromada spoconych dziesięciolatków nie ochłonęła jeszcze po ogromnym sukcesie, w którym, jak rozumieli, odegrali ważną rolę.

Ojciec Ann wypakował lemoniadę i wylewnie chwalił przedstawienie. Nauczycielka, panna Bergman, popłakała się z radości. Ann piła pommac. Zapach potu i szczęścia unosił się w ciasnym pomieszczeniu za kulisami.

Viola stała przed kurnikiem ubrana w nieprawdopodobny płaszcz koloru kreciego futra, z przetartym futrzanym kołnierzem. Na głowie miała szarą czapką zrobioną na drutach, a na nogach obowiązkowe wysokie buty z wywiniętymi cholewami.

Noc świętojańska. Słońce właśnie przebiło się przez chmury. Viola wybrała już jajka z kurnika, wyszła na podwórze i stała bez ruchu, patrząc, jak Ann zajeżdża przed dom i parkuje. Słońce oświetlało jej chudą sylwetkę. Uśmiechnęła się, może nie całkiem promiennie i serdecznie, ale wystarczyło, by Ann trochę się odprężyła. Wysiadła z samochodu i podeszła szybkim krokiem do starszej kobiety.

Stały naprzeciw siebie. Nie widziały się od pół roku. Ann powstrzymała impuls, by ją objąć.

– Wesołej nocy świętojańskiej!

Viola prychnęła w odpowiedzi.

– Kury zrobiły sobie wolne – powiedziała z niezadowoleniem i poruszyła trzymanym w ręku koszykiem, na którego wyściełanym gazetą dnie spoczywało kilkanaście jajek.

– Wystarczy dla nas – powiedziała Ann.

– Widziałaś Victora? – zapytała staruszka. – Miał przyjechać przed południem.

Zawsze wypowiadała te słowa takim tonem, jakby wizyta sąsiada była dużą uciążliwością, lecz Ann wiedziała, że jeśli Viola cieszy się na czyjeś odwiedziny, to właśnie Victora. Urodzili się w sąsiednich gospodarstwach, chodzili do tej samej szkoły i przez całe swoje życie byli na Gräsö sąsiadami. Może mieli też kiedyś nadzieję, że zamieszkają razem. Tak się nie stało, lecz Viola i Victor stanowili najbardziej wzruszający i żywy przykład przyjaźni na całe życie, jaki Ann kiedykolwiek widziała.

– Jest dopiero wpół do dziesiątej.

– On strasznie się guzdrze.

Kobieta przeszła parę kroków w stronę domu, ale zatrzymała się, spojrzała na Ann spod zmrużonych powiek i powiedziała niezwykle przyjaznym głosem, że miło ją tu widzieć, po czym poszła dalej.

Ann przyglądała się jej. Buty klapały, a znoszony płaszcz sprawiał wrażenie, jakby w każdej chwili mógł się rozpaść na kawałki. Miała chyba niewyczerpany zapas znoszonych starych płaszczy, które wyciągała z komórek i kufrów. Ann domyślała się, że Viola dostała ten płaszcz po matce. Wyglądał, jakby miał tyle lat co ona.

Viola z trzaskiem zamknęła drzwi werandy, zostawiając Ann samą na dworze. Gdyby Ann jej nie znała, poczułaby się niechcianym gościem, ale teraz było wprost przeciwnie. Staruszka była taka jak zwykle, nic się nie zmieniło przez te pół roku. Ann przybyła jako stary przyjaciel.

Edvard się nie pokazał, a Viola nie wspomniała o nim ani słowem. Ann przeczuwała, że jest nad morzem i przeszła za róg domu, by móc go ewentualnie zobaczyć lub usłyszeć.

Nie widzieli się od Bożego Narodzenia. Czy on też się nie zmienił? Czy ją przyjmie?

Zdjęła cienką letnią kurtkę i wystawiła twarz na wiatr od morza. Krzyk ptaków, słaby zapach wodorostów, zeszłoroczne szyszki rozrzucone po ziemi jak duże zajęcze bobki. Gräsö. Wdychała to słowo, pozwalając, by wypełniało jej płuca i nasycało krew tlenem.

Zamknęła oczy. Mewy krzyczały nad zatoką, może Edvard czyścił ryby, ten krzyk dochodził do niej aż tutaj. Choć wiatr północno-wschodni trzymał przesmyk twardą ręką i smagał wody zatoki, zmieniając je w niespokojny, kipiący, ciemnozielony żywioł, jej życie przypominało w tej chwili lśniącą, lustrzaną taflę wody.

Była tylko tam, w przeciągu między domem Violi, drewnianym dworkiem książąt i księżnych z Roslagen*, jej zamkiem z bajki, i ciężką masą morskiej wody. Ręce Edvarda przecinały niebieskoszarą taflę, widziała jego uśmiech i grę muskułów pod spranym podkoszulkiem, kiedy wiosłował spokojnymi, lecz mocnymi pociągnięciami, wypływając na głębszą wodę.

W łódce miała jedną z niewielu okazji, by na niego patrzeć, nie wprawiając go w zakłopotanie. Sądziła, że to dlatego, że wykonuje pracę. Miał swoisty styl wiosłowania. Pochylał się, niemal dotykając dłońmi jej kolan, zanurzał wiosło daleko z przodu, po czym ładnym, płynnym ruchem odchylał ciało maksymalnie do tyłu, prawie kładąc się na łódce. W ułamku sekundy poprzedzającym następny ruch patrzył w niebo i Ann widziała, jak błyszczą mu oczy.

Wiosła w górę, nowy ruch, dłonie przy jej kolanach i kolejne pociągnięcie. Półkolisty ruch, który wyprowadzał ich na zatokę. Nigdy nie mogła napatrzeć się do syta.

Twierdził, że nauczył się tej techniki od pewnego wikinga. W ten sposób torowali sobie drogę na wschód Waregowie. Żadnych spacerków łódką. Czasami robił przerwę, rozglądał się przez chwilę i Ann widziała na jego twarzy poczucie wolności.

W takich chwilach emanował energią i radością. Pracował, a ona mogła go bez przeszkód obserwować. Zaczątki brzuszka

---

* Roslagen – kraina historyczna w Szwecji, we wschodniej części Upplandu.

znikły podczas pobytu na Gräsö – nie wiedziała, czy to efekt wiosłowania czy pracy z Gottfridem, murarzem, któremu pomagał, ale jego brzuch stał się płaski i umięśniony. Ręce zawsze miał silne. Ręce rolnika, wioślarza.

W łódce także znacznie więcej mówił, stawał się swobodny i rozmowny, iż żałowała, że nie bywa taki częściej, również na lądzie. Dlaczego musi siedzieć w łódce, żeby zwyczajnie i bez skrępowania rozmawiać?

Po raz pierwszy miała wrażenie, że rozumie tęsknotę Edvarda za morzem. Chciała wykrzyczeć swoją radość, że życie ją pogłaskało, objęło w taki oczywisty, prosty sposób. Żadne bogactwa świata nie mogą tego zastąpić, pomyślała i poczuła nagły zawrót głowy, który zmusił ją, by przytrzymała się kamienia, na którym Viola zwykle opierała swoje obolałe nogi. Zdjęła buty i ostrożnie zanurzyła stopy w trawie. Była wciąż wilgotna od porannej rosy i źdźbła przyjemnie łaskotały jej obtarte od butów pięty.

Powinien spojrzeć na nią z miłością. Była ładna i miała seksapil. Wyjęła podkoszulek spod paska od spodni, żeby trochę przewietrzyć brzuch.

Zabębniła palcami po kamieniu, uskubała trochę mchu, spojrzała w stronę morza, wstała, chwyciła kurtkę i buty i poszła niepewnym krokiem w stronę domu. Drobny żwir ocierał jej bose podeszwy.

Podeszła do samochodu i wzięła torbę, żeby rozgościć się na piętrze, ale rozmyśliła się, postawiła ją na ziemi i ruszyła prosto do chwiejnej ławki przy kurniku. Usiadła. Temperatura jeszcze wzrosła i Ann poczuła impuls, by zdjąć także koszulkę i odsłonić blade ciało. Gdyby Viola nie kręciła się za kuchennymi firankami, zdjęłaby ją z siebie i opalała się, oparta o nagrzaną ścianę.

Co on robi? Teraz to pytanie nie wydawało jej się takie ważne jak zimą i wiosną, kiedy często je sobie zadawała. Był nad morzem, wkrótce się pojawi. Pogłaskała się po brzuchu, odsłoniętym na tyle, by przynajmniej pępek nabrał trochę koloru. On zaraz wyjdzie zza rogu i wtedy się spotkają. Czy się zmienił?

Pochyliła się i wzięła garść żwiru.

– Kocha, nie kocha – mamrotała, rzucając na ziemię jeden kamyczek za drugim.

Zaburczało jej w brzuchu. Podniosła wzrok, bo zdawało jej się, że coś usłyszała. Zobaczyła młode brzózki, które Edvard posadził przy wejściu do domu. Każda stała w plastikowym wiaderku włożonym w białą plastikową donicę Violi. Czerwone petunie z białymi prążkami, trochę żółtych kwiatów i różowe begonie. Tylko Edvard i Viola mogli ułożyć taką kombinację, pomyślała Ann i uśmiechnęła się.

Viola wyglądała zza firanek. Ona wciąż siedziała przy kurniku. Czemu nie przyjdzie? Kobieta znała odpowiedź. Ann chciała na niego zaczekać. Edvard zwlekał z jakiejś przyczyny. Przeczuwał pewnie, że ona już jest, ale wahał się, czy wracać. Viola bywała niespokojna i zła, kiedy się tak guzdrał. Ten niepokój o mężczyznę, który zbyt długo pozostawał na morzu, był dziedziczony przez pokolenia kobiet z wysp. Tylko sztokholmczycy, którzy tu przyjeżdżali, leżeli bezczynnie na skałach albo stali na brzegu, wpatrując się w fale.

Edvard był prawie taki, a jednak nie całkiem. Marzył, stojąc na plaży, choć zawsze starał się znaleźć jakiś pretekst, by tam pójść. Czasem mu towarzyszyła. Jesienią zbierali razem rokitnik, czego nie robiła od lat trzydziestych. Uzbierali piętnaście litrów. Edvard sprzedał jagody lekarzowi, który mieszkał na trasie do Svartbäck. Spotkali się kiedyś koło tartaku i widocznie rozmawiali o rokitniku. Lekarz powiedział, że to bardzo zdrowe. Edvard przyniósł do domu siedemset pięćdziesiąt koron, a Viola śmiała się przez całe popołudnie.

Stara kobieta nie wiedziała, co o tym sądzić, kiedy patrzyła na Ann siedzącą na ławce jak stęskniona kura. Sama siadała tam wiele razy. To było dobre miejsce do czekania.

Wiedziała jedno: dwa lata z Edvardem jako lokatorem to był dobry czas. Lubili się, ułatwiał jej życie, jeździł na zakupy, załatwiał wiele codziennych spraw i nadawał sens ostatnim latom, jakie zostały jej do przeżycia. Nawet Victor chętniej przychodził, kiedy był Edvard. Dom nabrał trochę życia. Uwielbiała słuchać odgłosów jego porannej krzątaniny, kroków na schodach, kiedy przynosił drewno albo nakręcał zegar w pokoju.

Zapisała Edvardowi spadek. Miał odziedziczyć cały jej majątek, prócz zegara, który dostanie dziecko kuzyna ze Sztokholmu. Może napisała testament z wyrachowaniem, żeby zatrzymać go na wyspie, ale im więcej czasu upływało, im lepiej poznawała swego lokatora, tym bardziej jej szczodrością kierowała szczera troska i miłość. Stał się dla niej synem, którego nigdy nie miała, synem, którego powinien był dać jej Victor.

Ann stanowiła zagrożenie dla tych planów od momentu, gdy po raz pierwszy przekroczyła próg tego domu. Wniosła niepokój, kusiła go, chciała nakłonić do przeprowadzki bliżej Uppsali.

Viola była zadowolona, kiedy zdawało się, że po Bożym Narodzeniu Ann znikła na dobre. Teraz znów tu siedziała, oparta o kurnik, z tym swoim ładnym młodym ciałem. Jak Edvard mógłby tym razem się jej oprzeć? A jednak nie potrafiła nie lubić policjantki. Była jak ludzie, jak mawiał Victor, pomocna i nigdy natrętna. Widziała, jaki pozytywny wpływ ma na Edvarda. Stał się weselszy, bardziej otwarty. Nauczyła go tego Ann, a Viola również czerpała z tego radość.

Może to ona powinna przeprowadzić się na wyspę? Viola patrzyła, jak Ann rzuca na ziemię kamyki i domyślała się, co dzieje się w jej głowie. Wiedziała, że przyjechała tu z inicjatywy Edvarda, że przyjęła jego zaproszenie i to było chyba to, czego sama chciała w głębi duszy. Nie przyjechałaby, gdyby nie kochała Edvarda.

Viola wzięła dużą tacę. Posiedzą na dworze. Dwie pary. Ona i Victor, którzy nigdy nie byli parą, nawet się nie całowali, i młodzi, którzy szaleli w łóżku, aż dom drżał w posadach.

Nigdy nie dała tego po sobie poznać, nie wspomniała słowem, że ich słychać, że odgłosy ich ćwiczeń gimnastycznych przenikają przez drewniane ściany i pułapy i nie dają jej spać, gdy rozmyśla o własnym życiu i cierpieniu.

Szybkimi ruchami obierała ziemniaki, wrzucając je kolejno do garnka z wodą. Były z ich własnej uprawy. Edvard pomagał jej robić bruzdy w ziemi, a potem przykrył wszystko folią, by przyspieszyć dojrzewanie bulw. Gatunek nazywał się Rocket i Viola była niezadowolona, że jest taki wodnisty. Powinni byli posadzić Puritan, jak proponowała.

Ann czekała, nie mogąc się zebrać i wstać. Może nie będzie zadowolony, że wtargnęła tutaj, jak gdyby uważała to za oczywiste. Jestem ciągle gościem, pomyślała, ciekawe, jak on to sobie wyobraża? Może nie miał na myśli odnowienia ich związku. Ona sama nie była pewna. Świąteczna impreza pokaże, jaka będzie przyszłość. Bywają gorsze scenerie spotkań miłosnych, pomyślała, i ćmiące uczucie w brzuchu powróciło.

Wtedy on wyszedł nagle zza rogu. Nie widział jej, ale na pewno zobaczył samochód i zajrzał do domu przez okno Violi. Zrobił kilka niepewnych kroków w stronę ganku. Uśmiechnęła się, widząc jego wahanie. Czuje się równie niepewnie jak ja, uderzyło ją. Przeciągnął dłonią po włosach i włożył koszulę w spodnie. W ręce trzymał wiadro.

Zawołała go. Edvard odwrócił się, zobaczył ją, ale nie podszedł.

– Cześć – powiedział tylko i postawił wiadro na ziemi.

Ann wstała. Popatrzyli na siebie. On podszedł bliżej.

– Witaj.

– Dziękuję.

Wyglądał tak jak wcześniej.

– Cieszę się, że mogłaś przyjechać.

Skinęła głową.

– Dawno się nie widzieliśmy.

Był opalony na brąz, miał włosy dłuższe niż zwykle i ten sam zakłopotany uśmiech. Spotkać go znowu, jak obcego człowieka, a jednak tak znajomego. Przyglądała mu się z uwagą. Czy zakochałaby się w tym podstarzałym wieśniaku, gdyby poznała go dzisiaj? Uśmiechnął się krzywo, świadomy jej spojrzenia, i wykonał gest, który można było tłumaczyć jako: lepiej niż teraz już nie będzie.

Chciał coś powiedzieć, ale przerwał, słysząc warkot traktora. Odwrócił się i zobaczył podskakującego na drodze żelaznego mustanga Victora. Victor prowadził, a na przyczepie podrygiwali jego trzej kuzyni, Sven-Olle, Kurt i Tore oraz żona Torego, Gerd.

– Nadjeżdża cała drużyna – powiedział Edvard i roześmiał się.

Pojazd zajechał na podwórze i Victor zatrąbił, machając jednocześnie ręką. W oknie mignęła twarz Violi. Sven-Olle przesłał dłonią całus w stronę domu.

– Przywiozłem całą parafię! – zawołał i zahamował tak ostro, że Gerd o mało nie spadła z przyczepy.

– Uważaj na śledzie! – wrzasnęła.

Gerd była znana ze swoich możliwości głosowych. Obsługa promu nazywała ją „Głośną Gerd". Dwa razy w tygodniu jeździła motorowerem do Öregrund i zawsze ustawiała się przy barierce, blokując wyjazd samochodów. Chłopcy z obsługi jej nie przeganiali, ciesząc się, że ktoś potrafi rozdrażnić zeroósemki*

Edvard roześmiał się, aż Ann na niego spojrzała.

– Mamy wódkę – ciągnął Victor i Ann domyśliła się, że biały plastikowy kanister na przyczepie zawiera Gräsö Absolut, gwarantującą mocny szum w głowie i wesołe spotkania. Victor i kuzyni pokosztowali już chyba zawartości kanistra.

Ileż to razy, będąc po cywilnemu na imprezie, musiała przymykać oczy na wystawiane kanistry i butelki. Victor był na początku dość ostrożny, zwłaszcza kiedy miał prowadzić

---

* Zeroósemki – tak na szwedzkiej prowincji nazywa się sztokholmczyków, od numeru kierunkowego 08.

traktor po siwawym trunku, ale pozwolił sobie na więcej luzu, gdy stwierdził, że ona nie zwraca na to uwagi.

Mieli nie tylko śledzie i bimber, ale również torby i skrzynki pełne garnków i naczyń żaroodpornych z zapiekanką z pora. Wyjęli świeże warzywa i piwo. Kurt i Tore wypakowali kosz na bieliznę, który zawierał, jak się okazało, sześć rodzajów śledzi, świeże ziemniaki, buraki, główki czosnku w pęczkach, likier, kotlety schabowe, łososia i świeżo złowionego śledzia bałtyckiego, zwanego sałaką.

Ann i Edvard patrzyli na te wszystkie wspaniałości, czując na sobie spojrzenia Gerd. Victor zerknął w stronę kuchennego okna. Kuzyni zaczęli nosić jedzenie. Gerd się wydzierała.

– Wspaniale – Edvard wyraził jej swoje uznanie. – Ale się napracowałaś.

Gerd udała, że nie słyszy, tylko wrzasnęła na Torego, żeby uważał. Okno kuchenne otworzyło się nagle i wyjrzała z niego Viola.

– Zjedź na bok tym złomem! – krzyknęła i szybko zamknęła okno.

Victor uśmiechnął się, podszedł do Ann i położył ręce na jej ramionach.

– Teraz masz okazję najeść się do syta – powiedział.

Ann spojrzała na postarzałą twarz Victora i poczuła alkohol w jego oddechu.

– Nic się nie zmieniłeś, Victorze. Dobrze znów cię widzieć.

Uśmiechnął się i odwrócił głowę, by dalej nadzorować rozładunek. Tore wziął kanister, a Gerd wyglądała na coraz bardziej niezadowoloną, ale wszyscy wiedzieli, że jej przejdzie, kiedy usiądą do stołu. Gerd pokazywała najlepszą cząstkę siebie, kiedy przyrządzała jedzenie i kiedy jadła.

– Zarżnęliśmy cielaka – powiedział Victor, znów odwracając się do Ann.

Nie rozumiała dobrze, co miał na myśli. Przecież nie hodowali już zwierząt? Zobaczył jej pytającą minę i parsknął śmiechem, ale zamiast wyjaśnienia zwrócił się do Edvarda.

– Czy to było głupie z mojej strony? – zapytał, wskazując znaczącym ruchem na kuzynów i Gerd.

– Nie, nie – zapewnił go Edvard.

– Viola może być zła.

Jakby w odpowiedzi na jego głośne rozważania Viola wyszła na ganek. Stary płaszcz zamieniła na zieloną sukienkę w czerwone kwiaty, która sięgała jej aż do cholewek butów. Włosy miała związane w siwy kok. Widziała ich spojrzenia i trudno było jej zdecydować, jaką powinna przybrać minę. Victor dreptał nerwowo w miejscu w swoich śniegowcach.

Ann wodziła spojrzeniem od Violi do Victora i nagle wybuchła płaczem. Victor podszedł do niej ze skonsternowaną miną.

– Co się stało?

Ann pociągnęła nosem, przeprosiła, sprawiając wrażenie bardzo zakłopotanej. Atak płaczu minął równie szybko, jak się pojawił.

– Nie wiem – odpowiedziała zgodnie z prawdą.

– Musisz coś zjeść – zawyrokowała Gerd.

Edvard stał zupełnie biernie. Ann podniosła wzrok i ich spojrzenia się spotkały.

– Zabiorę traktor – powiedział Victor.

Nakryli długi stół. Viola wyjęła płócienne obrusy. Ann przyniosła porcelanę. Gerd obrała więcej ziemniaków, ugotowała buraki, przyrządziła śledzie w różnych marynatach i podgrzała formy w piekarniku. Kuzyni przynieśli krzesła. Victor piekł sałakę i wykłócał się z Gerd o miejsce przy kuchence.

O wpół do pierwszej usiedli do stołu. Viola przy jednym szczycie, Edvard przy drugim. Noc świętojańska. Na zachodzie nad stałym lądem zbierały się ciemne chmury, ale nad wyspą świeciło słońce. Kurt wyraził swoją radość z powodu deszczu w Valö i Norrskedika.

Ann zebrała trochę kwiatów i udekorowała nimi stół. Motyl cytrynek szukał nektaru w błękitnych kielichach dzwonków.

Wszyscy umilkli na widok żółtego motyla trzepoczącego skrzydłami nad bukietem kwiatów.

Od strony morza dobiegł warkot motorówki, a wraz z nim czyjś śmiech i krzyk. Kuzyni chyba nasłuchiwali, bo zaraz zaczęli rozmawiać. Śmieszne historie, z których wiele się powtarzało w różnych latach i na wielu zabawach, wywoływały śmiech i komentarze. Hałas przy stole zagłuszył wkrótce ten dobiegający znad wody.

– Kiedy latem było gorąco, jego stara podłączała odkurzacz od tyłu i wkładała końcówkę pod pościel. Morin nazywał to „klimatyzacją".

– Umarł – stwierdziła Gerd suchym i rzeczowym tonem, nie przerywając jedzenia. Wiedziała o tym, bo Morin był szwagrem jednego z jej kuzynów. – Ale był miły – dodała.

– Jak cholera – mruknął Tore, któremu Gräsö Absolut dodawała odwagi. – Był złośliwym dupkiem.

Gerd zmierzyła go spojrzeniem nad kwiatową aranżacją. Wiedziała, że to ona powinna mieć ostatnie słowo.

Tore i Morin pracowali razem w elektrowni atomowej Forsmark i w niczym nie mogli się zgodzić. Po opowieściach o Forsmark, nastąpiło zwyczajowe obgadywanie wszystkich letników i tych, którzy skończyli coś więcej niż sześcioklasową szkołę podstawową.

Robili to trochę wbrew własnemu przekonaniu i stosowanej praktyce, bo starsi siedzący przy stole żywili mieszaninę szacunku i zazdrości, nieżyczliwości i uniżenia wobec ludzi z miasta, którzy najechali wyspę. Dotyczyło to również osób urzędowych jak weterynarze, członkowie komisji planowania przestrzennego, geodeci, zarządcy dróg i inni, którzy poprzez swoje uznaniowe decyzje rządzili ich wyspą.

Kłaniali się, utrudniali pracę, odpuszczali, znów się kłaniali, czasem słuchali, zawsze zachowując przy tym wrodzoną wyspiarzom zawiść i nieufność. Postępowali z obcymi tak, jak im pasowało, zależnie od własnej korzyści i nastroju.

Edvarda zaakceptowali szybko, dlatego że pracował z ziemią i zwierzętami. Ann była z Edvardem. Poza tym była jak ludzie i do niczego się nie wtrącała i ostatnie, lecz nie najmniej ważne – była kobietą, więc się nie liczyła, z pewnością z punktu widzenia Gerd, która pomstowała na wszystkie „babska", niezależnie od tego, skąd pochodziły.

Zbierz mieszkańców Gräsö przy nakrytym stole z pełnymi kieliszkami i nie będziesz się nudzić, pomyślała Ann. Mimo przejedzenia czuła wdzięczność, że może tu z nimi być. Kurt zaintonował biesiadną piosenkę o łabędziu. Miał niezły głos i śpiewał z zapałem zwrotkę za zwrotką, dopóki Tore go nie uciszył.

Viola wypiła parę kieliszków wódki i uśmiechała się do wszystkich. Wyjątkowo nie sprawiała wrażenia zmarzniętej.

Obiad przeciągnął się w czasie i Ann zaczęła się trochę niecierpliwić. Nie miała możliwości porozmawiać z Edvardem. Przyłapała się na tym, że myśli o sprawie Cederénów. Wróciła w wyobraźni na drogę w Uppsala-Näs i znów stanął przed nią tajemniczy Julio Piñeda. „Doznaliśmy wielu cierpień..." Uderzyła ją nagle myśl, że rozwiązanie zagadki tkwi właśnie tam, w cierpieniu Piñedy.

Edvard dostrzegł jej poważną minę i wiedział już, dokąd odpłynęła. Szepnął jej imię, lecz zareagowała dopiero wtedy, gdy je parę razy powtórzył. Podniosła wzrok.

– Gdzie jesteś? – zapytał.

– Tutaj – odrzekła po prostu.

Wstała od stołu. Edvard zrobił to samo i razem opuścili coraz bardziej hałaśliwe towarzystwo. Ann czuła, że musi starannie dobierać słowa. Alkohol podziałał na nią bardziej, niż jej się wydawało, kiedy siedziała przy stole.

Szli w milczeniu obok siebie w stronę morza. Edvard spoglądał na zachód. Na horyzoncie widniała wielka tęcza, ale nad wyspą wciąż świeciło słońce. Zatrzymali się. Ann chciała wziąć go za rękę, ale się wahała. Edvard znów zaczął iść. Nie wybrał zwykłej wydeptanej ścieżki, lecz poszli przez wysoką trawę i zioła, aż dotarli do starej szopy na łodzie.

– Jak ci się żyje? – zapytała.

– Dobrze.

Weź mnie za rękę, pomyślała.

– A kolano?

– Lepiej.

Szedł dalej brzegiem plaży aż do nowego pomostu.

– Zbudowaliśmy go zimą – powiedział. – Ja, Victor i chłopcy.

Ann skinęła głową.

– Piękny – rzekła, przyglądając się mocnej konstrukcji, która odróżniała się swym masywnym ciężarem i świeżym drewnem od poszarzałych bali starego pomostu i szopy.

Edvard wszedł na pomost i przestępując z nogi na nogę, sprawdził jego stabilność.

– Długo tu postoi – powiedział, odwracając się do Ann.

– Chłopcy byli z tobą?

Skinął głową.

– Nosili kamienie przez całe ferie. Victor mówi, że ta kaszyca jest najsolidniejsza na całej wyspie. Naprawdę ciężko pracowali.

– To się nazywa kaszyca?

– Mhm.

– Nie brzmi najlepiej* – stwierdziła Ann.

– Kiedy skończyliśmy, Victor przez dwa tygodnie leżał na kanapie. Był zupełnie wyczerpany.

Edvard umilkł, patrząc na wodę.

– A co na to chłopcy? Podobało im się?

– Tak, bardzo. To najlepsze, co się zdarzyło od rozwodu.

Naprawdę? – pomyślała Ann, ale rozumiała, co miał na myśli.

---

* Kaszyca – duża skrzynia wypełniona gruzem, kamieniami itp., stosowana jako element fundamentów budowli hydrotechnicznych. Szwedzkie słowo „stenkista" można również przetłumaczyć dosłownie jako „kamienna trumna".

– Z kamieniami to chyba dziedziczne. Ja uwielbiam łupać kamienie, mój ojciec miał tak samo i teraz chłopcy.

Dalej mówił o kamieniach, jak je zbierali i wymyślali różne rozwiązania, by przenieść je na miejsce. Niektóre ważyły około stu kilo. Używali traktora i starego kabestanu, ale musieli też pracować rękami i łomem.

Podczas opowieści Edvarda uderzyło ją, że kaszyca była celem ich spaceru nad morze, że to ją chciał jej pokazać.

Zrozumiała, że w czterech zbudowali pomnik. Dla Victora był to prawdopodobnie ostatni pomost, w zbudowaniu którego miał swój udział. Eksploatował swoje stare ciało, a potem potrzebował czternastu dni odpoczynku. Dla Edvarda, z jego umiłowaniem kamieni i ciężkiej pracy fizycznej, była to pierwsza kaszyca. Lubił takie proste, naturalne zadania. I chłopcy, których wreszcie połączył z ojcem wspólny projekt. Ann potrafiła sobie wyobrazić ich zapał i dumę.

Pomnik, zbudowany z impregnowanych siedmiocalowych desek, spoczywał w zatoce i chronił łodzie. Kotwicowisko, które opierało się północnowschodniemu wiatrowi, krze i potędze wody.

Edvard nie przestawał mówić. Pokazał tabliczkę z ich imionami.

– Wyszedł nam z tego piękny pomost – powiedział na koniec i spojrzał na nią.

Ann mogła się tylko z nim zgodzić. Kiedy historia pomostu dobiegła końca, wyglądało na to, że Edvard nie wie, o czym jeszcze mówić.

Ann usiadła na końcu pomostu, machając nogami.

– Uciekłam – powiedziała nagle. – Kochałam cię, ale odeszłam. Miałam dość.

Wyczuwała niepokój Edvarda, lecz odważnie mówiła dalej. Musi teraz wypowiedzieć nagromadzone przez pół roku myśli.

– To się stało zbyt przygnębiające. Trochę praca, a trochę ty. Po prostu za rzadko się śmialiśmy. Rozumiesz, co mam na myśli?

Wahała się, czy mówić dalej. Chciała zrobić to dobrze, nie ranić go ani nie peszyć. Chciała sprawić, by mówił o sobie, o niej – w taki sam sposób, w jaki mówił o kaszycy.

– Tyle mi dałeś. Przy tobie stałam się bogatsza, zaczęłam widzieć rzeczy inaczej. Rozumiem, że nie chcesz się wyprowadzić z Gräsö. Ja wtedy w święta chciałam, żebyś mi zaufał, przeprowadził się bliżej miasta, spotykał się z chłopcami, zaczął żyć.

– Kocham cię – przerwał jej.

Miała wrażenie, jakby pomost zakołysał się w podmuchu niewidzialnego wiatru. Usiadł przy niej i objął ją. Tęskniła za tym. Powtórzył swoje słowa. Siedzieli w milczeniu, patrząc na wodę.

– Myślałem o tym, by się przeprowadzić – powiedział – ale to wydaje mi się nie w porządku wobec Violi. Wiem jednak, że muszę być bliżej chłopców i ciebie, jeśli chcę to wszystko poukładać.

Mów, pomyślała Ann, mów dalej. Oparła głowę o jego ramię.

– Chcę spróbować z tobą – powiedział cicho. – Może ogarniemy to tutaj.

Ogarniemy. Uśmiechnęła się sama do siebie.

Słońce schowało się już za olszyną, kiedy wstali z pomostu. Szli, trzymając się za ręce jak nowo zakochani. Nie powiedzieli sobie dużo nad morzem i teraz wracali w milczeniu do domu. Musimy znów nauczyć się rozmawiać, pomyślała Ann. Tym razem się nie poddam. Zmuszę go, by odkrył karty, mówił, wyrażał swoje zdanie, poglądy na to, jak żyć.

– Teraz już cię nie puszczę – powiedziała, kiedy doszli do drewutni.

Starsi przenieśli się do domu. Chmury nad stałym lądem przybliżyły się trochę, ale powietrze nadal było ciepłe. Wieczór nadciągał powoli nad dom i okolicę w pełnej nadziei ciszy. Wszędzie panował spokój. Przyroda spowolniła swój rytm, lekkie chmury na południu przepychały się na niebie, dotykały śmiało sosen i rozdzielały na kilka warstw, przepowiadając pogodny wieczór i noc. Ptaki w lesie świętowały koniec dnia. Nie fruwały już szybko jak strzały, tylko zataczały niespieszne łuki między starą jarzębiną a krzakami jałowca na pastwisku. Edvard myślał, że może składają sobie wizyty, że skończyła się najcięższa wiosenna praca, rewiry zostały wymierzone i podzielone, pisklęta były w drodze i przyszedł czas na mały odpoczynek i świergotanie w krzakach.

Nie poszli od razu do Violi, tylko schodami na górę do Edvarda. Ann zajrzała do pokoju obok jego sypialni i zobaczyła, że tam też pościelił łóżko.

– Myślałeś, że będziemy spać w osobnych pokojach?

– Nigdy nie można być całkiem pewnym. Prawda jest taka, że łóżko w małym pokoju zawsze stoi pościelone. Przyjeżdża tu Fredrik i chłopcy. Zrobił się z tego prawdziwy dom turysty.

Przysunęła się do niego. Chciała poczuć jego ciało przy swoim.

– Może zejdziemy na dół? – powiedział i wyswobodził się delikatnie z jej objęć.

Ich potrzeba bliskości i jednoczesne skrępowanie sprawiły, że stali oboje z niemądrymi uśmiechami na twarzach. Ann bardzo chciała, żeby ją przytulił długo i mocno, ale Edvard tylko nieśmiało się uśmiechnął.

Resztę wieczoru spędzili u Violi. Kuzyni głównie rozrabiali, ale Victor i Gerd byli wciąż w doskonałej formie i grali w karty. W pokoju grał telewizor. Pokazywali zdjęcia z Dalarna, umajone drzewko, chóralne śpiewy i zawody w przeciąganiu liny. Ann rozejrzała się dokoła i wydało jej się przez moment, że jest w domu starców.

Edvard powiedział Victorowi, że policja zatwierdziła pomost. Stary człowiek roześmiał się.

Viola krzątała się w kuchni, szykując kawę. Ann poszła do niej i już tam została. Edvard usiadł na kanapie. Słyszał rozmowę kobiet pośród brzęku filiżanek i talerzyków.

Kiedy jarzębina rzucała cień na dach kurnika, goście szli w stronę traktora. Ann, Edvard i Viola stali na podwórzu i patrzyli, jak znikają za zakrętem przy śliwkowym sadzie.

– Ciągnie – powiedziała Viola i zadrżała z zimna. – Przynajmniej nie będzie padać.

Mówiła dalej i mimo wieczornego chłodu nie spieszyło jej się do domu. Ann chciała ją zapytać, co sądzi o jej powrocie, ale czuła, że to nie jest dobry pomysł. Przez chwilę dopadła ją niepewność. Czy naprawdę tak ma być? Czy ona i Edvard powinni iść na górę i znów się połączyć? Zbliżał się moment podjęcia decyzji. Tęsknota mieszała się w niej z lękiem o przyszłość. Schody na górę do pokoju Edvarda wprowadzały ją na decydującą życiową ścieżkę. Potrzebowała w jakimś sensie aprobaty Violi, tak jakby stara kobieta ze swoją szorstką mądrością mogła rozstrzygnąć jej dylemat, powiedzieć: Oczywiście, macie rację, ogarniecie to. Albo: Ann, jedź do Uppsali, Edvard nie jest dla ciebie. Wiem to, jestem kobietą i znam go na co dzień.

Była między nimi jak wyrocznia. Powiedz coś decydującego, myślała Ann, próbując w słowach staruszki o pogodzie odczytać inne znaczenie.

Viola, jakby wyczuwała sprzeczne pragnienia Ann, zaproponowała, żeby jeszcze coś zjedli przed pójściem spać. Ann wiedziała, że starsza kobieta cierpi na bezsenność i chce jak najdłużej mieć czyjeś towarzystwo, ale Edvard wymówił się tym, że jest zupełnie wykończony.

– Dobrze – odpowiedziała Viola. – Idźmy więc spać i niech nam się śnią piękne sny.

Następny świąteczny dzień zaczął się od mdłości. Ann obudziła się wcześnie. Edvard spał jeszcze głębokim snem, kiedy wymknęła się cicho z łóżka, ubrała i wyszła.

Ranek był nieziemsko piękny. Ptaki przywitały ją melodią, której dawno nie słyszała. Ledwo zdążyła wyjść, gdy przyszła pierwsza fala nudności. Odbiło jej się śledziem i czknęła. Ranek nie wydawał jej się już taki kuszący. Poczuła się nagle okropnie i szybko pobiegła za dom. Za rogiem, przed wielką beczką z wodą, nadszedł pierwszy atak torsji. Brutalny, gwałtowny i niespodziewany. Zimny pot wystąpił jej na czoło i nim zdążyła zebrać myśli, przyszedł drugi atak. Pochyliła się, patrząc z obrzydzeniem na ziemię.

Przesunęła dłonią po beczce i zanurzyła palce w wodzie. Mdłości powracały z przerwami. Splunęła i poczuła, że ma w głowie zupełny mętlik. Piła, oczywiście, ale niespecjalnie dużo. To bimber pędzony przez Victora, pomyślała, i przestraszyła się. Słyszała przecież o zanieczyszczonym alkoholu i nawet widziała jego skutki.

Przez parę minut stała bez ruchu, pluskając tylko wodą. Obmyła twarz i wypłukała usta deszczówką. Żeby tylko Viola jej nie zobaczyła. Okna jej pokoju znajdowały się w szczytowej ścianie domu, ale miała opuszczone rolety.

Po chwili, gdy poczuła się lepiej, wyprostowała się. Zmarzła i przeklinała siebie, a raczej swoje ciało, które zepsuło piękny poranek. Ptaki nie przejęły się jej cierpieniem, wiatr dalej śpiewał w olszynie, a słońce przypiekało mimo wczesnej godziny. Beznadziejne było tylko to, że marzła.

Pomyślała, że pójdzie nad morze, ale się zawahała. Jeśli wróci do pokoju po sweter, ryzykuje, że Edvard się obudzi. Wtedy przypomniała sobie, że Viola ma w sieni spory zapas starych płaszczy i kaftanów. Przeszła cicho przez żwirowane podwórze, otworzyła skrzypiące drzwi, wzięła czerwony kaftan i się nim owinęła.

Morze było prawie zupełnie nieruchome. W oddali cienka warstwa mgły leżała nad wodą jak dym. Czuła się już lepiej i uśmiechnęła się do siebie. Widok wody, cisza, wiejska idylla wczesnego ranka podziałały na nią odprężająco. To wszystko było tak piękne, aż zapierało dech. Przyroda uśmiechała się do niej i zdawała mówić: ubieram cię w mój najpiękniejszy strój, bądź moją ukochaną.

Ann nie była religijna, ale owładnęło nią uczucie modlitewnego skupienia. Drżenie ustąpiło i teraz jej ciało wypełniało się ciepłem. To widział Edvard, pomyślała. Delikatny zapach macierzanki, mały zgrabny klomb żółtego rozchodnika w szczelinie skalnej płyty sprawiły, że uklękła. Woda obmywała gładkie kamienie przy brzegu. Drobna fala dosięgła jej stopy, ale się leniwie cofnęła. Ann położyła się na płycie i wystawiła twarz do słońca.

W oddali słyszała krzyk mew. Wiedziała, że niedługo tu przylecą, może zwabione jej widokiem. Leżała zupełnie nieruchomo z zamkniętymi oczami. Palcami jednej dłoni dotykała szorstkich kwiatów rozchodnika. Myślała o swoim spotkaniu z Edvardem. Był nieśmiały, nie mówił dużo. Sądziła, może dlatego, że tak żywo opowiadał o chłopcach i kaszycy, że będzie bardziej rozmowny, odsłoni przed nią swoje myśli i plany na przyszłość, ale on tylko na nią patrzył rozkochanym wzrokiem. W nocy kochali się jak wcześniej, intensywnie i z żarem.

Uwielbiała jego ręce, jego tors i czuły szept, kiedy był podniecony. Potem w końcu porozmawiali. Oczywiście, że chciał spróbować jeszcze raz. Tęsknił, ale postanowił zbudować własne życie. Myślałem, że jestem samotnym wilkiem, mówił, takim, który źle znosi obecność drugiego człowieka, kobiety. Potem umilkł, ale Ann znów go szturchnęła i powiedział wtedy, że przeżywane na nowo życie z chłopcami dużo zmieniło. Chciał być z nią. Chłopcy rozbudzili w nim tęsknotę, by dzielić z kimś codzienność, i tym kimś była Ann.

– Nie ma żadnej innej – powiedział. – Wiedziałem to już dwa lata temu, dlatego zadzwoniłem.

– Cieszę się, że zadzwoniłeś – wymamrotała niewyraźnie Ann, poruszona jego miłosnym wyznaniem.

Kiedy leżała na brzegu, wdychając najpiękniejsze zapachy Gräsö, narastała w niej determinacja. Miłosne upojenie ostatniej nocy mogło być złudzeniem, ale teraz wiedziała, że to

Edvard i żaden inny. Jakoś to „ogarną". Może to ona powinna przeprowadzić się na wyspę. Praca w wydziale zabójstw była jej życiem, ale w okolicy też chyba znajdzie się jakaś praca. Miała świadomość, że utknięcie na obrzeżach Upplandu byłoby swego rodzaju degradacją. Szanse na karierę malały, ale nie to martwiło ją najbardziej. Z tym mogła sobie poradzić. Nie dążyła przecież do awansu w hierarchii. Brakowałoby jej raczej współpracy z kolegami. Ottossona też. Uppsala stanowiła trudny rejon, ale w komisariacie panował ruch, koledzy i kontakt z ludźmi z miasta były tym, co ją inspirowało i napędzało.

Próbowała wyobrazić sobie pracę w Tierp albo w Östhammar, ale zbyt mało wiedziała o realiach życia w północnej części Upplandu, by móc sobie stworzyć jej realny obraz. Mogłaby żyć z Edvardem, ale co poza tym? Mogłaby polubić zatokę, pastwiska i kurnik, ale czy na dłuższą metę wytrzymałaby ten spokój? Edvard tak. Wychował się w małej wsi, a ona wyprowadziła się z Ödeshög do dużego miasta.

Leżała tak ponad godzinę. Nie czuła już mdłości, przeciwnie, ssący głód, który zmusił ją, by wstała. Nadleciały mewy i obsiadły wysepki, krzycząc i wykłócając się jak zwykle.

Gdzieś zawarczał silnik motorówki. Ann poszła powoli w stronę domu. Woda pluskała o pomost. Na jego końcu siedziała mewa, czyszcząc pióra. Pomyślała o tabliczce z wyrytymi imionami Edvarda, chłopców i Victora. Jak ważny był dla nich ten kawałek metalu.

W pewnym sensie żałowała, że uczestnicy wczorajszej imprezy nie wyryli swoich imion na tabliczce i gdzieś jej nie przytwierdzili. Kuzyni, wspaniała Gerd ze swoim temperamentem i poczuciem humoru, coraz bardziej mizerna Viola ze swoim Victorem, ona sama z Edvardem. Więzi, wspólnota, to jest ważne, myślała, przeżyć życie w nadziei, że miłość połączy cię z innymi ludźmi. Widziała w swojej pracy, do czego prowadzi zanik poczucia wspólnoty.

Została do niedzieli wieczór. Victor wrócił. Ann pomyślała, że z troski o Violę. Zjedli razem lunch i obiad w dzień świąteczny, a w niedzielę przed południem Victor przywiózł świeże okonie, które Viola upiekła i podała z dużą ilością śmietany.

Ann i Edvard długo spacerowali, rozmawiając ostrożnie o minionej zimie i wiośnie. Sprawdzali się sami i siebie nawzajem. To na pewno miłość, mówiła do siebie w myślach.

Ustalili, że zdzwonią się w tygodniu. Może Ann spędzi na wyspie tydzień lub dwa urlopu. Może gdzieś razem wyjadą. Może pojadą do Ödeshög. Niczego nie postanowili, ale oboje wiedzieli, że to będzie dobre lato. Potem zobaczą. Lato jest łatwe, prawdziwy sprawdzian zacznie się we wrześniu.

15

Ove Lundin siedział w studio i nanosił ostatnie poprawki na materiał o Szpitalu Uniwersyteckim. Miał wrażenie, że już widział te obrazy, a polityk, z którym przeprowadzano wywiad, mówi to samo, co wcześniej powiedzieli wszyscy inni politycy samorządowi.

Ktoś wszedł po schodach. Usłyszał głos Anny. Była gospodarzem studio i wprowadzała Ann-Britt Zimén z Partii Ludowej, z którą miała rozmawiać. Anna włączyła telewizor w małym pomieszczeniu przed pokojem kontrolnym. Słyszał, jak tłumaczy gościowi, kiedy mają wejść.

Lundin wyszedł z pokoju, żeby się przywitać. Polityk Partii Ludowej wyglądała na spiętą. Wszedł do pokoju kontrolnego, gdzie siedzieli pozostali – Melin, realizator dźwięku, montażysta Rosvall i redaktor wiadomości wieczornych Charlie Nikoforos. Sekretarka planu, nowo zatrudniona dziewczyna, z którą Ove ledwie zdążył zamienić parę słów, dopytywała się o pisownię nazwiska gościa. Wklepała je i zakończyła swoje zadanie. Wcześniej sprawdziła wszystkie czasy i nazwy.

W studiu siedziało też dwóch fotografów i Anders Moss, który miał poprowadzić rozmowę. Prezenterka wiadomości jeszcze nie przyszła. Do audycji pozostał kwadrans. Miała się rozpocząć o osiemnastej dziesięć.

Nie mieli żadnych wstrząsających newsów. Oprócz rozmowy z politykiem z Ministerstwa Zdrowia był tam materiał o badaniach genetycznych, telegram o warunkach panujących w areszcie w Enköping i drugi o walnym zebraniu akcjonariuszy Pharmacii. Działaczka Partii Ludowej została „wciśnięta", by spróbować nieco ożywić w studiu politykę samorządową i Ove nie spodziewał się, by dostarczyła jakiejś sensacji. Wyglądała wręcz na wystraszoną.

Birgitta Nilsson, która miała czytać wiadomości, weszła do studia i skomentowała nowe tło na tylnej ścianie. Który to już raz, pomyślał ze znużeniem Lundin.

Usiadła, spojrzała na monitor komputera i zamieniła parę słów z Mossem.

– Masz plamkę na nosie – zauważył i choć wiedziała, że żartuje, musiała wyjąć lusterko i to sprawdzić. Przypięła mikrofon i sprawdziła prompter, z którego czytała tekst. Był już na nim wstęp, który zapowiadał treść wiadomości przed dwuminutowym blokiem reklamowym. Westchnęła, ale jeśli poczuła się znudzona, nie dała tego po sobie poznać. Przeciwnie, wyglądała na bardzo ożywioną.

Umocowała słuchawkę za uchem i od razu usłyszała głos redaktora:

– Skróciliśmy Enköping o dwadzieścia sekund.

Sprawdziła to szybko na monitorze.

– Okej – powiedziała.

Anna Brink obserwowała siedzącą przed nią kobietę. Wyglądała na naprawdę przerażoną. Goście często się denerwowali, przeglądali raz za razem w lustrze, odgarniali włosy, poruszali ustami, poprawiali krawat lub bluzkę, śmiali się sztucznie albo siedzieli cicho jak myszki. Ann-Britt Zimén udało się połączyć wszystkie te zachowania w jeden ciąg nerwowych ruchów.

– Spokojnie – powiedziała Anna.

Było jej żal tej kobiety. Mogła tylko mieć nadzieję, że się uspokoi, bo inaczej Andersa Mossa czeka niezły koszmar w studiu.

Twarz Ann-Britt zastygła nagle w grymasie przerażenia. Patrzyła w stronę drzwi, a z jej ust wydobył się słaby dźwięk przypominający kwilenie. Anna podążyła za jej wzrokiem. Po drugiej stronie przeszklonych drzwi stała młoda kobieta. Jej jasne włosy były czerwone od krwi, podobnie jak twarz. Białka oczu błyszczały, miała otwarte usta i przyciskała dłoń do szyby.

Anna odsunęła sparaliżowanego strachem gościa, zdjęła łańcuch i otworzyła drzwi. Kobieta próbowała powiedzieć coś, czego Anna nie zrozumiała.

– Co się stało?

Kobieta pociągnęła nagle drzwi do siebie i nim Anna zdała sobie sprawę z tego, co się dzieje, trzy, może cztery zamaskowane postacie wbiegły z rampy do ciasnego przedpokoju. Wszyscy byli zamaskowani i w kapturach, i pierwszą rzeczą, jaką zrobiła zakrwawiona kobieta, było również naciągnięcie kaptura.

– Ani słowa – powiedział jeden z nich, kładąc dłoń na ustach Ann-Britt Zimén.

Dyskutowali już kwestie bezpieczeństwa w stacji telewizyjnej. Zamówili specjalny zamek do drzwi wejściowych, ale go nie zamontowali i w ciągu kilku sekund wtargnęła do nich banda obcych. To nie była wizyta w studiu.

– Nie chcemy wam zrobić nic złego.

Anna spostrzegła, że wszyscy byli młodzi. Szczupłe ciała, drobne dłonie i młodzieńcze głosy.

– Tylko bądźcie cicho i róbcie, co mówimy – powiedział drugi.

Anna i jej gość z Partii Ludowej zostały wepchnięte do studia. Jeden z zamaskowanych chwycił telefon i pociągnął, wyrywając przewód.

– Dawajcie telefony komórkowe! – krzyknął, wyraźnie zdenerwowany. – Ilu was tu jest?

– Nie wiem dokładnie – odpowiedziała Anna. – Sześć, może siedem osób. Kilka w pokoju kontrolnym i kilka w studiu. Czego chcecie?

– Gówno cię to obchodzi.

Anna była zdziwiona własną reakcją. Z początku czuła strach, lecz nie przerażenie. Zimén natomiast zapadła się w sobie jak jej partia i siedziała apatycznie oparta o ścianę. Trudno było liczyć na to, że powie coś sensownego. Anna pochyliła się nad nią i powiedziała coś w rodzaju, że wszystko będzie dobrze.

Drzwi do pomieszczenia zamknęły się. Jeden z zamaskowanych został na zewnątrz. Pozostali tłoczyli się w pokoju kontrolnym i w studiu. Efekt zaskoczenia był całkowity. Do audycji pozostały dwie minuty. Charlie Nikoforos próbował stawić opór, chwycił jednego z napastników za ramię i potrząsnął, ale tamten tylko się roześmiał i uwolnił z uchwytu.

– Nikomu nie stanie się krzywda, jeśli zrobicie to, co wam powiemy – rzekł ten, który sprawiał wrażenie przywódcy. Dźwiękowiec powiedział później policji, że pozostali zdawali się na niego i słuchali jego instrukcji.

– Chcemy wystąpić w telewizji i wy nam w tym pomożecie.

Wodził spojrzeniem pomiędzy członkami zespołu redakcyjnego, którzy zebrali się w pokoju kontrolnym.

– W tej torbie – powiedział, podnosząc starą torbę na zakupy – jest ładunek wybuchowy dość duży, by wysadzić całe to studio w powietrze. Tu jest lont, widzicie, pociągnę go i huknie po dziesięciu sekundach. Paru może zdąży uciec, ale wszyscy nie.

Każdy wpatrywał się teraz w niepozorną torbę. Plastikowy sznurek wystawał przez szczelinę w zamku błyskawicznym.

Mężczyzna trzymał torbę w lewej ręce, machając drugą. Wyglądało to, jakby opisywał eksplozję ruchem dłoni.

– Kto czyta wiadomości?

– Ja – odrzekła Birgitta Nilsson.

– Dobrze, więc przeczytasz nasz komunikat.

Rzucił okiem na zegar na ścianie, osiemnasta dziewięć.

– Masz wyglądać jak zwykle, przeczytać z kartki i nic więcej. Rozumiesz?

Birgitta Nilsson nie odrywała wzroku od mężczyzny, ale nie powiedziała ani słowa.

– Do cholery, nie możecie tego zrobić! – krzyknął redaktor.

– O co tu, do diabła, chodzi? – zapytał Ove Lundin.

– Zaraz się dowiecie. Wszyscy mają robić to, co zwykle, żadnych sztuczek, spokojnie i z opanowaniem. Kiedy nasz tekst pójdzie, znikamy.

W pokoju zapadła na chwilę martwa cisza. Szok i poczucie nierzeczywistości, jakie ogarnęło redakcję, zaczęło ustępować miejsca strachowi. A jeśli coś się nie uda? Co wtedy będzie?

– I żadnych cholernych numerów! Zadzwonimy do naszego człowieka i sprawdzimy, czy tekst poszedł w audycji, więc niczego nie próbujcie. Jasne?

Zamaskowany mężczyzna wykrzykiwał polecenia. Czerwone kropki zegara maszerowały w równym tempie do przodu.

– Siadaj tam! I masz wyglądać normalnie.

– Trzydzieści sekund – powiedziała sekretarka, patrząc na redaktora błagalnym wzrokiem.

– Okej – odrzekł – idź na miejsce.

Birgitta Nilsson wpatrywała się w otrzymaną kartkę, ale nie była w stanie przeczytać nawet linijki. Wszyscy zajęli w milczeniu swoje miejsca. Birgitta wzięła bezwiednie lusterko i zobaczyła swoją bladą twarz bez wyrazu. Redaktor usiadł przy stoliku w pokoju kontrolnym. Chwycił mikrofon, żeby mieć kontakt z Birgittą.

– Gotowa? – zapytał cicho. – Dasz radę.

Jeden z kamerzystów zajął swoje stanowisko.

– Dziesięć sekund – powiedział redaktor.

Wzrok miał utkwiony w monitorach. Program właśnie się zaczął. Sygnał wiadomości zabrzmiał zupełnie obco.

– Czy mam przeczytać zapowiedzi? – usłyszał głos Birgitty.

Anders Moss patrzył, jak zamaskowany mężczyzna, który dowodził grupą, podchodzi do otwartych drzwi studia, zagląda do środka i kiwa głową.

– Potem są dwie minuty reklam – powiedział Moss.

Zamaskowany znów skinął głową. Wyglądał na uspokojonego.

– Dlaczego? – zapytał Moss.

– Zamknij się – syknął mężczyzna.

Moss poczuł się nagle zmęczony tym wszystkim. Czemu musimy znosić takich idiotów? Reklamy biegły jedna za drugą. Dwóch zamaskowanych mężczyzn pilnowało stołu kontrolnego, a jeden wraz z przywódcą znajdował się w studiu. Powinniśmy sobie z nimi poradzić, ocenił Moss, próbując złapać kontakt wzrokowy z realizatorem dźwięku, który jednak patrzył tylko głupkowato na potencjometry, jakby nie rozumiał, czego od niego chcą.

Sekundy płynęły. Dziesięć sekund, pomyślał Moss, jak daleko zdążymy uciec w dziesięć sekund? Może blefują, ale kto to sprawdzi?

Reklamy zbliżały się do końca. Dźwiękowiec trząsł się ze strachu. Dłonie spoczywające na stole drżały tak mocno, że uderzały lekko o blat.

– Dziesięć sekund – powiedziała sekretarka.

Wyglądała na najbardziej opanowaną z wszystkich. Birgitta pokazała się na wizji, patrząc nerwowo w kamerę. Ci, którzy ją znali i oglądali ten program, mówili potem, że niczego nie było po niej widać, ale jej samej było niedobrze ze strachu.

Spojrzała na leżącą przed nią kartkę. Była napisana na maszynie, dużą czcionką, może piętnaście linijek czarnymi, obco wyglądającymi literami.

– „MedForsk, przedsiębiorstwo z Uppsali, prowadzi nielegalne doświadczenia na małpach" – zaczęła i umilkła.

– Co do diabła! – krzyknął zamaskowany w studiu. – Dalej!

Upłynęło kilka sekund, które zdawały się wiecznością, nim była w stanie czytać dalej. Teraz do wielu widzów dotarło, że coś jest nie tak. Może usłyszeli ostry głos zamaskowanego, może sądzili, że telegram jest nieskładny, może dostrzegli konsternację na twarzy Birgitty.

– „Działalność trwa już dwa lata, łamie prawo i jest rażącym okrucieństwem wobec małp, które są więzione w strasznych warunkach. Żyją w ciasnych klatkach i cierpią. My, Front Wyzwolenia Zwierząt, ostrzegamy MedForsk: skończcie z okrutnymi doświadczeniami, bo w przeciwnym razie położymy kres temu krwawemu procederowi. Wydaje się wam, że możecie nie zważać na dobro zwierząt i tłumaczyć to służbą ludzkości, ale wy chcecie tylko zarabiać pieniądze. To ostatnie ostrzeżenie: przerwijcie przestępczą działalność, bo będzie źle".

Calle Friesman, który siedział, czekając na materiał ze Szpitala Uniwersyteckiego, jaki przygotował po południu, od razu zrozumiał, że coś jest nie tak. Pierwsze zdanie nie brzmiało jeszcze źle, choć nie słyszał, by mieli w planach tekst o małpach. To był raczej głos Birgitty i jej spojrzenie. Czytała z kartki, nie z promptera, i już to było dziwne, choć wszyscy prezenterzy wiadomości mieli na biurku kartki i udawali, że z nich czytają, żeby wnieść trochę życia do programu.

Kiedy usłyszał ciąg dalszy, zrobiło mu się zimno. Co ona do diabła wyprawia? – pomyślał i wstał. Rozejrzał się po redakcji, ale nikogo prócz niego tu nie było. Ktoś mógł jeszcze pracować w dziale marketingu, ale oni nie oglądali programu zbyt uważnie. Czy ona zwariowała?

Po przeczytaniu komunikatu Birgitta bezradnie wpatrywała się w kamerę. Usłyszała, jak Anders krzyczy, by wyłączyć wizję. Kamerzysta przypadł do podłogi.

Podczas transmisji przywódca był w kontakcie z kimś, kto oglądał program. Wyłączył telefon i niespodziewanie parsknął śmiechem.

Na co oni jeszcze czekają? – dziwił się w duchu Anders Moss. Nie rozumieją, że zaraz będą tu gliny?

– Dobra robota. Dzięki za pomoc.

W głosie zamaskowanego brzmiała szczera wdzięczność. Jak na komendę wyszli z pokoju kontrolnego. Zza uchylonych drzwi studia wyjrzał ich kompan. W tej samej chwili Calle Friesman wbiegł po spiralnych schodach tak szybko, że wpadł prosto na zamaskowanego.

– Co do cholery robicie? – wrzasnął.

Poczuł uderzenie w głowę, zatoczył się na poręcz schodów i spadł bezwładnie w dół. Ból w krzyżu po uderzeniu o krawędź schodów był nie do opisania. Nad nim stał zamaskowany. Calle Friesman zdążył poczuć jego nieświeży oddech, nim wybiegli na nabrzeże, z którego przyszli dziesięć minut wcześniej.

Ze studia dobiegł krzyk polityk Partii Ludowej.

Alarm odebrano o osiemnastej piętnaście. Dzwoniła Cissi Andersson z działu marketingu. Została dłużej w pracy i przygotowywała właśnie ofertę przy włączonym jak zwykle telewizorze. Rzadko śledziła program, służył jej głównie za dźwiękowe tło.

Tego wieczoru coś się jednak nie zgadzało. Głos Birgitty. Cissi podniosła wzrok znad monitora i natychmiast wstała. Wyjrzała przez szklaną szybę wychodzącą na studio i schody.

Andersa Mossa nie było na zwykłym miejscu, podobnie jak Villego, drugiego fotografa. Drzwi do pokoju kontrolnego były natomiast otwarte, co się nigdy nie zdarzało. Słuchała przez kilka sekund dziwnego komunikatu i zrozumiała, że coś jest nie tak. Wychyliła się i zobaczyła zamaskowanego mężczyznę stojącego tuż obok fotografa.

Tego wieczoru dyżur mieli Haver i Berglund. Haver siedział w swoim pokoju, przygotowując się do przesłuchania na następny ranek. Odebrał telefon od Olssona z centrali i od razu zrozumiał powagę sytuacji. Byli przygotowani na akcje terrorystyczne i Haver poprosił Olssona, by natychmiast zadzwonił do Ottossona i Wiréna z wydziału bezpieczeństwa.

Sam zadzwonił z komórki do Berglunda, zbiegając ze schodów. Zaalarmowano już policję porządkową i Haver miał jechać za nimi do redakcji TV4 w południowej dzielnicy przemysłowej.

Już w samochodzie zadzwonił do Ann Lindell. Usłyszał, że chodzi o MedForsk i domyślał się, że chciałaby przy tym być.

Dojazd do TV4 zajął policji sześć minut. Personel zebrał się przed pokojem kontrolnym i na nabrzeżu. Parę osób płakało. Calle Friesman wciąż leżał na schodach, nie mogąc poruszać nogami. Ból w krzyżu odebrał mu na chwilę przytomność, ale teraz ją odzyskał. Pocił się obficie i przez jego palce przebiegał skurcz. Pochylała się nad nim Anna, gospodyni studia.

– Tylko się nie ruszaj – mówiła.

Przez otwarte drzwi wychodzące na nabrzeże usłyszeli wycie syreny ambulansu.

Ola Haver zatrzymał się na kilka sekund przy sparaliżowanym dziennikarzu i widział zimny pot występujący mu na czoło. Był blady jak trup. Haver nie mógł wydobyć z siebie słowa.

Berglund podniósł głos, by zebrać całą grupę.

– Czy ktoś widział, jak stąd uciekli?

Wszyscy wpatrywali się w krzyczącego policjanta.

– Wybiegli – powiedziała Anna. – Wybiegli na nabrzeże, zeskoczyli i znikli za rogiem.

– Widziała pani samochód?

Anna pokręciła głową. W tej samej chwili zajechała wyjąca karetka, stanęła w poprzek na nabrzeżu i wyskoczylo z niej dwóch sanitariuszy. Haver rozpoznał jednego z nich.

– Wygląda na paraliż – powiedział cicho do kierowcy.

– O cholera.

Spojrzał na kolegę i weszli do środka. Haver pragnął nade wszystko, by facet z telewizji się z tego wykaraskał. Jeżeli sam bał się czegokolwiek, to właśnie paraliżu.

Znów zadzwonił do Ottossona, który powiedział mu, że cały komisariat jest na nogach. Wdrożono plan działania przy atakach terrorystycznych z wzięciem zakładników. Stawiano właśnie blokady w strategicznych, wybranych wcześniej punktach miasta. Zwołano specjalne siły operacyjne i uruchomiono plan dodatkowych posiłków odnośnie ludzi i wyposażenia.

– Czy macie kopię programu?

– Tak, możemy od razu odtworzyć. Chce pan zobaczyć?

– Jak się pan nazywa?

– Anders Moss.

– Okej, teraz słuchajcie wszyscy uważnie. Rozumiem, że jesteście w szoku, ale spróbujcie sobie coś przypomnieć o tych zamaskowanych. Ilu ich było? Czy zauważyliście coś charakterystycznego w ich ubraniach, głosach? Mówili dialektem, może z obcym akcentem?

– Wszyscy mówili po szwedzku – powiedział Moss. – Byli młodzi, między dwadzieścia a dwadzieścia pięć lat.

– Ilu ich było?

– Pięcioro, może sześcioro. Było takie zamieszanie.

Ola Haver spojrzał na Mossa, który wyglądał jednak na dość opanowanego. Teraz zrób wszystko tak jak trzeba, pomyślał Haver.

Sanitariusze usztywnili szyję Callego Friesmana kołnierzem i położyli go ostrożnie na specjalnych noszach. Friesman leżał z zamkniętymi oczami. Podnieśli go delikatnie i wynieśli przez wąskie drzwi na nabrzeże.

Panowała całkowita cisza. Wszyscy patrzyli na bladą twarz Friesmana. Ktoś płakał. Ann-Britt Zimén z Partii Ludowej.

– Czy byli uzbrojeni? – zapytał Berglund.

Ludzie z telewizji spojrzeli po sobie. Każdy szukał odpowiedzi na twarzach innych.

– Nie sądzę – powiedział realizator dźwięku. – Nie widziałem broni.

Paru innych pokręciło głowami.

– Mieli bombę – dodał dźwiękowiec, który odtąd już zawsze, przy każdej audycji, miał wspominać zamaskowanych mężczyzn.

– Bombę?

– Tak powiedzieli. Mieli ją w torbie i wybuchłaby, gdybyśmy nie zrobili tego, co nam kazali.

– Widzieliście bombę?

– Nie, była w torbie. Tylko lont, za który mieli pociągnąć.

– Proszę opisać torbę.

– Brązowa, z uchwytem. Ojciec miał kiedyś taką. Wkłada się do niej śniadanie i termos.

Haver pokiwał głową. Jego ojciec też miał podobną.

– Ale żadnej widocznej broni?

– Nie – odparł Moss.

– Jak weszli? – zapytał Berglund.

Moss wskazał na drzwi.

– Oszukali mnie – powiedziała Anna. – Za drzwiami stała dziewczyna z zakrwawioną twarzą. Myślałam, że coś jej się stało.

– Nikt nie ma do ciebie pretensji, że otworzyłaś – uspokoił ją Moss.

– Rozumiem, że to nie była prawdziwa krew?

Anna skinęła głową.

– Od razu naciągnęła kaptur. Widziałam tylko, że ma jasne włosy. Pojadę z Callem – powiedziała nagle i wyszła z pokoju.

Karetka odjechała, pojawiło się za to więcej radiowozów. Haver dojrzał Ann Lindell na asfaltowym placu. Przybył przewodnik z psem. Policjanci w kamizelkach kuloodpornych, uzbrojeni w pistolety maszynowe, stali w grupie, słuchając instrukcji swojego szefa, Ärnlunda.

Ann podeszła bliżej i Haver zszedł na nabrzeże, by wyjść jej na spotkanie.

– MedForsk – brzmiały jej pierwsze słowa.

– Właśnie. Znów wypłynęli.

– Czy jest jakiś związek?

– Chodziło o małpy, doświadczenia na zwierzętach. Chyba obrońcy praw zwierząt.

– Grozili bronią?

– Nie, ale mówili, że mają bombę, którą odpalą. Poza tym wyglądali na sympatycznych terrorystów, ale personel był oczywiście w szoku.

– Czy ta bomba jeszcze tu jest?

Haver nie mógł powstrzymać uśmiechu.

– Myślisz, że byśmy tak tu stali?

Ann popatrzyła na personel zebrany na nabrzeżu. Kilku paliło, jeden z mężczyzn obejmował łkającą kobietę.

– Oni potrzebują pomocy – rzekła Ann.

– Myślę, że jest w drodze – odparł Haver.

Z E4 dobiegało wycie syren. Wiedział, że ustawiono blokady przy Rondzie Sztokholmskim, północnym wyjeździe w stronę Gävle, i na innych drogach wylotowych z miasta.

– Zadzwonię do Jacka Mortensena. Musimy go ściągnąć i włączyć taśmę, zobaczymy, co wtedy powie.

Nadjechał bus Radia Uppland. Wkrótce zjawią się tu inne media. Zajęcie stacji telewizyjnej podczas programu nadawanego na żywo było czymś nowym, a świadomość, że dotknęło bezpośrednio kolegów z branży dziennikarskiej, tym bardziej poruszyła środowisko.

Haver przekazał Ann ustalenia z krótkiej rozmowy z personelem.

– Berglund, Wende i Beatrice poprowadzą pierwsze przesłuchania. Czy ktoś został ranny? Minęłam się z karetką.

– Jeden z dziennikarzy doznał urazu kręgosłupa. Chyba jest sparaliżowany.

– O cholera – wzdrygnęła się Ann. – Zaraz pogadam z wydziałem bezpieczeństwa. Na pewno mają listę obrońców praw zwierząt.

– Co mamy sądzić o MedForsk?

Ann myślała o tym, odkąd dowiedziała się o akcji w TV4. Czy ci sami ludzie mogli przejechać Josefin i Emily?

– Nie wiem – powiedział Haver. – Zabijanie ludzi to jedno, a walka o prawa zwierząt to co innego. Tu nie było chyba tak ostro. Żadnej widocznej broni, a uraz kręgosłupa wygląda raczej na nieszczęśliwy wypadek, kiedy zderzyli się na schodach.

– Ale ci młodzi gniewni stosowali już przemoc we wcześniejszych akcjach.

– Zgoda, ale i tak wątpię.

– Okej, ale czy istnieje związek między Cederénem, małpami i obrońcami zwierząt?

– Będzie więcej pytań – uśmiechnął się Haver.

– Zadzwonię do Mortensena, jak powiedziałam. Wezwę go do komisariatu. A wcześniej rozmowa z bezpieką.

– Ja tu zostanę. Może pies coś znajdzie.

Na dziedzińcu trwała gorączkowa aktywność. Głosy z radia, informacje i okrzyki mieszały się z głośnymi rozmowami. Kilku funkcjonariuszy z policji porządkowej odgradzało teren. Ryde zajechał swoim starym samochodem razem z kolegą z wydziału technicznego.

Ann Lindell wróciła do komisariatu. Uśmiechała się pod nosem, myśląc o szefie wydziału bezpieczeństwa, który zawsze krążył wokół tematu, zamiast od razu przejść do rzeczy. Na pewno bardzo się ucieszy. Wreszcie będzie jakiś pożytek z ich pracowitego zbierania informacji, wreszcie będą mogli zabłysnąć, także przed kolegami. Wielu w komisariacie podśmiewało się z jego wydziału. Teraz nadszedł dla nich czas żniw.

Ann czuła niepokój w całym ciele. Weekend z Edvardem spełnił jej wysokie oczekiwania. On był wyjątkowo otwarty i swobodny. Kochali się, spacerowali, leżeli na łące i patrzyli na chmury, znów się kochali. O przyszłości rozmawiali niewiele, tylko parę napomknień o tym, że mogłaby być wspólna. Edvard mówił luźno, że może przeprowadziłby się do miasta, a przynajmniej trochę bliżej, a ona sama wspomniała, że w Östhammar i Tierp zawsze potrzebują ludzi. Praca nie jest wszystkim, a przynajmniej nie powinna być.

A jednak wsączało się w nią jakieś niemiłe uczucie. Coś było nie tak. Tego wieczoru miała to zrozumieć.

Frisk, szef służby bezpieczeństwa Säpo, był w swoim żywiole, kiedy z Ann Lindell, Sammym Nilssonem, szefem wywiadu kryminalnego i Ottossonem odbywał naradę wieczorem dwudziestego szóstego czerwca. Dojadał hamburgera z serem i stripsy z kurczaka, opowiadając zarazem elokwentnie o pracy, jaką wykonał jego wydział, by sporządzić listę wegan, miłośników zwierząt i innych wrogów porządku publicznego. Lindell obserwowała jego mlaskające szczęki. Frisk miał duże usta i wilczy uśmiech. Nie miała właściwie nic przeciw niemu, ale było jej trochę niedobrze, kiedy patrzyła, jak żarłocznie je.

– Mamy dokładny obraz sytuacji – powiedział i wrzucił do ust całą garść stripsów. – Przepraszam, ale nie jadłem obiadu.

Ottosson ze zniecierpliwieniem kiwnął głową. Wszyscy w komendzie wiedzieli, że nie najlepiej dogaduje się z Friskiem.

– Jest Front Wyzwolenia Zwierząt oraz AAF – ciągnął Frisk. – Obie organizacje mają tutaj znanych działaczy.

– Co znaczy AAF? – zapytał Sammy.

Frisk był wyraźnie zadowolony.

– Akcja Antyfaszystowska – odrzekł szybko. – Mają kilkunastu działaczy w mieście.

– Czy nie jest bardziej prawdopodobne, że to byli obrońcy praw zwierząt?

– Może – odpowiedział Frisk i wytarł wreszcie usta chusteczką, usuwając resztki szybkiego posiłku. – Front ma z tuzin mniej lub bardziej aktywnych członków, możemy uznać ich za rdzeń organizacji. Jest jeszcze około pięćdziesięciu sympatyków.

– Aż tylu? – zdziwiła się Ann.

– Tak, szeroko licząc.

Szeroko, pomyślała, ciekawe, jak ich liczono.

– To mogą być przyjaciele, rodzeństwo, koledzy ze szkoły i inni.

– Kontrolujecie tych młodych ludzi, bo zakładam, że to głównie młodzież?

– Pobieżnie – odpowiedział Frisk.

– Czy dostaniemy tę listę? – zapytał spokojnie Ottosson.

– To nie takie proste – odparł szef Säpo i zaczęło się owo słynne krążenie. Omijał sedno sprawy, mówił o integralności i przeciekach. Wyszedł z tego długi wykład.

– Musimy mieć nazwiska – przerwał mu Ottosson. – Chyba to rozumiesz?

Frisk przybrał nieprzychylny wyraz twarzy pomieszany ze źle skrywanym zadowoleniem.

– Możemy współpracować – rzekł takim tonem, jakby to było historyczne ustępstwo ze strony szwedzkiej służby bezpieczeństwa.

– Nie chrzań – powiedział twardo Ottosson ku zdumieniu pozostałych. Ottossonowi rzadko puszczały nerwy. – Potrzebujemy nazwisk, po prostu. Jeżeli boisz się przecieków w wydziale zabójstw, to jesteś w błędzie.

Frisk miał obrażoną minę.

– Zobaczę, co możemy zrobić – powiedział suchym tonem.

– Zebrać tak zwany rdzeń spośród miłośników zwierząt, od tego zaczniemy. Chcemy mieć te nazwiska wieczorem.

Ann uśmiechnęła się w duchu. Ottosson potrafił ich zadziwić. Dlatego był takim lubianym szefem.

Frisk wstał. Ottosson też. Stali jak dwa koguty po obu stronach stolu. Kiedy Frisk wyszedł z pokoju, Ottosson wziął opakowanie po stripsach i zatłuszczony papier na stole, po czym gwałtownym ruchem wrzucił wszystko do kosza.

– On najwięcej śmieci – powiedział.

– Okej – rzekł Sammy – olejmy to na razie. Skontaktowałaś się z Mortensenem?

– Tak, zaraz tu będzie. Złapałam go w jego domku na wyspie, ale od razu wsiadł do samochodu. Był wstrząśnięty, to oczywiste. Zapytałam o małpy, lecz nie chciał nic mówić.

– Przyjedzie tutaj?

Ann spojrzała na zegar ścienny, który pokazywał wpół do dziewiątej.

– Może za pół godziny – dodała.

– Wyglądasz na zmęczoną – zauważył Ottosson. – Masz za sobą ciężki weekend?

Po jego złości nie został nawet ślad. Ann uśmiechnęła się i pokręciła głową.

– Byłam głodna, ale straciłam apetyt – powiedziała.

– Sammy sprawdzi listę Friska, a ty się zajmiesz Mortensenem. Ja pojadę do domu. Gullan naprawdę źle się czuje. Mocno się przeziębiła. Czy tak będzie dobrze? Wrócę później.

– Bardzo dobrze – odrzekł Sammy.

Jack Mortensen, dyrektor MedForsk, miał brązową opaleniznę, ale była to jedyna oznaka zdrowia, jaką dało się u niego zauważyć. Wyglądał na znękanego. Usiadł w pokoju Ann Lindell i rozejrzał się wokół niespokojnie, jak gdyby znalazł się w sali tortur. Ann przyniosła kawę, dla niej już pewnie siódmą filiżankę, i usiadła za biurkiem.

– Przykra historia – zaczęła. – Czy pan słodzi?

Mortensen pokręcił głową i nawet nie dotknął filiżanki. Tak jakby jej nie widział.

– Małpy – powiedziała Ann. – Macie jakieś?

Dyrektor MedForsk drgnął. Próbował się uśmiechnąć, ale mu się nie udało. Teraz wziął filiżankę i podniósł do ust, patrząc przy tym nerwowo na Ann. Czekała, obserwując go z obojętnym wyrazem twarzy.

– Większość badających lekarstwa na parkinsona jest skazana na doświadczenia na zwierzętach – powiedział, odstawiając kawę.

– I...

– Robiliśmy doświadczenia na małpach.

– Nielegalne, jak powiedzieli aktywiści w telewizji. Czy to prawda?

– To były legalne doświadczenia. Przeprowadziliśmy kilka serii. Wszyscy wykonują badania na małpach. Nie ma w tym nic dziwnego. Tamci nie wiedzą, o czym mówią. Nigdy nie widzieli człowieka z chorobą Parkinsona. Jedyne, co ich interesuje, to zwrócenie na siebie uwagi.

– Gdzie są małpy?

– Różnie – odrzekł Mortensen. – Między innymi w Ultunie.

– Na Uniwersytecie Rolniczym?

– Dokładnie. Tam jest bardzo ścisła kontrola.

– Kto ją prowadzi?

– Niezależni weterynarze. Zrzeszeni w organizacji.

– Więc krytyka ze strony aktywistów jest wyssana z palca?

– Oczywiście – potwierdził energicznie Mortensen.

Odzyskał trochę animuszu. Wypił następny łyk kawy. Ann miała wrażenie, że siedzi przed nią polityk.

– W takim razie dlaczego przeprowadzili taką akcję?

– Chcą zwrócić na siebie uwagę, jak powiedziałem. Chcą, by ich dostrzeżono.

– Czy byli w firmie?

– Nie.

– Byłoby chyba naturalne, gdyby tam demonstrowali?

– Nie wiem, co dla takich jest naturalne.

– Sven-Erik Cederén nie nawiązał kontaktu z aktywistami?

– Nie, o niczym takim nie mówił.

Ann milczała przez dłuższą chwilę.

– Czy widzi pan związek między Cederénem, małpami i akcją w TV4?

Przez twarz Mortensena przemknął grymas bólu, jak gdyby coś go użądliło. Poruszył się na krześle, rzucił Ann szybkie spojrzenie i pochylił się do przodu.

– Nie wiem, co się dzieje – powiedział spokojnie. – Sven-Erik był moim przyjacielem, wszystko się dobrze układało. Teraz całe przedsiębiorstwo chwieje się w posadach. Wszyscy wypytują. Ludzie wydzwaniają. Czemu nas to spotyka?

– Pan zawieruszył, jak się zdaje, kilka milionów, przeprowadzacie doświadczenia na małpach, które obrońcy zwierząt, a może nie tylko oni, uważają za dręczenie, a kierownik badań klinicznych zabija rodzinę i odbiera sobie życie – to chyba oczywiste, że ludzie wypytują. Co tak naprawdę dzieje się w MedForsk?

Mortensen nie odpowiedział.

– Przyjrzymy się oczywiście tym małpom. Może powinniśmy spojrzeć inaczej na śmierć Cederéna.

– Co pani ma na myśli?

– Może istnieje jakiś związek?

Ann Lindell zapisała coś w notesie.

– Nie wiem, co do cholery, strzeliło mu do głowy!

– Sam pan powiedział, że byliście przyjaciółmi. Powinien pan wiedzieć.

Mortensen milczał, siedząc z zaciśniętymi zębami po drugiej stronie biurka. Twarz mu trochę zbladła w czasie rozmowy i malowało się na niej poczucie zawodu, jak gdyby Ann złamała umowę.

Rozmowa dobiegła końca. Mortensen wstał bez słowa, lecz Ann Lindell demonstracyjnie siedziała dalej.

– Odprowadzę pana do wyjścia – powiedziała wreszcie.

Wiedziała, że daleko nie zajdą. Była przekonana, że kontrola małp w Ultunie skończy się raportem, który nie wykaże żadnych uchybień. Może widok jest niezbyt przyjemny, ale na pewno wszystko się odbywa całkowicie zgodnie z przepisami. Czuła dużą niechęć do mężczyzny, którego miała przed sobą.

Wcześniejsze uczucie odprężenia i dobrego kontaktu po rozmowie w jego ogrodzie teraz zupełnie się rozwiało. Nie cierpiała żałosnych mężczyzn, żałosnych świadków. Próba Mortensena, by grać męczennika i podkreślać, że Cederén był jego przyjacielem, okazała się teatrem i do tego kiepskim.

Przeszli w milczeniu korytarzem i Ann wypuściła Mortensena z uczuciem wyzwolenia. Chciała być sama. Przez cały wieczór miała mdłości i była wykończona. Nie wykazała się specjalnie w rozmowie z dyrektorem MedForsk. Składała to na karb owej niechęci. Uczucie, że zabrnęła w ślepą uliczkę, bardzo ją irytowało. Śledztwo w sprawie ataku na stację telewizyjną nie było jej w smak. Z całym szacunkiem dla małp, wolała zajmować się problemami ludzi. Trochę się tego wstydziła, bo nawet ona była poruszona zdjęciami małp i innych zwierząt naszpikowanych rurkami, igłami i Bóg wie czym jeszcze, ale przesłaniał je obraz Josefin i Emily na poboczu. Chciała za wszelką cenę zrozumieć, co się stało, ale wiedziała zarazem, że prawdopodobnie nie zajdą daleko. Sven-Erik Cederén zabrał wyjaśnienie dramatu ze sobą do grobu.

Może drażniła ją pewna siebie postawa Friska. Nie wierzyła za bardzo w jego listy wegan i podobnych grup. Podejrzewała, że mogli na nie trafić przypadkowi ludzie. Uznaniowość zdawała się otaczać jak aura kolegów z policji bezpieczeństwa, nie wyłączając ich szefa. Nie wiedziała, skąd się wzięło to uczucie. Może ze śledztwa w sprawie zamordowania Enrica Mendozy parę lat temu. Wtedy zrozumiała, jak obszerne były ich listy działaczy lewicy i że Säpo wciąż kontroluje nieszkodliwych ludzi jak ten niemłody entomolog, Rosander. Wiedzieli, jakie gazety i czasopisma czyta i gdzie publikuje swoje artykuły. Wiele środków zmarnowano na urojenia, bo iluż to nie ma w Szwecji Rosanderów?

Wróciła do swojego pokoju. Wiedziała, że Sammy jest jeszcze w pracy, ale teraz chciała być sama. To był długi dzień. Co będzie, jeśli zdecyduję się na życie z Edvardem? – pomyślała. Czy zaakceptuje to, że tak często nie ma mnie w domu?

Próbowała sobie wyobrazić Edvarda w mieszkaniu w mieście, oglądającego telewizję lub czytającego książkę, kiedy ona siedzi w komisariacie albo objeżdża jak szalona pół rejonu. Nie bardzo wierzyła, że on na dłuższą metę to wytrzyma.

Nudności przyszły tak gwałtownie, że ledwo zdążyła dobiec do kosza na śmieci, nim zwymiotowała cienką, jasnozieloną zupkę. Zobaczyła przed sobą tłusty hamburger Friska i znów przykucnęła przed koszem. Żeby tylko nikt teraz nie wszedł, zdążyła pomyśleć przed następnym atakiem.

Wtedy, schylona na drżących kolanach, z kroplami potu na czole, zrozumiała, co jest nie tak. Powinna była wcześniej, ale olśnienie przyszło dopiero teraz. Poczuła chłód rozpełzający się po całym ciele. Miała wrażenie, że z każdą sekundą temperatura jej ciała spada o kilka stopni i zadygotała. Co za pech! Co za cholerny pech!

Wpatrywała się w dno kosza, gdzie zgniecione kartki, rezultat przemyśleń całego dnia, leżały w wymiocinach. Co za pech! Coś w niej krzyczało i wiedziała, że życie spłatało jej okrutnego figla.

Powinna była wiedzieć. Termin miesiączki minął przynajmniej dziesięć dni temu. Przypomniała sobie, jak myślała na początku świętojańskiego tygodnia, że byłaby szkoda, gdyby ją dostała tuż przed wyjazdem na Gräsö. Potem nie poświęciła już temu ani jednej myśli. Opóźnienie miesiączki, a nawet jej brak, nie były niczym dziwnym w okresach silnego stresu. Rzadko krwawiła obficie czy długo. Miała nieregularne cykle i nie śledziła uważnie dni, a nawet tygodni.

Teraz jednak dopadła ją bolesna świadomość własnego ciała. Powinna była wiedzieć, odczytać znaki. Mdłości, które przychodziły i mijały, torsje, w domu i w tamten poranek na Gräsö. Tłumaczyła to nieregularnymi posiłkami, śledziami, wódką – wszystkim, tylko nie tym.

Przypomniała sobie nagle apetyt na cukier i sól. Widziała ciężarne przyjaciółki wpychające w siebie kanapki z musztardą, kokosowe kulki, cukierki lukrecjowe i wszelkiego rodzaju słodycze, ale nie skojarzyła tego z własnym podjadaniem w ostatnich tygodniach.

Najpierw poczuła pogardę. Pogardę dla samej siebie. Ona, doświadczona policjantka śledcza, nie potrafiła kontrolować własnego ciała. Potem złość. Po kiego diabła szła do łóżka z jakimś nudnym inżynierkiem? Potem strach. Teraz straci Edvarda, mężczyznę, którego kochała. Na koniec wątpliwości. Nie mogę być w ciąży, biorę tabletki. To stres.

Myśli kłębiły się w jej głowie jak rój os, zapuszczając w nią żądła. Mdłości minęły, ale przyszło po nich coś znacznie gorszego, ćmiący niepokój. Wiedziała, że jeszcze długo będzie ją trzymał w żelaznym uścisku.

Jak można zajść w ciążę, biorąc pigułki? To niemożliwe! To nie fair!

Zadzwonił telefon i Ann szybko zerwała się na nogi. Wpatrywała się w aparat. Cztery sygnały. Zaraz potem rozdzwoniła się komórka.

Wyłowiła ją z kieszeni, nie wiedząc, czy odebrać. „Numer prywatny", widniało na wyświetlaczu.

Wcisnęła guzik i przedstawiła się.

– Czy Ann Lindell?

– Tak, przecież to powiedziałam.

Z trudem panowała nam głosem i kobieta na drugim końcu linii wzięła oddech tak głęboki, że Ann go usłyszała.

– Mam pewne informacje na temat Svena-Erika Cederéna.

Kochanka, pomyślała z niezbitą pewnością Ann.

– Aha – powiedziała.

– On nie odebrał sobie życia.

– Kim pani jest?

– Nieważne.

– Dla mnie bardzo – rzekła Ann.

– Nieważne – powtórzyła kobieta. – Ważne jest tylko to, żebyście nie myśleli, że Sven-Erik zabił swoją rodzinę, a potem odebrał sobie życie. Nigdy by tego nie zrobił.

– Czy jest pani jego przyjaciółką?

Zabrzmiało to śmiesznie, ale nie mogła się przemóc, by wymówić słowo „kochanka".

– Jestem przyjacielem rodziny.

Słychać było, że kobieta wyczerpała już całą swoją odwagę i siły. Połączenie się przerwało. Odłożyła słuchawkę. Ann też to zrobiła z poczuciem, że coś zepsuła.

Opadła na krzesło. Kim była ta kobieta? Jestem w ciąży. Edvard. Miała wrażenie, że dzisiejsze zdarzenia odebrały jej zdolność normalnego funkcjonowania. Nie mogła się ruszyć ani jasno myśleć, z trudem oddychała. Siedziała tylko z jednym pragnieniem w głowie: nie stracić Edvarda.

Powinnam zadzwonić do Sammy'ego, pomyślała i zauważyła, że bezwiednie wodzi dłonią po lśniącym blacie biurka.

– Do diabła – powiedziała głośno. – W ciąży? Czy chcę go stracić?

Podniosła się, lecz natychmiast opadła z powrotem na krzesło.

– Weź się w garść, zadzwoń do Sammy'ego, jedź do domu.

Własny głos jakby trochę ją uspokoił, więc dalej prowadziła dialog sama ze sobą. Mówiła nieprzerwanie, jakby postradała zmysły, zebrała papiery na biurku, zawiązała cuchnący plastikowy worek w koszu, chwyciła kurtkę i rozejrzała się po pokoju, jak gdyby miała opuścić go na zawsze.

Owionęło ją letnie wieczorne powietrze i zebrało się jej na płacz. Noszę w sobie życie, dziecko, którego tak pragnęłam, a teraz nienawidzę. Kim jest jego ojciec? Sama przed sobą z trudem zdołała sformułować słowo „ojciec".

Może by go nawet nie rozpoznała, gdyby się spotkali na ulicy. Jako policjantka była jednak przekonana, że potrafiłaby zidentyfikować przypadkowego nocnego gościa, którego plemnik ją zapłodnił. Oszukał ją. Nie, to ona tego chciała. Tak źle jeszcze z nią nie było. Pamiętała, że chciała, by poszedł z nią do domu i do łóżka.

Zatrzymała się przy samochodzie. Uczucie obniżenia sprawności zmysłów przypominało zamroczenie alkoholem i nie była pewna, czy będzie mogła prowadzić.

– Idiotko – powiedziała głośno i otworzyła drzwi samochodu. – Weź się w garść.

Zadzwoniła do Sammy'ego z samochodu i powiedziała mu o rozmowie. On z kolei opowiedział jej o tym, jak Frisk przedstawił kilka nazwisk jako główny sztab obrońców praw zwierząt. Umówili się na jutro rano. Ann i tak wiedziała, że Sammy poświęci resztę wieczoru na to, by nadać nazwiskom na liście trochę konkretnych cech. Gdzie mieszkali? Adresy, praca, szkoła, czy byli już notowani przez policję – wszystkie pytania, na które można znaleźć odpowiedź we właściwych bazach danych.

Kiedy Ann dojechała do domu i zaparkowała samochód, napędzała ją tylko jedna myśl. Nalać sobie kieliszek wina, położyć się na kanapie, naciągnąć koc i zatopić się w rozmyślaniach. Śledztwo w sprawie MedForsk, które normalnie zaprzątałoby całą jej uwagę, przebiegało przez jej głowę tylko w postaci przelotnych migawek. Były to pojedyncze slowa czy zdania, które słyszała w ostatnim tygodniu, obrazy z Uppsala-Näs i leśnej polany w Rasbo. Kobieta, która prawdopodobnie była ową poszukiwaną kochanką, miała spięty głos, ale starała się panować nad sobą. Wiedziała więcej i Ann czuła, że jeszcze zadzwoni. Była głęboko przekonana o niewinności Cederéna i nie zatrzyma tego, co wie, dla siebie. Zrobi wszystko, by Ann uwierzyła w jej wersję.

Ale co dawało jej taką pewność? Ann domyślała się, że miłość. Potrzeba czasu, by przyjąć do wiadomości, że ukochana osoba popełniła morderstwo i samobójstwo.

Wino jej nie smakowało. Najczęściej piła Campo Viejo i znali już ją w sklepie monopolowym przy Skolgatan. Doszło prawie do tego, że ekspedientka stawiała na ladzie trzy butelki, kiedy

Ann wchodziła do środka. Teraz jeździła do sklepu w Obs. Był samoobsługowy i mogła tam zachować większą anonimowość.

Czy chce mieć dziecko? Zadawała sobie to pytanie niezliczoną ilość razy i w ostatnich latach zawsze odpowiadała twierdząco. Chciała mieć je z Rolfem, mężczyzną, z którym była, zanim poznała Edvarda. Chciała mieć je z Edvardem, choć się wahała. Dobiegała czterdziestki i wiedziała, że niedługo będzie za późno.

Nie potrafiła właściwie powiedzieć, czemu dziecko wydawało jej się takie ważne. Kiedy leżała na kanapie, patrząc prosto przed siebie, rozważała swoją motywację. Policzyła, kiedy powinna urodzić, w lutym 2001 roku. Sama była dzieckiem marcowym. Pomyślała o rodzicach w Ödeshög i ich cierpliwym wyczekiwaniu na wnuka. Co powiedzą na dziecko nieobecnego ojca?

Siegnęła po kieliszek, oparła się na łokciu i pociągnęła łyk wina. Nie powinna pić. Opadła na poduszkę i owinęła się ciaśniej kocem, użalając nad sobą.

Po dziesięciu minutach spała. Zdążyła jeszcze pomyśleć, że powinna była zadzwonić do Havera i powiedzieć mu o rozmowie z kobietą. W jakimś sensie była to jego działka.

16

Gabriella Mark utknęła przy drzwiach piwnicy. Stała nieruchoma jak żona Lota. Przez moment obejrzała się za siebie i to wystarczyło. Zobaczyła go, właśnie tutaj, z ręką na kamiennej ścianie piwnicy. Przytulia, na którą nigdy nie nadepnęła, chodząc tylko wąską ścieżką do masywnych drewnianych drzwi, rozkwitła w najlepsze.

– Moja panienka – powiedziała na głos. – Mój piękny kwiatek – i spojrzała na nią pełnymi zachwytu oczami.

Zapach przytulii zawsze na niego działał. Gabriella wierzyła w leczniczą moc ziół. Wiedziała, że stał w polu oddziaływania przytulii, bezbronny, z zapachem kwiatów wsączającym się pod skórę. Uśmiechał się i patrzył na nią. Wtedy był prawdziwy.

Kochał ją, choć nigdy nie rozumiała dlaczego. Nie była atrakcyjna. Nie tak jak jego żona.

Naprawdę rozkwitała podczas pracy w ogrodzie. Ciało miała szczupłe, ale biodra szerokie, jakby stworzone do tego, by oprzeć na nich skrzynki. Umięśnione nogi i ramiona wyćwiczyły się podczas kopania, spulchniania i kucania pośród inspektów. Ręce miała tak szczupłe, że bez trudu mogła objąć je dłońmi.

Stała się nowym człowiekiem w dniu, w którym kupiła dom. Po latach rozpaczy i poszukiwania sensu życia zyskała głęboki spokój. Zwolnienie lekarskie po wypadku, który kosztował życie jej męża, było długie i obawiała się o własne życie. Nie fizyczne, lekarze dobrze ją poskładali, ale jej równowaga psychiczna została mocno naruszona. Zderzała się z życiem, robiła uniki i musiała brać tabletki nasenne. Nigdy nie budziła się w dobrym nastroju.

Kupiła więc dom. Kierowała się instynktem, tak jakby jej ciało i dusza podjęły decyzję. Na wpół zamroczona podpisała umowę i dokumenty kredytowe. Już po kilku dniach, właśnie w porze kwitnienia przytulii, poczuła, jak jej ciało zaczyna znów funkcjonować, jak gdyby odzyskała sprawność członków. Rzeczy w jej rękach nabrały wagi i znaczenia. Chwyciła pogrzebacz, otworzyła drzwiczki do kuchennego pieca, zajrzała do paleniska i ogrzała się. Stała długo w drzwiach starej szopy, zaglądając w półmrok, wdychała zapachy, trochę surowe i ziemne, weszła i znalazła kilka zardzewiałych łopat, widły i taczkę z przebitą oponą.

Ptaki, ożywione pojawieniem się gościa, zataczały szerokie łuki nad suchymi chaszczami, ćwierkały i pilnowały swoich młodych. Po paru dniach zjawił się kot. Z początku trzymał się skraju podwórza, kręcił ukradkiem koło szopy i czaił w pokrzywach, ale stopniowo podchodził coraz bliżej.

Skrzypiące zawiasy drzwi zostały nasmarowane, ścieżki przetarte, leżące latami drewno wydawało podczas rąbania głuche odgłosy. Stała na prowizorycznej podłodze w szopie na drewno i uśmiechała się do kozła do piłowania drzewa i pieńka.

Powoli, ale pewnie wychodziła na powierzchnię, stawała się ładniejsza, silniejsza i zajęła miejsce w domu, ogrodzie i całym pejzażu.

Zatrudniła stolarzy, malarzy i elektryków. Pieniądze z ubezpieczenia męża wystarczyły, by stworzyć ze starego zagrodowego domku ładny dom. Kontakty z rzemieślnikami ożywiały ją. Tęskniła za ich głosami i dłońmi. Stała się zleceniodawczynią doskonałą, która gotowała, piekła ciasta i kupowała skrzynki niskoprocentowego piwa. Rzadko tak ich traktowano w pracy. Widzieli w niej szczęśliwą kobietę, energiczną i zwyczajnie w porządku.

Fakt, że byli to mężczyźni, niektórzy całkiem atrakcyjni, mobilizował ją do poświęcania sobie trochę większej uwagi. Nie chciała niczego więcej, ale zauważyła, że na nią patrzą i na pewno komentują jej wygląd. Tak przecież robią wszyscy mężczyźni, myślała, i wbrew sobie cieszyła się, że przyciąga spojrzenia i prowokuje niewinnie flirciarskie komentarze.

Potem zjawił się Sven-Erik. Był dawnym znajomym jej męża, dowiedział się, że przeprowadziła się do Rasbo i zadzwonił. Chciał jej pokazać parę zdjęć, które znalazł w szufladzie podczas generalnych porządków. Fotografie zrobił szesnaście, siedemnaście lat temu jeden z kolegów z paczki, do której należeli jako nastolatkowie. Był w niej także Nils, jej mąż.

Sven-Erik pomyślał, że może będzie chciała parę odbitek i zadzwonił. Po pierwszej wizycie był u niej jeszcze parokrotnie i Gabriella widziała, jak zmienia się za każdym razem. Zaczęła tęsknić za jego wizytami.

Teraz go straciła i nie wiedziała, jak ma żyć. Wspomnienia o nim otaczały ją wszędzie, rozmawiał z nią w ciemnościach nocy, głaskał ją w snach, a ona w dzień płakała z tęsknoty i żalu.

Wiedziała, że nigdy by nie zabił swojej żony i dziecka. Nie kochał już wprawdzie Josefin, ale nie był nieobliczalnym brutalem. Chciał się rozwieść, coraz częściej o tym myślał przez ostatnie pół roku, ale nie w taki sposób. I jeszcze Emily, jego oczko w głowie. Dużo o niej mówił, pokazywał zdjęcia. Nigdy.

Czytała wypociny pismaków, cierpiała przy każdym zdaniu, lecz sądziła, że powinna to wszystko przeczytać, by spróbować zrozumieć, co się stało. Widziała nekrolog. Powinna pójść na grób, ale jeszcze nie teraz.

Z początku godziła się z myślą, że stracił rozum, zabił, a potem odebrał sobie życie. Nie było innego wyjaśnienia. Kilka dni później rozmawiała z Jackiem Mortensenem, który poparł tę teorię, mówiąc o pogarszającym się samopoczuciu Svena-Erika. Prosił ją, by się nie ujawniała. Mówił, że chodzi mu o pamięć o Svenie-Eriku. I tak była wystarczająco zbrukana.

Obiecała mu to. Zadzwonił jeszcze kilka razy i w pewnym sensie było dla niej pociechą, że miała kogoś, kto wiedział, komu mogła się wyżalić.

Po kilku dniach zaczęły w niej narastać wątpliwości. Sven-Erik tego nie zrobił, nie ten mężczyzna, którego kochała i poznała jako wrażliwego człowieka, którego przekonania zmieniały się wraz z upływem czasu, jaki spędzali razem. Zaczął krytykować swoją działalność, narzekać na stres, na ciągłą potrzebę pieniędzy na rozwój firmy i nacisk Hiszpanów na szybkie efekty. Zwykle nie chciał mówić o pracy, ale czasami ten temat wypływał i czuła, że on wkrótce się wyłamie. Nie było innej drogi. Sven-Erik nie był typem człowieka, który potrafił lekko podejść do sprawy, odsunąć na bok refleksje i iść dalej dla kariery i pieniędzy.

Lubił być u niej w domu. Tu odzyskiwał spokój. Śmiał się. Bawili się, wyrywali razem chwasty. On wcześniej nie zajmował się pracą w ogrodzie. Suka Izabella leżała w cieniu i przyglądała się temu, co robią.

Teraz on też nie żył. Zbrukany we wspomnieniach żywych. Tylko ona wciąż potrafiła mówić o nim z miłością. Nawet jego rodzice, do których zadzwoniła, by ich pocieszyć i zdobyć ich zaufanie, nie potrafili znaleźć usprawiedliwienia dla własnego syna. Odtrącili ją, bezwzględni w swoim osądzie.

Kiedy zadzwoniła po raz drugi, dowiedziała się rzeczy, która przekonała ją o jego niewinności. Było to uczucie wyzwalające, lecz przy tym tak sensacyjne i poruszające, że nie umiała sobie z nim poradzić. Nie była w stanie dłużej rozmawiać z jego płaczącą matką i odłożyła słuchawkę.

Upłynęły dwa dni, nim się pozbierała i zrozumiała w pełni konsekwencje tego, czego się dowiedziała.

Położyła dłoń na klamce. Oporne zwykle drzwi wyschły w cieple i teraz się nie domykały. Nie pamiętała, po co tu przyszła, ale stojąc wewnątrz, przypomniała sobie, że po konfitury truskawkowe.

Zadzwoniła na policję, rozmawiała z kobietą, która prowadziła śledztwo. Widziała jej nazwisko w gazecie. Była rozkojarzona, głos miała podenerwowany i, co najbardziej zdziwiło Gabriellę, gniewny. Gabriella była wrażliwa na ton głosu innych. Źle znosiła opryskliwość i zniecierpliwienie. Nie była w stanie prowadzić dalej rozmowy, ale sama wiedziała, że musi zadzwonić jeszcze raz.

Słoik z konfiturą był chłodny. Przyłożyła go do czoła i wrócila wąską ścieżką do domu. Rzuciła okiem na inspekty. Obawiała się najgorszego. Nie podlewała ich od dwóch dni i ociągała się, by tam pójść i sprawdzić. Wiedziała, że sporo warzyw mogło się zepsuć, przede wszystkim kapusta i może sałata. Po południu musi wziąć się w garść.

17

Prokurator wahał się, ale dał za wygraną. Gdyby chodziło o coś innego, nigdy by się nie zgodził na rewizje w mieszkaniach siedmiu osób. Nic nie czyniło ich podejrzanymi o popełnienie przestępstwa prócz tego, że byli aktywnymi obrońcami praw zwierząt, którą to informację też potraktował jako mało wiarygodną.

Media żyły atakiem na siedzibę TV4. Wiadomość zdominowała zarówno prasę lokalną, jak i krajową. TV4 nadała poranne wiadomości prosto ze stacji i przeprowadziła wywiady z kolegami. Poranny Raport podjął wątek terrorystyczny i przedstawił długą historię ataków na badaczy, akcji z uwalnianiem lisów i norek i podpalaniem samochodów należących do rzeźni oraz wywiady z Säpo i ekspertami od terroryzmu.

Komisariat był obdzwaniany i oblegany przez dziennikarzy. Miało się wrażenie, że fakt, iż dotknęło to kolegów po fachu, szczególnie ich mobilizował. Prokurator ustąpił pod tym naciskiem.

Zgarnięto tych siedmioro jednocześnie, o godzinie jedenastej przed południem. Pięć osób w domu i dwie w pracy. Akcja przebiegła spokojnie. Zatrzymani jakby spodziewali się wizyty. Wszyscy protestowali jednak przeciw nakazowi rewizji.

Trafili do aresztu. Policja dała im do zrozumienia, że zatrzymano ich więcej. Przesłuchania zaczęły się dopiero późnym popołudniem. Spędzili kilka godzin w celach w zupełnej izolacji, kontrolowani dwa razy na godzinę przez wizjer. Poza tym nic. Żadnych kontaktów z ludźmi, żadnej kawy czy jedzenia.

Sammy Nilsson poczuł ukłucie wyrzutów sumienia, kiedy przyprowadzono pierwszą osobę na przesłuchanie. Była to Erika Mattson, dziewiętnastolatka. Właśnie skończyła liceum i w tym tygodniu miała zacząć pracę sezonową w hipermarkecie.

– Czy wiesz, dlaczego tu siedzisz? – zaczął Sammy.

Zwykle był spokojny, zaczynał od małej pogawędki, starając się nawiązać kontakt z zatrzymanym. Teraz przybrał oficjalną postawę i włączył magnetofon demonstracyjnie i bez komentarza.

– Czy mogę zadzwonić do mamy? – zapytała dziewczyna.

– Później. Czy wiesz, że jeden z tych dziennikarzy prawdopodobnie spędzi resztę życia na wózku?

Sammy nie spuszczał wzroku z dziewczyny, która patrzyła na niego szeroko otwartymi oczami.

– Nie mam z tym nic wspólnego – powiedziała.

– A my sądzimy, że tam byłaś.

Nie było żadnych podstaw dla takiego twierdzenia, lecz Ann Lindell, Berglund i Haver zdecydowali się przyjąć twardą postawę. Może ktoś z tych młodych ludzi poczuje się niepewnie i zacznie mówić.

– Jesteś weganką – ciągnął Sammy.

– Czy to coś złego?

– Masz w pokoju pełno plakatów, czasopism i pamfletów mówiących o tym samym: doświadczenia na zwierzętach są okrutne i trzeba je powstrzymać.

Dziewczyna milczała, patrząc na swoje dłonie ściśnięte między kolanami.

– Trzeba powstrzymać doświadczenia na zwierzętach za wszelką cenę, prawda? Nawet okaleczając przy tym ludzi. W zeszłym roku byłaś przesłuchiwana w sprawie ataku na psiarnię w północnym Upplandzie. Teraz znów tu siedzisz. Wtedy tylko groziliście, teraz bawicie się w terrorystów i krzywdzicie ludzi.

– Przestań gadać o robieniu z ludzi inwalidów! Nie mam z tym nic wspólnego. Chcę zadzwonić do mamy!

Sammy nic nie mówił przez parę minut.

– Co robiłaś wczoraj?

– Byłam w domu prawie cały dzień. Po południu poszłam na kawę.

– Dokąd?

– Do Hugo.

– Sama?

– Nie, z paroma kolegami.

– Mają nazwiska?

Wymieniła trzy. Jedno znał. Haver go właśnie przesłuchiwał.

– Kiedy stamtąd wyszłaś?

– Chyba koło piątej. Poszłam do domu. Miałam zrobić pranie.

– Byłaś w domu sama?

– Tak, mama pracowała. Wróciła o dziesiątej. Jest pielęgniarką.

– Sama w domu. Nie zrobiłaś wycieczki do TV4?

Dziewczyna zaczęła płakać. Sammy wyłączył magnetofon.

Haver trafił na znacznie silniejszy opór. Erik Gustavsson uśmiechał się złośliwie, odpowiadając na pytania szybko i nonszalancko. Siedział rozparty na krześle i wyglądał na nieporuszonego.

Był w domu przez cały dzień, wyszedł do miasta koło trzeciej, żeby kupić płytę i wypić kawę.

– To chyba nie jest przestępstwo – powiedział.

– Mów dalej – odrzekł Haver.

– Poszedłem do Hugo, jeśli pan wie, co to jest. Posiedziałem tam parę godzin i wróciłem rowerem do domu.

– Aha, a co robiłeś w domu?

– Surfowałem trochę po sieci, gadałem z kumplem przez telefon, a wieczorem poszedłem do Katalin na piwo. Zgrabne alibi, co?

– Ja myślę, że kwadrans po szóstej zepchnąłeś ze schodów dziennikarza TV4. Potem mogłeś iść na piwo, żeby to uczcić.

– Trzeba to udowodnić.

Haver odchylił się na krześle i zaczął wertować papiery leżące przed nim na biurku, jakby stracił zainteresowanie młodym człowiekiem. Po chwili przysunął telefon.

– Możesz zabrać chłopaka ode mnie? Niech tam wraca.

Wyłączył magnetofon i, omijając wzrokiem Erika Gustavssona, spojrzał na zegar.

– Teraz idę do domu na befsztyk – powiedział, wstając.

W tej samej chwili do pokoju wszedł strażnik.

– Słuchaj – powiedział Haver, kiedy Erik wstał – rozmawiałem przez telefon z twoim ojcem. Był wściekły. Czy to nie obciach dla weganina mieć ojca rzeźnika?

Erik popatrzył na Havera z ironicznym uśmiechem.

Była już godzina ósma. Zebrani policjanci zaczęli wykazywać pewne oznaki zmęczenia. Berglund krzywił się, pogrążony we własnych myślach. Sammy Nilsson poszedł po kawę i wrócił z tacą.

– Nie, ja dziękuję – powiedziała Ann Lindell, kiedy zaproponował jej filiżankę.

Haver sprawiał wrażenie zamyślonego. Wende prawie przysypiał z głową wspartą na rękach.

– Może przyjęliśmy złą taktykę. – Ann zaczęła podsumowanie wydarzeń dnia.

Nikt się nie odezwał.

– Nie mamy dotąd niczego interesującego. Wszyscy wydają się mieć sensowne alibi, nawet jeśli ta dwójka, która była w Hugo, mogła zmieścić w planie krótką wizytę w TV4. Wygląd dziewczyny pasuje do tej z zakrwawioną twarzą. Jutro rano odbędzie się konfrontacja. Najpierw gospodyni studia, Anna Brink, przyjrzy się Erice Mattson. Potem weźmiemy próbki ich głosów i puścimy ludziom z TV4. Może któryś rozpoznają.

Ann była wyczerpana po tym krótkim omówieniu. Kusił ją zapach kawy, ale czuła, że zwymiotuje po jednym łyku.

– Chyba musimy ich jutro wypuścić – zauważył Berglund.

– Co dała rewizja? – zapytał Wende.

– Dwa zgłoszenia do rzecznika praw obywatelskich, grupę wściekłych rodziców i pewnie kilkanaście listów w najbliższych dniach – odrzekł Sammy Nilsson. – Powinniśmy byli mieć świadomość, że przewrócenie siedmiu domów do góry nogami nie zostanie dobrze przyjęte.

– Ale opinia publiczna jest pewnie po naszej stronie – rzekł Wende.

Ann poczuła jeszcze większe zmęczenie. Czy mają dostosowywać metody pracy do opinii publicznej?

Powiedziała to głośno, ale Berglund od razu zaoponował. Słuchała go uważnie, jak zawsze zresztą. Starszy kolega rzadko mówił coś nieistotnego.

Po wysłuchaniu jego zastrzeżeń musiała mu częściowo przyznać rację. Jeśli ludzie nie będą przekonani do ich metod pracy, szybko stracą zaufanie do policji i prokuratury.

– Okej – powiedziała. – Przeprowadzimy jutro konfrontację i próbę z głosami, a potem ich wypuścimy.

– Tak, nie mamy przecież z czym iść do prokuratora – wtrącił Wende.

– O ile nie pojawi się coś nowego – uzupełniła Ann.

Wende wyszedł pierwszy, za nim Berglund i Sammy. Haver został, spojrzał na zegar ścienny i powiedział niespodziewanie:

– Dokładnie dwadzieścia pięć lat temu umarł mój ojciec.

Ann podniosła wzrok.

– Dokładnie?

– Tak. Dwadzieścia osiem minut po ósmej, właśnie tego dnia dwadzieścia pięć lat temu.

Ann czekała na ciąg dalszy, ale Haver podniósł się z krzesła.

– Jadę do domu – oznajmił.

– Jak umarł?

– Użądliła go osa. Śmieszne, co? Siedzieliśmy na dworze wieczorem. Tata pił piwo, a w szklance pływała osa. Połknął ją i użądliła go w gardło. Musiał być uczulony, bo gardło natychmiast spuchło i udusił się w ciągu paru minut.

– Skąd wiesz, że to się stało dwadzieścia osiem po ósmej?

– Okno było otwarte i kiedy staliśmy nad ojcem, zegar w pokoju wybił wpół do dziewiątej. Mogło upłynąć parę minut.

– Jle miałeś wtedy lat?

– Trzynaście. To poszło tak szybko. Siedzieliśmy w altanie i rozmawialiśmy, a w chwilę później już nie żył. Wieczór był ciepły. Pamiętam nawet, o czym rozmawialiśmy. Mama powiedziała później, że to był taki szok.

– Smutne. – Ann nie zdołała powiedzieć nic więcej.

– Nikt nie powinien tak umierać.

– Śmierć nigdy nie jest przyjemna.

– Coraz częściej o tym myślę – ciągnął Haver, stojąc na środku pokoju. – Próbuję zanurzyć się we wspomnieniach, przypomnieć sobie, jaki był ojciec, co mówił, jak brzmiał jego głos, ale nie mogę. Tak strasznie mało pamiętam. Niektórzy potrafią opowiedzieć całe swoje dzieciństwo, ale ja nie pamiętam prawie nic.

– Teraz sam jesteś ojcem.

– Pewnie dlatego teraz to wypływa.

– Kim był z zawodu?

– Budowlańcem – powiedział Haver i popatrzył na Ann, a jej na widok tego spojrzenia napłynęły do oczu łzy.

– Brzmi nieźle. Budowlaniec. Na pewno zbudował wiele pięknych domów.

Haver uśmiechnął się. Ann pomyślała, że jej komentarz zabrzmiał infantylnie i od razu go pożałowała. Tak mówi się do dziecka, budować piękne domy.

– Wiedziałem, że tak pomyślisz – rzekł i Ann zrozumiała, że docenił jej dziecinne słowa.

Przez chwilę milczeli. Haver spojrzał na nią jeszcze raz, jakby chciał coś dodać, ale się rozmyślił.

– Pozdrów rodzinę – powiedziała Ann.

Znów została w pracy, kiedy inni poszli już do domu. Myślała o siedmiorgu młodych ludziach, których zatrzymali i aresztowali na tak wątłych podstawach. Rozumiała, że prokurator i policja ugięli się pod naciskiem. Komendant policji wygłosił oświadczenie, że zatrzymano pewną liczbę podejrzanych i ma nadzieję, że „sprawa ataku terrorystycznego na tak ważną instytucję społeczną jaką jest telewizja" zostanie szybko rozwiązana. Dawało to bezsprzecznie nadzieję i w wydaniu wiadomości za kwadrans piąta uchwycono się tego optymistycznego przekonania z wiarą, że zostało oparte na faktycznych ustaleniach śledztwa. Dziennikarze pochwalili nawet uppsalską policję i przeprowadzili wywiad z wysoko postawionym funkcjonariuszem Säpo, który pławił się w blasku chwały.

Kac moralny przyjdzie jutro, jeśli przedpołudniowa konfrontacja nie wykaże związku żadnego z siedmiorga młodych ludzi z atakiem na telewizję. Ann nie miała pewności, jak zakwalifikować to przestępstwo, i postanowiła skontaktować się z prokuratorem.

Powinna była iść do apteki i kupić test ciążowy, ale nie zdążyła, a może raczej się wahała, czy to ma sens. Wczorajsza pewność ustąpiła miejsca wątpliwościom. Prawdopodobieństwo zajścia w ciążę mimo przyjmowania tabletek antykoncepcyjnych było nieskończenie małe i dlaczego właśnie ją miałoby to spotkać podczas zwykłej przygody na jedną noc?

Wsunęła rękę pod koszulkę i ostrożnie ścisnęła pierś. Rzeczywiście była trochę tkliwa, ale równie dobrze świętojańska zabawa mogła zostawić swoje ślady. Edvard potrafił być dość szorstki, doświadczyła tego już wcześniej.

Powinna była do niego zadzwonić, ale nie miała ochoty. Co ma powiedzieć? Przez cały ranek rozważała aborcję. Wtedy nie musiałaby nic mówić Edvardowi. Uderzyła ją myśl, że teraz ma dowód na to, że naprawdę mogła zajść w ciążę.

– Jeśli w niej jestem – mruknęła półgłosem.

Nie mam kogo spytać, pomyślała. Żadnej bliskiej przyjaciółki, której mogę się zwierzyć, porozmawiać, zapytać o radę. Mogła porozmawiać z Beatrice z wydziału. Była doświadczona, mądra i na pewno by nikomu nie wygadała. Ann jednak nie chciała zwracać się do koleżanki.To mogłoby wpłynąć na relacje w pracy. Miała poczucie, że gdyby otworzyła się przed Beatrice, znalazłaby się wobec niej w pewnej psychologicznej zależności.

Nienawidziła tego wewnętrznego rozbicia. Powinna włożyć wszystkie siły w śledztwo w sprawie Cederéna, MedForsk i TV4 i starać się je zakończyć przed urlopem. Urlopem z Edvardem. Teraz wszystko wywróciło się do góry nogami. Ugryzła się w dolną wargę, żeby zabolało. Wypełniał ją żal, że poszła do łóżka z obcym mężczyzną.

Długo nosiła w sobie nieokreślony niepokój. Wiedziała, że jej życie towarzyskie jest katastrofą. Prawie cały czas poświęcała pracy. Edvard nie był partnerem idealnym, ale tego właściwie się nie wybiera, myślała. Człowiek często znajduje się w sytuacjach, którymi trudno jest sterować. Teraz życie zaczynało ją doganiać. Nie było w tym nic niezwykłego. Widziała ten symptom u wielu kolegów, coś w rodzaju niesprecyzowanej tęsknoty za spokojem w pracy i równowagą między pracą i życiem prywatnym. Że też tak piekielnie trudno to połączyć. Nie sądziła, że to wyłącznie specyfika pracy w policji. Kraj wydawał się coraz bardziej rozbity, zarówno na poziomie jednostek jak i całego społeczeństwa. Brakuje czasu, jak powiedział ktoś parę dni temu, kiedy siedzieli i narzekali przy kawie w pokoju socjalnym.

Że też to musi być tak cholernie trudne! Niektórym jednak się udaje. Taki Ola. Dwoje dzieci i żona, którą kocha ponad wszystko. Jest zmęczony, ale się uśmiecha i w jego spojrzeniu widać tęsknotę. Jest taki oddany czemuś, czego ja nie znam. Nawet nie wiem, czy bym to rozpoznała, gdyby się pojawiło przed moim nosem.

Edvard mógłby być tym „czymś", gdybym miała teraz związać się z mężczyzną, a chyba tego chcę. Nie potrafię żyć sama. Moje życie staje się żałobną pieśnią ze śledztwami, pościgami i czerwonym winem wieczorem. Może za kilka lat zostanę komisarzem, w czarnej dziurze w społeczeństwie złożonym z emocjonalnych wraków.

Edvard mówił o jakimś pęknięciu. Miał ten swój język działacza związkowego, który często ją nudził. Życie nie polegało tylko na walce. Czasami, kiedy był spokojny i zrównoważony, ale również wtedy, gdy zaczynał agitować, potrafił choć częściowo wyjaśnić, co ma na myśli. Ann czuła, że przemawia przez niego jakieś dziedzictwo.

Edvard szukał, tak jak ona, związków i zaufania między ludźmi i znalazł je na Gräsö, pośród starszych ludzi – Violi, Victora i kuzynów, wymierającej generacji. Młode pokolenie było słabe i to go dręczyło.

Ann wiedziała, że dziecko uruchomiło w niej ten wewnętrzny monolog. Kiełkujące życie, które zmuszało ją do tego, by się zdecydowała, wyznaczyła obszar na planszy, na której ma grać. Na razie nie było na niej żadnych linii. Życie wydawało się niepewne, a za parę lat stuknie jej czterdziestka.

Westchnęła, wstała ciężko, jakby już była w zaawansowanej ciąży, wyszła z pokoju i powędrowała pustym korytarzem. Przypomniało jej się, jak przyszła po raz pierwszy do wydziału i mijała po kolei wszystkie drzwi, czytając tabliczki z nazwiskami, aż doszła do pokoju Ottossona.

Przyjął ją z wielką życzliwością i troską. Już od pierwszego dnia czuła się tu mile widziana i bezpieczna i nadal kochała swoje miejsce pracy, i szanowała większość kolegów. Gorzej było z życiem.

18

Ann obudziła się o wpół do szóstej. Czuła tkliwość w całym ciele i od razu uświadomiła sobie swój stan. Nic nie moglo jej zwieść. Nie było nadziei, by za kilka sekund, może minutę, kiedy minie poranne rozespanie, mogła myśleć i działać tak, jakby wszystko było jak zwykle. Aborcja przyszła jej do głowy jako pierwsze słowo. Nie miała do niej żadnych moralnych zastrzeżeń, ale teraz, gdy chodziło o nią samą, zrozumiała, że sprawa wcale nie jest taka prosta, jak jej się wydawało.

Pamiętała sytuacje, kiedy dyskutowała z przyjaciółkami, które roztrząsały same przed sobą lub innymi problem, czy urodzić dziecko, czy je usunąć? Wtedy była rozsądna i przedstawiała rzeczowe argumenty za oczywistym prawem kobiety do wolnego wyboru.

Nie ma wolnego wyboru, pomyślała. Jestem uwięziona w swoim ciele, pragnieniu dziecka i rozdarciu między pracą, Edvardem i nowym życiem. Z pewnością mogę usunąć ciążę bez wiedzy Edvarda, ale co dalej? Czy to nienarodzone dziecko nie stanie na zawsze między nami?

Wstała z łóżka. Powinna zmienić pościel. Tyle rzeczy powinna. Słońce świeciło przez szczelinę między roletami, rzucając smugę światła na podłogę i łóżko. Stała w jego blasku przez pół minuty, próbując jasno myśleć, ale myśli tylko wirowały bezładnie w jej głowie. Spojrzała na swoje nagie ciało z promieniem słońca na brzuchu.

– Wiecie, co się stało rano? – zagaił Haver.

Nikt się nie odezwał.

– Wdepnąłem w psią kupę! Wielką kupę tuż za drzwiami.

Sammy podniósł wzrok i uśmiechnął się.

– I jakie to uczucie?

– Cholera, obrzydliwość. Przed samymi drzwiami. Rozumiem jeszcze w parku lub na chodniku, ale przed drzwiami.

– Przecież mieszkasz w slumsach – zauważył Sammy.

– No pewnie.

– Dajcie spokój – burknęła Ann. – Mamy co innego do roboty niż gadać o psim gównie.

– W takim razie przepraszam – powiedział Haver wyszukanie grzecznym tonem.

Sammy i Haver wymienili spojrzenia.

– Eriksberg to slumsy – nie ustępował Sammy.

– Powiedz o tej kobiecie – rzekł Haver.

Widział po Ann, że nie mogą już dłużej jej drażnić.

– Zadzwoniła wczoraj wieczorem. Była wystraszona, ale mówiła z przekonaniem. Myślę, że ma więcej do powiedzenia.

– Skąd wiesz?

– Tak mi się zdaje – odrzekła sucho Ann.

Do pokoju wszedł Ottosson. Stanął niezdecydowany, pocierając brodę. Wszyscy patrzyli na niego, czekając na wiadomość.

– Prokurator postanowił wypuścić całą siódemkę tych młodych. Nic na nich nie mamy.

Usiadł.

– Myślę, że ma rację – dodał. – Odwrócił się do Ann i popatrzył na nią. Odebrała to spojrzenie jako współczujące, ale może tylko sobie to wmówiła. Może on po prostu jest zmęczony, pomyślała i próbowała się uśmiechnąć, ale jej nie wyszło.

– Czy jest jakiś związek? – rzuciła Ann w powietrze.

Nie podobało jej się spojrzenie Ottossona. Ile to razy stawiała sobie to pytanie w ciągu ostatnich dwunastu godzin.

– Trudno mi uwierzyć, że obrońcy praw zwierząt mordują ludzi – powiedział Haver i powtórzył to, co mówił poprzedniego wieczoru.

– Czyli kobieca intuicja? – zapytał szef wywiadu kryminalnego.

Dłubał bez skrępowania w nosie i Ann szybko odwróciła wzrok. Aborcja, pomyślala nagle.

– Że Cederén nigdy by nie odebrał sobie życia, a tym bardziej nie zabił rodziny – dokończył i wyjął kraciastą chustkę do nosa.

– Napisał na kartce „Przepraszam" – przypomniał Sammy.

Jego uwagę prawie zagłuszyło potężne trąbienie szefa wywiadu.

– To był jego charakter pisma – ciągnął Sammy. – Dlaczego to napisał, jeżeli nie przejechał żony i córki?

– Może przepraszał za samobójstwo? – podsunął szef wywiadu kryminalnego.

– Może w jakiś sposób się dowiedział, a nawet był świadkiem wszystkiego, śmierci żony i córki, i nie mógł z tym żyć – rozumował dalej Sammy.

– Czy nie powinien czuć złości, nienawiści, pragnienia zemsty i czego tam jeszcze – wtrącił Haver – zamiast tak po prostu się zagazować? To jakieś dziwaczne.

Ann czuła, że Ottosson czeka na jej komentarz, ale nie potrafiła wymyślić niczego odkrywczego.

Haver wstał nagle i zaczął krążyć po pokoju. Wszyscy przyglądali się jego niespokojnej wędrówce. Przystanął równie niespodziewanie i spojrzał na Ann, jak gdyby szukał u niej wsparcia.

– Przeszukamy całe Rasbo – powiedział głośno. – Zapukamy do każdych drzwi i jeśli będziemy mieć szczęście, znajdziemy kochankę Cederéna.

– Rasbo to duża gmina – zauważył Sammy.

Ann, która nie wychowała się w Upplandzie, miała mglisty obraz tego regionu.

– Okej – zgodziła się, głównie po to, żeby wyjść z impasu. – Polanę, na której znaleźliśmy Cederéna, potraktujemy jako punkt wyjścia, zakreślimy okrąg o promieniu jakichś dwóch kilometrów, zapukamy do każdych drzwi, mając nadzieję, że ryba połknie haczyk. Szczególną uwagę zwracamy na kobiety w wieku od dwudziestu pięciu do czterdziestu lat.

Wszyscy zdawali się rozważać propozycję i kiedy nikt się nie odezwał, Ann podjęła wątek.

– To będzie twoje zadanie, Ola. Ściągniemy tylu ludzi, ile się da – powiedziała, patrząc na Ottossona. To on powinien postarać się o to, by dostali jak największe wsparcie. Szef wydziału skinął głową.

– Dalej mamy TV4 – mówiła energicznie Ann, zadziwiając samą siebie. – Wiemy już, że blokady nic nie dały, tak samo przeszukania. Gdzieś krąży banda młodych ludzi, być może z materiałami wybuchowymi, choć ja nie wierzę w zawartość tej torby, gotowych na przyjęcie ostrzejszych metod. Sammy, ty bądź w kontakcie z Friskiem i sprawdź, co jego ludzie z bezpieki mogą jeszcze wyciągnąć. Tę siódemkę weźmiemy pod całodobową obserwację.

Znów spojrzała na Ottossona, lecz on miał zupełnie neutralny wyraz twarzy. Uznała to za znak aprobaty, choć wiedziała, ilu ludzi potrzeba do obserwowania siedmiu osób.

– Wypożyczymy ludzi ze śledczego. Sprawdzimy jeszcze raz nazwiska z list Friska. Jest tajemniczy jak zawsze, ale na pewno widzi swoją szansę, by zabłysnąć.

Ann chciała zakończyć spotkanie jak najszybciej i podjąć konkretne decyzje. Pragnęła zostać sama. Inni uznali to za przejaw entuzjazmu i zdecydowania.

Skończyli piętnaście minut później, zadowoleni z przełamania porannej bierności.

Ann wróciła do pokoju i zmusiła się do pracy. Zadzwoniła do prokuratora i powiedziała mu, co postanowili. To on jako prowadzący śledztwo formalnie podejmował decyzje, ale nigdy nie było z tym problemu. Współpraca układała się gładko i bez przeszkód.

Miał bystre spojrzenie i przyjemny głos. Starannie dobierał słowa, jakby skanował w myślach cały słownik przed ostrożnym wyłożeniem sprawy. Ann irytowała czasem jego powolność, ale ceniła go zarazem za dokładność i dobry osąd.

Rozmowę zakończyli w pełnym porozumieniu. Ann usiadła przy biurku i wyjęła notes, który zabazgrała już do połowy esami-floresami i luźnymi notatkami na temat MedForsk i rodziny Cederénów. Przekartkowała go wstecz, przyglądając się znakom zapytania, zawsze powiększonym po pytaniach, które wydawały się jej najistotniejsze.

Problem z tym śledztwem był taki, że znaki zapytania nie znikały, a ciągle dochodziły nowe. Zamknęła notes, nie znajdując w nim materiału do wykorzystania, i wzięła wydruki protokołów wczorajszych przesłuchań siedmiorga młodych ludzi.

Sądziła, że rozpoznaje po odpowiedziach różne typy osobowości. Jedni byli ewidentnie wystraszeni, inni bardziej nonszalanccy i oporni. Trudno było zgadnąć, co się kryje za tymi postawami. Ann próbowała odczytać coś między wierszami, lecz jej się nie udało. Wszyscy zdawali się mieć nie najgorsze alibi. Beatrice, Wende i parę innych osób zajmowało się sprawdzaniem informacji o tych młodych ludziach. Ann pomyślała, że byłaby zdziwiona, gdyby znaleźli coś przydatnego dla śledztwa.

Próbowała sobie wyobrazić, jakie to uczucie zostać wypuszczonym po nocy spędzonej w areszcie. Na pewno będą triumfować, niezależnie od tego, czy byli twardzi, czy bojaźliwi podczas przesłuchań. Ann czuła, że przesłuchania na policji i zamknięcie w areszcie zostaną im poczytane jako zasługi. Życiowe doświadczenie.

Zadzwonił telefon, przerywając tok jej myśli. Edvard, pomyślała, znów czując w żołądku ucisk, którego udało jej się pozbyć rano.

– To jeszcze raz ja – usłyszała kobiecy głos.

Ann natychmiast otworzyła notes.

– Dobrze, że pani dzwoni. Myślałam o tym, co mi pani powiedziała.

– Wierzy mi pani?

– Mam zbyt mało danych. Musi mi pani powiedzieć więcej.

Zapadła długa cisza. Ann słyszała oddech kobiety. Zdawało jej się także, że słyszy w tle cichy szum. To mógł być ruch uliczny albo na przykład zmywarka.

– Sven-Erik był moim przyjacielem. Bardzo dobrze go znałam i wiem, że nie potrafiłby nikogo zabić.

– Skąd ta pewność?

– Z całej jego natury. Sven-Erik był bardzo wrażliwym człowiekiem.

Głos kobiety zmienił się.

– Wiem, że nie odebrał sobie życia.

– Skąd pani wie?

Ann czuła narastające napięcie. Narysowała, szybko i mocno, kilka linii w notesie.

– Sven-Erik nienawidził ginu. Nigdy go nie pił.

– Co pani ma na myśli?

– Nigdy nie pił ginu – powtórzyła kobieta, jakby to wyjaśniało wszystko.

Ann przypomniała sobie teraz prawie pustą butelkę znalezioną w samochodzie. Cederén miał we krwi blisko dwa promile alkoholu i musiał być mocno wstawiony w momencie śmierci.

– Skąd pani wie, jaki alkohol znaleziono w samochodzie?

– Nieważne.

– Dlaczego nigdy nie pił ginu?

– Pił raz w młodości, kiedy miał piętnaście, szesnaście lat. Wtedy po raz pierwszy poważnie się upił i mocno pochorował. Myślę, że dostał też lanie od ojca.

Ann pomyślała o ojcu Cederéna, tak zdruzgotanym i bezsilnym. Czy to możliwe, że bił syna?

– Potem nie wziął do ust nawet kropli.

Ann czuła, że ta informacja jest prawdziwa.

– Ja lubię gin z tonikiem, ale nie mogłam go pić przy Svenie-Eriku. Odrzucał go sam zapach.

– Skąd pani wie, że znaleźliśmy butelkę ginu? – powtórzyła Ann.

– Wiem. To najważniejsze.

– I co z tego wynika?

– To oczywiste, że go zmusili. Gdyby chciał się upić, wybrałby słodową whisky.

Kobieta była już lekko zirytowana niedowierzaniem Ann.

– Proszę zapytać każdego, kto znał Svena-Erika.

– Może wybrał gin, żeby się ukarać?

Kobieta zignorowała pytanie Ann, jakby nie było warte komentarza.

– Ja go znałam, pani nie.

– Musimy się spotkać – powiedziała Ann. – Tylko we dwie – dodała szybko. – Pani wspomnienia są dla mnie ważne.

Znowu cisza. Oddech po drugiej stronie stał się szybszy. Ann szukała właściwych słów. Kobieta rozłączyła się.

Ola Haver dostał siedmiu kolegów do pomocy w poszukiwaniach w wyznaczonej części Rasbo. Nie była to bardzo znana miejscowość. Haverowi zdawało się, że pisał o niej Strindberg, i to bardzo nieprzychylnie. Kościół leżał dość daleko od głównej drogi, a Haver tego nie lubił. W tym punkcie zgadzał się ze Strindbergiem. Dość nowy budynek, może dziewiętnastowieczny, lśnił bielą i prowincjonalnym przepychem. Haver wolał niskie średniowieczne kościoły z granitu, które prawie wtapiały się w krajobraz. Robiły mniej pretensjonalne wrażenie.

Promień dwóch kilometrów od miejsca znalezienia Cederéna oznaczał sporą liczbę żwirowanych dróg i przynajmniej setkę domów, od wiejskich gospodarstw do nowoczesnych willi i domków letnich.

Frode Nilsson, wypożyczony z wydziału śledczego, pochodził z Rasbo i zabawiał Havera anegdotami i mniej lub bardziej prawdziwymi historiami. Haver zerkał na niego z boku. Prowadził nierówno, często hamował, po czym gwałtownie przyspieszał, by znów być zmuszonym do hamowania. Haver wolałby, żeby kolega mniej gadał i lepiej prowadził. Tamten był jednak bardzo ożywiony wspomnieniami z miejsc dzieciństwa. Postrzegał Rasbo zupełnie inaczej niż Strindberg. Pewnie wie lepiej, pomyślał Haver.

Ledwo wjechali do Jällarakan tuż za miastem, kiedy Nilsson zaczął swoją opowieść. Mówił ciepło o miejscach, w których rosły grzyby i jagody.

– Ale kościół jest brzydki – wtrącił Haver.

Frode Nilsson zahamował gwałtownie za śmieciarką firmy Ragnsells.

– Że też to cholerstwo nie zjedzie na bok! – wykrzyknął i sam zjechał na lewo, by sprawdzić, czy coś nie jedzie z naprzeciwka.

– Tu jest ograniczenie do siedemdziesięciu – zauważył Haver.

– Jasne, kościół może nie zachwyca, ale jest tyle innych rzeczy.

– Powinieneś zostać ambasadorem Rasbo.

– Jestem w towarzystwie krajoznawczym – powiedział Nilsson, wyprzedzając z fantazją. – Wydajemy pisemko „Migawki z Rasbo".

Haver skinął głową. Zaczynała się długa opowieść.

– Frötuna* padła, chyba o tym słyszałeś? Hrabia zbankrutował, niech to licho. On nigdy nie był sprytny.

Nilsson umilkł i przez chwilę nawet spokojniej prowadził.

– Ojciec tam pracował przez kilka lat.

Znowu umilkł.

– Pracowali u niego tacy współcześni wyrobnicy. On sam jest krewnym króla.

Gorycz w głosie Nilssona poruszyła w jakiś sposób Havera. Może za bardzo mu przypominała jego własnego teścia, starego robotnika leśnego. Próbował odwieść Nilssona od tematu hrabiego, pytając o miejsca do grzybobrania.

Powinniśmy zawsze mieć tę znajomość ludzi i miejsc, jaką ma Frode, pomyślał, kiedy mijali Vallby i supermarket ICA, w którym pracowała jego wielka nadzieja. Wpatrywał się uważnie w sklep, jakby licząc na to, że ją zobaczy.

Jechali dwójkami w czterech samochodach. W komendzie rozdzielili między siebie teren. Rewir Havera i Nilssona leżał w części północnej i zaczynał się od skrzyżowania koło Kallesta.

Haver patrzył na krajobraz, z którym nic go nie łączyło. Był stuprocentowym mieszczuchem od czterech pokoleń i, oględnie mówiąc, nie czuł się pewnie w lesie i na łące. Kiedyś

---

* Frötuna – folwark w gminie Rasbo, prowadzący działalność rolniczą i leśną. Od 1925 roku należy do rodziny Bernardotte.

jeździł oczywiście każdej jesieni do lasu, by trochę nerwowo szukać grzybów, ale było to bardziej ustępstwo na rzecz żony.

Nilsson rozłożył mapę i razem ustalili plan działania. Haver przeczytał nazwy wsi i gospodarstw. Był przekonany, że gdzieś tutaj mieszka kochanka Cederéna. W jednym z tych czarnych punktów na mapie czekała na wizytę kobieta w żałobie. Na pewno chciała, by ją odnaleźli. Chciała mówić, oczyścić Svena-Erika Cederéna.

Nilsson podjechał powoli do pierwszego gospodarstwa. Haver miał odznaczać miejsca i prowadzić protokół. Pierwsza była niewielka zagroda. Na werandzie stał kamionkowy wazon z fabryki w Höganäs, ze świeżymi kwiatami, lecz ogólnie panowała cisza i spokój.

– To stara zagroda żołnierska* – powiedział Nilsson.

Wszedł ostrożnie na podwórze, przyglądając się ze sporym zainteresowaniem drewnianym ścianom, jakby był potencjalnym kupcem.

– Tu z pewnością mieszkało kilkanaście osób. To dom jednoizbowy.

Haver zajrzał do środka przez jedno z okien. Stół z rozłożoną gazetą. Filiżanka.

– Idziemy – powiedział głośno, ale Nilsson już znikł.

Haver wrócił do samochodu, rozejrzał się wokoło, ale kolega się nie spieszył. Zabębnił palcami w dach samochodu. Nie byli na wycieczce krajoznawczej. Czekało ich jeszcze wiele domów i gospodarstw.

– Ostatni żołnierz nazywał się chyba Sandberg – powiedział Nilsson, kiedy zjawił się po paru minutach.

– Kiedy to było?

– Jakieś sto lat temu. Potem ten dom należał do Towarzystwa Promocji Ruchu Rowerowego. To było w latach pięćdziesiątych.

– Jesteś chodzącą encyklopedią – wyraził swe uznanie Haver.

– Ładne miejsce – rzekł Nilsson, rzucając ostatnie spojrzenie.

---

* Zagroda (szw. *torp*) – mały domek z działką, zwykle dzierżawiony. Od XVII wieku otrzymywali je także żołnierze za zasługi na wojnie.

Jechali drogami, wysiadali z samochodu i znów do niego wsiadali, pukali do drzwi i witali się z ludźmi, mówiąc, z czym przychodzą: czy ktoś widział cokolwiek, co można by powiązać z samobójstwem na polanie? Taką oficjalną przyczynę podawali.

Odbyli dużo rozmów. Nilsson zbierał informacje o wszystkim i wszystkich, robiąc użytek ze swoich umiejętności. Czasem spotykał osoby, które znały jego ojca. Szybko nawiązywał z ludźmi kontakt, jeszcze w drzwiach wejściowych i w drewutni. Odwiedzani od razu się ożywiali.

Haver miał wrażenie, że koledze zmienił się głos. Rozmawiając z mieszkańcami Rasbo, mówił też z innym akcentem. Tak, pomyślał, powinniśmy mieć na każdą gminę człowieka mówiącego lokalnym dialektem. Wtedy można mówić o straży gminnej. Jego irytacja malała z każdą chwilą.

W ciągu godziny odwiedzili czternaście domów. Drzwi otworzono im w dziewięciu. Haver zanotował, że wszystkie mogą wykluczyć. Po rozmowach mogli także wykreślić pozostałych pięć. Żaden z właścicieli nie był osobą, której szukali. W trzech z nich mieszkali emeryci, w dwóch małżeństwa po pięćdziesiątce.

Haver zaczął tracić nadzieję. Kobieta Cederéna była jego sprawą. To on przez pokwitowania ze stacji benzynowych znalazł drogę do ICA i Vallby, to on dowiedział się od sprzedawczyni, że kobieta prawdopodobnie mieszka w rejonie Östhammarsvägen.

Zadzwonił do pozostałych trzech samochodów. Żaden nie trafił na ślad kobiety. Fridman w jednym miejscu wyczuł zapach zacieru i był przekonany, że pędzą tam bimber. Zostaw to, dał mu do zrozumienia Haver. Fridman chrząknął w odpowiedzi.

Piętnasty dom był rozbudowaną zagrodą. Wysoki, malowniczo otoczony starymi pastwiskami. Wzdłuż drogi płynął wąski strumyk i musieli przejechać przez kamienny mostek, by dostać się do domu. Niebieski opel, na oko dziesięcioletni, stał zaparkowany przed czymś, co Haver uznał za drewutnię.

Kiedy wjechali na podwórze, zaczął mżyć deszcz. Za krzakami mignęła im jakaś sylwetka, albo raczej dostrzegli ruch. Haver wskazał głową w tamtym kierunku.

– To musi być stary dom Södergrena – stwierdził Nilsson. – Został przebudowany.

Kobieta, która z pewnością słyszała ich samochód, stała odwrócona do nich plecami. Niosła zielony kosz na liście oparty o biodro. Odwróciła się, kiedy Haver zakaszlał. Od razu wiedział, że dobrze trafili. Czekała na nich.

– Dzień dobry, Ola Haver z policji kryminalnej. Jeździmy po okolicy z powodu nieszczęśliwego zdarzenia, jakie miało miejsce tam w lesie – powiedział, wykonując nieokreślony ruch ręką. – Może pani o tym słyszała.

Kobieta postawiła kosz i wytarła dłonie o spodnie. Była blondynką w wieku około trzydziestu pięciu lat. Skinęła głową, ale postawę miała jeśli nie wrogą, to przynajmniej pełną rezerwy.

– Robi pani porządki w ogrodzie – zauważył Nilsson i rozejrzał się dookoła.

– Może pani coś widziała?

– Co miałabym widzieć?

Jej niski głos zdradzał, że pochodziła z południowej Szwecji.

– Coś nietypowego.

– Przecież on popełnił samobójstwo.

– Właśnie – rzekł Nilsson – ale my nie rozumiemy, dlaczego. Na pewno czytała pani o tym w gazecie. Nie lubimy pytań bez odpowiedzi.

Jego głos brzmiał dobrodusznie i kiedy przyklęknął przy grządce z kiełkującymi roślinami, Haver przestraszył się, że znów zacznie mówić o ogrodnictwie.

– Może jednak nie odebrał sobie życia – powiedział Nilsson, podnosząc wzrok znad rzodkiewek.

Jej twarz nawet nie drgnęła, tylko patrzyła przez chwilę na łąkę, jak gdyby coś tam usłyszała.

– Nic nie wiem – odparła krótko tonem, który zwykle definitywnie kończył rozmowę.

– Ładny groszek – zauważył Nilsson. – Sama zrobiła pani tę kratę?

Po raz pierwszy się uśmiechnęła.

– To Salix – powiedziała.

– Wiem. Moja staruszka też to uprawia.

Haver nie mógł powstrzymać uśmiechu. „Staruszka", żona Nilssona, nie miała jeszcze czterdziestu lat.

– Może nie odebrał sobie życia – powtórzył Haver.

– Chce pan powiedzieć, że ktoś go zabił?

Haver nie odpowiedział na pytanie, tylko zwrócił się do kolegi.

– To co, jedziemy dalej?

– Można rzodkiewkę? – zapytał Nilsson.

Kobieta kiwnęła głową.

Kiedy wyjechali tyłem z podwórza, stała jak porażona w tej samej pozycji, w jakiej ją zostawili, ale kiedy znikała z pola ich widzenia, Haver miał wrażenie, że podniosła rękę, jakby chciała ich zatrzymać, a może tylko pomachać na pożegnanie. Przez moment chciał poprosić Nilssona, by zawrócił, ale była lepsza alternatywa.

– Myślisz, że to ona – powiedział Nilsson.

– Tak – odrzekł Haver, po czym otworzył notes i wziął komórkę. Wklepał jakiś numer. Może ona jest jeszcze w sklepie. Teraz są przecież otwarte dość długo.

Odebrał kierownik sklepu. Mieli już zamknięte i był sam. Tak, Ulrika Olsson, ekspedientka, z którą rozmawiał, mieszka niedaleko. Dał Haverowi jej numer.

– Wiesz, gdzie leży Karby? – zapytał Nilssona, który rzucił mu w odpowiedzi rozbawione spojrzenie.

Ulrika Olsson karmiła kury, kiedy przyjechali.

– Szybcy jesteście – powiedziała. – Myślałam, że dzwoniliście z miasta.

Była chętna jechać z nimi z powrotem do zagrody.

– Tylko się przebiorę – rzuciła i pobiegła lekkim krokiem do domu.

– Żwawa dziewczyna – stwierdził Nilsson, który z każdą godziną spędzoną w Rasbo zdawał się być w coraz lepszym humorze.

Ustalili, że Ulrika zostanie w samochodzie, kiedy oni będą rozmawiali z kobietą. Mieli nadzieję, że zastaną ją jeszcze na podwórzu, by dziewczyna mogła na nią spojrzeć i powiedzieć tak lub nie.

Haver czuł narastające napięcie, w miarę jak zbliżali się do zagrody. Nilsson przez cały czas gadał, próbując wybadać pokrewieństwo Ulriki z innym Olssonem z okolic Rasbo. Haver wykręcał głowę do tyłu i patrzył z niepokojem na potężne pnie drzew rosnących wzdłuż wąskiej drogi.

Kobieta była wciąż na dworze. Nie upłynęły więcej niż trzy kwadranse, ale Haver i tak się zdziwił. Stała schylona nad grządkami. Haver nie mógł się powstrzymać od dokładnego zlustrowania jej ciała, z pupą i zgrabnymi udami pod zielonymi spodniami roboczymi. Nilsson wymownie na niego spojrzał.

Haver lekko zakaszlał. Kobieta drgnęła i odwróciła się tak szybko, że omal nie straciła równowagi. Wyglądała na przestraszoną, ale próbowała to ukryć, przesuwając szybkim ruchem dłonią po twarzy.

– Aha – powiedziała mało zachęcającym tonem.

– O czymś zapomnieliśmy – rzekł Nilsson. – Zapisujemy nazwiska i numery telefonów wszystkich osób, które odwiedzamy.

Haver nie wierzył, że kobieta jest na tyle naiwna, by przyjąć takie proste wyjaśnienie.

– Gabriella Mark. Ale mój numer jest zastrzeżony.

Usiadła na brzegu ławki i patrzyła na obu policjantów z wyczekującym wyrazem twarzy, jakby się spodziewała dalszego ciągu. Haver wyczuwał, że jest zmęczona i w pewnym sensie cieszy się z ich powrotu. Dali jej pretekst, by zrobić sobie przerwę w pracy.

Radiowóz stał kilkanaście metrów dalej, ale krzaki zasłaniały częściowo widok. Wstań, pomyślał, przejdź parę kroków.

– To jest mój numer telefonu, gdyby sobie pani coś przypomniała – powiedział, wyciągając wizytówkę, lecz Gabriella Mark nie kwapiła się do wstania. Haver musiał do niej podejść. Kobieta spojrzała na niego wzrokiem bez wyrazu, wzięła wizytówkę i włożyła do kieszeni na piersi kombinezonu, nawet na nią nie patrząc.

Haver pomyślał, że płakała. Z całej jej postaci wyzierała samotność. Sama spulchniała ziemię i siała. Kto zje wszystkie te warzywa?

– To ona – rzekła Ulrika Olsson, kiedy wrócili do samochodu – jestem pewna.

Haver zadzwonił do pozostałych śledczych i odwołał poszukiwania. Satysfakcję z odnalezienia jej przysłaniała jednak świadomość, że teraz będą musieli ją niepokoić, przesłuchiwać, może wymuszać wspomnienia, które wolałaby wyprzeć. Miewał to uczucie już wcześniej. Grzebanie w czyimś nieszczęściu wiele razy było jego niewdzięcznym zadaniem.

– **Gabriella Mark** – powtórzyła Ann Lindell. – Ładne imię. Jaka ci się wydała?

– Krucha i silna jednocześnie – odrzekł Haver.

Myślał o jej ciele. Ładne ciało, podkreślone przez sprane i znoszone ubranie robocze. Silne dłonie, ubrudzone ziemią, kontrastowały ze smutnym spojrzeniem.

– Podobało mi się, że pracowała przy warzywach – powiedział.

– Ciekawe, czemu zaprzecza, że znała Cederéna? – zastanawiał się Nilsson.

Haver nie był zdziwiony.

– Myślę, że chciałaby rozmawiać z kobietą – powiedział.

Ann spojrzała na niego i przyznała mu rację. To do niej Gabriella zadzwoniła anonimowo i chyba nie tylko dlatego, że Ann Lindell prowadziła śledztwo.

Ustalili, że pojedzie tam rano. Czuła się zbyt zmęczona, by jechać od razu. Może nawet lepiej, że kobieta będzie miała czas do namysłu. Haver był pewny, że Gabriella Mark się domyśliła, że została rozpoznana.

Ann jechała przez miasto powoli, prawie z ociąganiem. Letni wieczór był ciepły. Patrzyła na ludzi z uczuciem zazdrości. Spacerowali, siedzieli w kawiarnianych ogródkach, pili piwo i głośno rozmawiali. Inni zmierzali zdecydowanym krokiem w stronę celu, który Ann mogła tylko zgadywać. Jedni z pewnością szli do kina, inni do pubu albo po prostu wracali do domu po pracy.

Na moście Nybron stała grupka młodych ludzi, na oko czternasto-, piętnastolatków. Wtargnęli na przejście dokładnie w chwili, kiedy Ann przez nie przejeżdżała, i musiała się zatrzymać. Próbowała się do nich uśmiechnąć, ale wyszedł jej tylko grymas. Jedna z dziewczyn spojrzała na nią z zaciekawieniem. Kiedy przeszła przez ulicę, odwróciła głowę i ich spojrzenia spotkały się na chwilę. Co zobaczyła, pomyślała Ann. Samochód za nią zatrąbił.

Skręciła w prawo, na most. Nie chciała jechać do domu. Przy Slottsbacken siedział mężczyzna, opierając się o drzewo. Czytał gazetę. Obok stała puszka piwa.

Jej miasto. Jego mieszkańcy, których miała chronić i im pomagać, bo za to jej płacili. Ładne miasto z ciepłym wiatrem wiejącym między domami i w zielonych parkach. Lubiła Upsalę, a jednak czuła się bardziej obco niż zwykle. Tak jakby miasto jej nie dotyczyło. Oznaczało tylko pracę i nic innego. To sobie uświadomiła, jeżdżąc bez celu po dzielnicy centralnej.

Przy placu Martina Luthera Kinga spotkała kolegę w cywilnym samochodzie. Wyciągnęła rękę w pozdrowieniu.

Przed kinem Fyris stała samotna kobieta. Jakiś mężczyzna wyszedł zza rogu, uśmiechnęli się do siebie. Ann odwróciła wzrok.

19

Gabriella Mark wzięła ostatnie skrzynki na nasiona i ułożyła starannie w stos w szopie. Do następnego siewu upłynie jeszcze trochę czasu. Prawie cały rok. Stała przez chwilę z ostatnią skrzynką w ręce, przesuwając palcami po żłobieniach na jej spodzie. Świadomość, że sezon upraw się skończył, rośliny są na swoim miejscu i zaczynają kiełkować w inspektach i w naturze, przeraziła ją. To przecież nie był koniec, minie jeszcze parę miesięcy, nim będzie zbierać ostatnie warzywa. Niektóre pozostaną nawet do pierwszego śniegu, ale ten najprzyjemniejszy etap siewu, przeszczepiania i sadzenia już się zakończył.

Umieściła ostatnią skrzynkę na stosie. Wieczorne słońce świeciło nad podwórzem. Z oddali dobiegał smutny śpiew kulika. Lęgły się w okolicy już drugi sezon. Gabriella uwielbiała głos tego ptaka. Był jej pieśnią, tęskną i melancholijną.

Poszła powoli w stronę domu. Nie spieszyła się, przystanęła, wdychając ciężki zapach jaśminowca. Usłyszała słaby warkot, jakby samochodu lub traktora, który po chwili umilkł.

– Sama – powiedziała cicho.

Nie wiedziała, czy będzie jeszcze siać nasiona. To może być jej ostatnie lato w tym domu. Mogła go sprzedać. Ceny nieruchomości wzrosły i sporo by na tym zarobiła. Czemu ma tu jeszcze mieszkać, skoro Sven-Erik już nigdy nie przyjdzie?

Miała nadzieję, że on zamieszka tu na stałe, że się rozwiedzie, tak jak ostatnio mówił. Wiedziała, że poważnie o tym myśli. To nie jest w porządku, pomyślała, siadając na ganku.

Czy policja tu wróci? Zadawała sobie to pytanie przez całe popołudnie. Byłoby dziwne, gdyby tego nie zrobili. Czuła, że rozpoznali ją jako przyjaciółkę Svena-Erika. Co o niej myśleli? Już się tym nie przejmowała.

Koniecznie musi jeszcze raz zadzwonić do Ann Lindell. Podczas ostatniej rozmowy nawiązały jakiś kontakt. Gabriella sądziła, że może zaufać Ann. Była kobietą i coś w jej głosie zdradzało, że zrozumie. Miłość nie wybiera, pomyślała. Miłość do Svena-Erika, mężczyzny żonatego i tak różnego od niej, nie była rozsądna. A może właśnie to było dla niej takie emocjonujące i zbawienne. Patrzył na jej życie innymi, nowymi oczami. Często powtarzał, że tęskni za spokojniejszym życiem i postrzegał jej dom jako azyl. Zmieniał się stopniowo. Przy każdym kolejnym spotkaniu widziała, jak przesuwa granice.

Na pewno zabiła go praca. Ta sama praca zabiła jego żonę i dziecko. Nie miała co do tego wątpliwości, ale jak przekonać Ann Lindell? Oni chcieli zrobić z tego dramat namiętności – człowiek, który nie wytrzymał podwójnego życia. Sven-Erik nie był jednak taki. W miarę upływu czasu stawał się coraz weselszy i bardziej otwarty.

Praca go wyniszczała, lecz u jej boku się regenerował. Czemu więc miałby ją opuścić? A może były to tylko jej fantazje, zbudowane na marzeniach o życiu z mężczyzną?

Nie potrafiła żyć sama. Wiedziała o tym. Uprawa warzyw była tylko zabijaniem czasu, formą terapii, oczekiwaniem na prawdziwe życie. Z początku gardziła sobą za te myśli, za to, że jest zależna od mężczyzny, ale rozumiała, że miłość jest siłą, która mogłaby ją uzdrowić. Potrzebowała ciepła drugiego człowieka.

Sobril, którym się faszerowała od kilku dni, spowalniał jej ruchy. Myśli powracały jak melodia z pozytywki. W jej głowie wciąż grała przygnębiająca muzyka. Mimo zamroczenia rozumiała, że musi z tym skończyć, tylko nie wiedziała jak. Nie widziała dla siebie żadnego wyzwolenia.

Z lasu po drugiej stronie drogi usłyszała lekki szelest. Pomyślała, że to pewnie łosza ze swym kulawym cielakiem przyszła się najeść świeżych roślin na skraju niewielkiego mokradła. Wpatrywała się w zieleń, próbując dostrzec zwierzęta, ale prawdopodobnie były jeszcze ukryte w lesie. Cielak długo nie pożyje, pomyślała Gabriella. Nie można przemieszczać się daleko z rannym młodym, które pewnie padnie przed zimą.

Zostawiła inspekty i wyszła na drogę. Wiązówka na poboczu wydzielała słodki zapach. Urwała kilka szypułek. W lesie panowała cisza. Zmrok zapadał między olchami i starą jabłonią, której niedojrzałe owoce nabrały kształtu i zaczęły rosnąć. W oddali usłyszała turkawki. Coś zachrzęściło u jej stóp. Po żwirze pełzł pokryty śluzem ślimak. Jedna z czułek odstawała w bok w jego zdeformowanej głowie.

Poczuła obrzydzenie i szybko zawróciła do domu. Podmuch wiatru pchnął ją lekko w plecy, przyspieszając jej krok.

Sama. Osiemset metrów do najbliższego sąsiada. Wokół gęsty las. Jedyne żywe istoty to łosza i jej młode.

Odwróciła się szybko i spojrzała w stronę lasu. Znów usłyszała szelest. Stała nieruchomo, próbując ustalić jego źródło. Może wydawały go sowy, które właśnie miały w lesie lęgi.

Zadrżała i zamknęła za sobą drzwi. W tej samej chwili zegar na ścianie w kuchni wybił ósmą. Rozpłakała się.

20

Sygnały mieszały się z obrazami ze snu. Biegła długimi, lekkimi susami jak antylopa, kiedy mieszkanie przeciął ostry dźwięk telefonu. Odwróciła się, lecz jej prześladowcy byli daleko. Udało jej się ich pozbyć. Czy teraz ma to zmarnować, bo musi odebrać telefon? Przystanęła zdyszana. Mogli dzwonić z apteki.

Wracała powoli do rzeczywistości i zaczęła szukać po omacku słuchawki, patrząc jednocześnie na zegar.

Edvard. Oprzytomniała błyskawicznie.

– Nie, nie obudziłeś mnie – powiedziała i usiadła na łóżku.

– Chciałem tylko podziękować za ostatnie spotkanie.

– Ja też dziękuję.

Wpół do ósmej. Powinna już być w pracy.

– Co u ciebie?

Nie dzwoń do mnie! Daj mi spokój!

– Urwanie głowy – powiedziała i wstała z łóżka.

– Będę w mieście po południu. Pomyślałem, że moglibyśmy się zobaczyć wieczorem.

Ann szła półprzytomna do toalety.

– Nie wiem – powiedziała słabym głosem.

– Moglibyśmy coś zjeść. Ma być ładna pogoda.

– Nie wiem – powtórzyła.

– Coś się stało?

– Nie, tylko mam mnóstwo pracy. Chyba będę musiała pracować.

Słyszała w jego głosie rozczarowanie. Rozumiała, jak trudno było mu się przemóc i zadzwonić. Nie był człowiekiem, który chętnie przejmował inicjatywę.

– Może – powiedziała.

W lustrze zobaczyła chorobliwie bladą twarz. Sen pozostawił na niej ślady.

– Wyślij mi sygnał na komórkę – powiedział.

Podniosła klapę od sedesu.

– Chciałbym się z tobą spotkać – dodał.

Ann wmuszała w siebie śniadanie. Płatki z maślanką rosły jej w ustach. O kawie nawet nie było co marzyć. Przeglądała „Upsala Nya", czytając właściwie tylko nagłówki.

Minęło piętnaście dni od śmierci Josefin i Emily. Nie mieli przełomu w śledztwie. Jeśli Sven-Erik Cederén naprawdę był niewinny, malały szanse znalezienia sprawcy. Z każdym upływającym dniem zbliżała się też do decyzji, czy urodzić, czy wybrać aborcję.

Wybór aborcji wydawał jej się w jakimś sensie niemoralny. Emily umarła i Ann miała poczucie, że jej dziecko będzie swego rodzaju rekompensatą za tamto utracone życie, że jest jakiś sens w tym, że teraz zaszła w ciążę.

Śmieszne, pomyślała i złożyła gazetę. Była spóźniona, ale nie mogła się zmusić do pośpiechu. Chciał się z nią spotkać. Czy powinna mu powiedzieć? To będzie oznaczało koniec ich związku. On by tego nie przyjął. Nigdy.

O godzinie dziewiątej Ann Lindell weszła do swojego pokoju. W korytarzu spotkała Sammy'ego Nilssona, który powiedział jej „cześć" i spojrzał na nią pytającym wzrokiem. Tak bardzo to widać? – pomyślała, rzucając notes na biurko.

Zadzwonił telefon. To był Haver.

– Jedziesz teraz do Gabrielli Mark?

– Za jakąś godzinę.

– Opiszę ci drogę.

Ustalili, że Ann pojedzie sama do kochanki Cederéna.

Ann wyobrażała ją sobie, jak czeka. Na pewno w ogrodzie, sądząc z malowniczego opisu pracy Gabrielli Mark, jaki przedstawili Haver i Nilsson.

Poranne znużenie i zniechęcenie zaczęło ustępować miejsca ciekawości, jaka ona się okaże, jakie informacje poda. Skąd wiedziała, że Cederén pił gin?

Ann miała przeczucie, że ta informacja jest ważna. Jeśli naprawdę nie pijał ginu, znaczyło to, że brał w tym udział ktoś inny. Został zmuszony do wypicia znienawidzonego alkoholu.

Ann dopiero teraz zrozumiała w pełni, co to oznacza. Ktoś inny zabił Josefin i Emily. Gdzieś krył się nieznany, bezwzględny morderca.

Może spotkam się z Edvardem, pomyślała Ann, przejeżdżając przez Jälla. Ale on powiedział, że będzie po południu. Nie wspomniał, w jakiej sprawie. Nieczęsto jeździł do Uppsali, więc może chciał się tylko z nią spotkać?

Od kościoła w Rasbo do domu Gabrielli starała się skupić myśli na śledztwie i kobiecie, z którą za chwilę się spotka.

Opis Havera był dokładny i nie musiała się zastanawiać, jak jechać. Pierwszą rzeczą, o jakiej pomyślała, gdy dotarła na miejsce, był kontrast z Uppsala-Näs i willą, w której mieszkali Cederénowie.

Nie dostrzegła kobiety na podwórzu ani wśród inspektów. Zapukała do drzwi, obejrzała się i czekała. Czuła się obserwowana. Zapukała ponownie, tym razem trochę mocniej.

Zadzwoniła jej komórka, ale od razu odrzuciła połączenie. Drzwi nie były zamknięte. Zajrzała do środka i zawołała imię kobiety. W domu panowała całkowita cisza. Ann weszła przez sień i mały przedpokój do kuchni. Na stole stała filiżanka. Kuchnia była czysta i oszczędnie wyposażona. Gabriella Mark miała dobry gust.

Ann zajrzała do jedynego pokoju na parterze, po czym poszła na górę.

– Gabriella! – zawołała, ale nikt jej nie odpowiedział. Nabrała pewności, że dom jest pusty, kiedy weszła po skrzypiących schodach i zajrzała do dwóch pokoi na piętrze.

Samochód stał na podwórzu i drzwi nie były zamknięte, lecz nie mogła się dopatrzeć jakichkolwiek oznak życia. Pewnie się z nią minęłam, pomyślała i wyszła z pustego domu. Stała przez chwilę na schodach, rozglądając się po podwórzu.

Przeszukała budynki gospodarcze i piwnicę. Ani śladu Gabrielli Mark. Poczuła się nieswojo. Czyżby kobiecie zabrakło odwagi, by spotkać się z Ann? Może ukryła się w lesie?

Ann zatrzymała się przy warzywniku. Koledzy nie przesadzali. Panował tu wzorowy porządek. Nie była entuzjastką ogrodnictwa, ale domyślała się, ile pracy wymagały wypielęgnowane grządki.

Usiadła na ławce. Może Gabriella Mark załatwiała jakąś sprawę w okolicy. Ann rozejrzała się dokoła. W lesie było spokojnie, a cisza panująca w zagrodzie wprost przytłaczała. Wcześniej minęła jedno gospodarstwo, prawie kilometr przed domem Gabrielli, ale jeśli miała tam jakąś sprawę, chyba powinna była wziąć samochód? Ona sama przynajmniej by tak zrobiła. Może wyszła z psem. Ann pomyślała o pointerce Cederénów.

Czekała jeszcze pół godziny, nim dotarło do niej, że Gabriella Mark szybko nie wróci. Jeśli ukryła się w lesie, by nie spotkać się z policjantką, pozostanie tam tak długo, aż Ann odjedzie.

Wyjęła telefon i zadzwoniła do Havera.

– Nie podoba mi się to – powiedziała, a kolega się z nią zgodził.

– Myślisz, że coś się stało?

– Nie wiem – powiedziała Ann – ale sądzę, że gdzieś się ukrywa. Usłyszała mnie i uciekła do lasu. Chyba powinnam udać, że odjeżdżam, a potem wrócić pieszo. Może wtedy odważy się wyjść.

W drodze do samochodu otworzyła pojemnik na śmieci i zajrzała do środka. Pusty. Irytacja spowodowana zachowaniem kobiety jeszcze się nasiliła. Nie miała czasu na zabawę w kotka i myszkę. Gabriella z pewnością miała jakieś informacje i Ann nie mogła zrozumieć, dlaczego tak jej zależało, by jej uwierzyła, żeby później się przed nią ukryć.

Odjechała mniej więcej kilometr, minęła dom sąsiadów i skręciła w leśną dróżkę, by tam zaparkować. Droga powrotna zajęła jej dobre dwadzieścia minut. Dawno nie spacerowała po lesie. Ostatni raz w zeszłym roku z Edvardem.

Zapachy przywołały wspomnienia i zbliżyła się do skraju lasu przy zagrodzie w melancholijnym nastroju. Dom z ładnym ogrodem sprawiał nierzeczywiste wrażenie. Czy mógłby kryć się w nim człowiek, który miał coś wspólnego z morderstwem? To wydawało się nieprawdopodobne.

Ann czuła jednak, że Gabriella nie żyła całkiem spokojnie. Słychać było w jej głosie, że nosi w sercu wielki smutek i lęk.

Ann nie mogła dłużej czekać, bała się, że się zagubi we własnych myślach. Nie chciała poddawać się emocjom, tylko jasno myśleć i działać jak policjant prowadzący śledztwo. Została jednak w tym samym miejscu. Jeśli czegoś musiała się nauczyć, to czekania.

Czekała w ukryciu ponad godzinę, nim znów podeszła do domu, równie pustego i cichego jak przedtem.

Stanęła niezdecydowana na podwórzu, zadzwoniła do Havera i podjęli decyzję, że zaczną szukać kobiety.

Po skończonej rozmowie wpadła na pewien pomysł i zeszła do ziemianki. W dziurce tkwił potężny klucz i Ann z pewnym trudem zdołała otworzyć drzwi. Uderzył ją zapach ziemi i starych ziemniaków.

Półki zapełnione słoikami i butelkami świadczyły o tym, co Gabriella robiła z plonami swoich upraw. Ann miała wyrzuty sumienia, że zostawiła otwarte drzwi i wpuściła ciepłe powietrze. Nie było tu Gabrielli Mark, tylko sok i konfitury.

Na prawo od ziemianki stała stara, rozpadająca się stodoła. Przez dużą dziurę w ścianie szczytowej prześwitywały zardzewiałe żłoby. Pokrzywy wdarły się do środka i kiełkowały teraz między grubymi deskami podłogowymi.

Przeszła się wokół stodoły. Na ścianie wisiało sporo podków. Pod przeciwną ścianą leżał kopiec kamieni. Omszałe głazy piętrzyły się na wysokość trzech metrów. Widok ten przypominał jej wykopaliska. Tu mieszkańcy zagrody przenosili kamienie z podwórza.

– Edvardzie – powiedziała półgłosem – podobałoby ci się tutaj.

Pomyślała o Edvardzie i kaszycy, którą zbudował w zimie. Tu miałby mnóstwo materiału.

W stercie kamieni było coś, co ją przyciągało. Wysiłek mieszkańców zagrody, masywny ciężar granitowych kamieni pokrytych mchem i porostami sprawiał melancholijne wrażenie. Wiedziała, że to wpływ Edvarda. Mówił o krajobrazie i o śladzie, jaki pozostawia w nim człowiek, o znoju kryjącym się za pięknem.

Kiedy obeszła stertę, od razu wiedziała, że coś jest nie tak. Parę kamieni zostało przeniesionych z ich pierwotnego miejsca. Mech był wytarty, a trawa przed stertą głazów zdeptana. Ktoś niedawno tutaj był.

Ann zesztywniała ze wzrokiem utkwionym w kamiennym kopcu. Nie chciała widzieć tego, co zobaczyła. Ktoś przeniósł kamienie i położył je z powrotem, ale nie udało mu się odtworzyć wrażenia nietkniętego od lat kulturowego dziedzictwa.

Dlaczego? Istniały tylko dwie możliwości. Ktoś albo coś wyjął spod kamieni, albo coś tam włożył.

Po raz trzeci zadzwoniła do Havera. Dzwoniła do niego, bo Gabriella Mark była jego tropem.

– Może ściągniemy tu techników, zanim zacznę grzebać – powiedziała.

Haver przyznał jej rację, pewnie głównie dlatego, że sam miał do niej dołączyć.

Gabriella Mark została uduszona. Ryde i Haver razem zdejmowali kamień po kamieniu, aż odsłonili ciało. Na twarzy ofiary zostało trochę mchu. Miała związane ręce. Wokół szyi widniały wielkie sińce. Krwawiła z nosa.

– Kamienna trumna – powiedziała Ann.

– Co? – zdziwił się Ryde.

– Kamienna trumna – powtórzyła Ann i spojrzała na zegarek: dwunasta trzydzieści dwie, piątek trzydziesty czerwca.

Haver się jej przyglądał.

– Dlaczego tu przyszłaś? – zapytał.

– Z powodu Edvarda – powiedziała.

Czuła na sobie pytające spojrzenia kolegów, ale nie próbowała im niczego wyjaśniać. Patrzyła na kobietę. Wczoraj żywą, dzisiaj martwą. Powinny teraz siedzieć razem i rozmawiać. Ktoś ją uprzedził.

– Nie ma zbyt wiele na sobie.

Haver nie mógł oderwać wzroku od jej prawie nagiego ciała.

– Co ona wiedziała? – zapytał.

– Sądziła, że Cederén został zmuszony do wypicia ginu – odrzekła Ann.

Ryde z zaciekawieniem podniósł wzrok. Ann powtórzyła rozmowę z Gabriellą.

– Po co zmuszać kogoś do picia alkoholu?

Ann zawahała się.

– Po to, by morderstwo wyglądało na samobójstwo. Myślę, że został zamordowany – powiedziała w końcu.

Ryde i Haver spojrzeli na nią jednocześnie. Mieli wrażenie, że coś jest blisko, niewidzialne dla oczu, lecz wyczuwalne w powietrzu. Ann widziała w twarzy Rydego zmęczenie. Zza jego zwykłej fasady twardziela przebijała bezsilność i znużenie. Uchwycił spojrzenie Ann i odwrócił się w stronę ciała.

– Zamordowany? – powtórzył Haver. – Czy to oznacza, że ktoś napoił Cederéna znienawidzonym ginem, a potem zatruł go spalinami?

Ann kiwnęła głową.

– Jak wytłumaczysz fragment ubrania Josefin na samochodzie Cederéna?

– Może on prowadził, może ktoś inny – odpowiedziała.

– Chcesz powiedzieć, że morderstwo w Uppsala-Näs zostało zainscenizowane tak, by wskazywało na Cederéna? – upewnił się Ryde.

Ann znów kiwnęła głową. Zaczynały ją męczyć ich szkolne pytania.

– Nie wiem, ale to jest chyba bardziej skomplikowane, niż się nam z początku wydawało.

Ann przeszukała zagrodę wraz z Haverem i Berglundem, który do nich dołączył. Jak zwykle zaczęła od kuchni. Haver skierował się do sypialni, a weteran Berglund do pokoju dziennego.

Kredens kuchenny był starego typu, jak ten, który Ann pamiętała z domu swojego dzieciństwa w Ödeshög. Teraz rodzice wymienili go na nowy z ciemną dębową okleiną i mosiężnymi uchwytami, lecz Ann wolała stary z drewnianymi gałkami i półkami z surowego drewna, wyłożonymi papierem przymocowanym pinezkami.

Przejrzała stosy talerzy i półmisków, zajrzała do każdej filiżanki i garnka. Niektóre sztuki porcelany były stare, wczesny Gustavsberg*, resztki pełnego serwisu. Gabriella Mark nie należała do społecznej elity. Porcelana była funkcjonalna i pozbawiona szczególnej finezji. Nie kupiła jej w drogim sklepie, raczej w IKEI, by uzupełnić ubytki w starym serwisie.

Ann musiała podnieść i obejrzeć każdą rzecz z osobna. Miała poczucie, że ta praca jest pozbawiona sensu i nie spodziewała się znaleźć niczego interesującego, a jednak musiała to zrobić. Może w filiżance lub za półmiskiem kryje się coś, co puści maszynerię śledztwa w ruch. Ann podczas tej rutynowej pracy czuła narastające zniecierpliwienie. Była przekonana, że rozwiązanie znajduje się gdzieś poza domem, że marnuje cenny czas i pomyślała, że zostawi zagrodę kolegom. Ale co ona będzie robić w tym czasie? Czego ma szukać?

Poczucie zbyteczności pracy i zmarnowanego czasu brało się stąd, że powinna była odwiedzić Gabriellę wczoraj wieczorem. Może kobieta by teraz żyła. Ann była niemal pewna, że coś wiedziała. Rozmawiała z kimś i dowiedziała się o ginie. Kto jeszcze mógł o tym wiedzieć?

Szperając w szafce z przyborami do sprzątania, postanowiła, że prześledzi, jaką drogą mogła się rozprzestrzenić ta informacja.

Po blisko półgodzinnym szukaniu nie znalazła niczego ciekawego, żadnej notatki, żadnego rachunku ani listu, który mógłby pchnąć śledztwo do przodu. Słyszała, jak Berglund chodzi po

* Gustavsberg – fabryka porcelany niedaleko Sztokholmu, założona w 1827 roku.

pokoju. Domyślała się, że kartkuje książki i sprawdza szufladki w sekretarzyku.

Jedyną ciekawą rzeczą, jaką znalazła Ann, było puste opakowanie po sobrilu z nazwiskiem lekarza na etykietce.

Zadzwoniła komórka. To była Beatrice, która sprawdziła dane osobowe Gabrielli Mark. Miała trzydzieści trzy lata, urodziła się w Österlen koło Simrishamn. Beatrice nie wiedziała jeszcze, czy miała jakąś bliższą rodzinę. W ciągu ostatnich dwóch lat Gabriella była często na zwolnieniu lekarskim – pracowała jako kierownik projektu w firmie konsultingowej, która przestała istnieć osiem miesięcy temu.

Nie miała długów ani żadnych problemów z płatnościami. Miała ważny paszport. Tyle się na razie dowiedzieli w trakcie wewnętrznego dochodzenia.

Ann poprosiła Beatrice, by zapytała operatora, czy może dać im listę połączeń przychodzących i wychodzących oraz sprawdzić, czy Gabriella miała telefon na abonament. Beatrice dostała również nazwisko lekarza i miała wybadać, czy można się z nim skontaktować.

Zwolnienie lekarskie, pomyślała Ann, ale pracowała w swoim warzywnym ogródku. Praca jak każda, stwierdziła w duchu i wyjrzała przez okno. Zobaczyła kilku kolegów zabezpieczających ewentualne ślady. Ogarnęło ją znużenie, bardziej na myśl o całej ekipie niż o sobie samej. Byli wciągnięci w ustawiczną walkę, syzyfową pracę, w której kamień wciąż staczał się w dół.

Ann zajrzała do Berglunda i zapytała, czy znalazł coś ciekawego, ale on tylko pokręcił głową, nic nie mówiąc i nawet na nią nie patrząc. Weszła po schodach. Ola Haver stał schowany do połowy w garderobie. Na łóżku leżał już spory stos sukienek i spódnic, a on zagłębiał się dalej w skład ubrań i butów.

– Kobiety – powiedział tylko, słysząc, jak Ann wchodzi do pokoju.

Domyśliła się, że chodzi mu o ilość ubrań. Rozejrzała się. Sypialnia była urządzona wręcz spartańsko, z mansardą, jasnymi tapetami w małe czerwone różyczki, szerokim łóżkiem, starannie zaścielonym i przykrytym narzutą w wyrazistych kolorach. Przy jednej ścianie stał regał na książki, stolik i krzesło w rustykalnym stylu. To było wszystko. Podeszła do regału: literatura ogrodnicza i powieści. Ann przejrzała kilka tytułów. Sama nigdy nie miała czasu na czytanie i patrzyła dość sceptycznie na ludzi, którzy czytali dużo. Wiedziała, że to dziedzictwo po ojcu, który nie ufał takim, którzy siedzieli z nosem w książce, ile razy nadarzyła się okazja.

Na nocnym stoliku leżał cienki tomik: *Uprawy orientalne*. Ann wzięła go i przekartkowała machinalnie. Jeden z rozdziałów miał tytuł: *Japońskie warzywa liściaste*.

Haver wydostał się z garderoby.

– I nic? – W głosie Ann zabrzmiał pytający ton.

– Nic, tylko od groma ciuchów.

– Nic odbiegającego od normy?

Haver pokręcił głową i usiadł na brzegu łóżka.

– Zupelnie nic – powiedział i Ann wiedziała, że czuje to samo co ona.

– Co ty o tym sądzisz? – zapytała i usiadła na krześle.

Zmęczenie i ogólne zniechęcenie wzmocniło zaufanie i zażyłość między nimi. Byli zdani tylko na siebie. Nikt spoza wydziału, a nawet nie wszyscy ich koledzy potrafili zrozumieć presję, pod jaką żyją, ciągle mając do czynienia z przemocą i złem. Nie chcieli się wpychać do tej sypialni i kuchni, szperać w prywatnych rzeczach obcych ludzi. W początkach ich pracy było to może coś nowego i emocjonującego, ale teraz żywili tylko dość płonną nadzieję na normalność, życie, w którym spotykaliby ludzi bez towarzyszącej im nieodłącznie przemocy, śmierci i mroku.

– Sądzę, że Gabriella była samotna tutaj w lesie. Wybrała odosobnienie, ale kochała Cederéna.

Ma rację, pomyślała Ann, mając w pamięci głos Gabrielli i jej przekonanie o niewinności Svena-Erika.

– Czy emocjonalna zależność od Cederéna mogła zaburzyć jej osąd?

– Możliwe – odrzekł Haver.

– Brała środki uspokajające, była na długim zwolnieniu lekarskim. Może to na nią wpłynęło.

– Jednak została zamordowana – zauważył Haver.

Wstał pospiesznie. Ann wyczuwała jego zniechęcenie. To naprawdę wielki pech, że Gabriella nie żyła, kiedy wreszcie ją odnaleźli.

– Mów dalej – powiedziała, nie ruszając się z miejsca. – Motyw – podjęła sama po namyśle – musiał być silny motyw.

– Pieniądze – dodał Haver, który właśnie klęczał na podłodze i zaglądał pod łóżko.

– Tak, nie sądzę, by obrońcy praw zwierząt udusili młodą kobietę – zgodziła się Ann – ale może istnieć jakiś związek.

– Jaki?

– Jeśli mają rację, że małpy cierpią, a MedForsk zajmuje się, lub zajmował dręczeniem zwierząt, można się obawiać wielu rzeczy. Opinia publiczna szybko się zwróci przeciw nim, jeżeli się okaże, że byli draniami. MedForsk jest świetnie prosperującą firmą i nie chce stracić swojej reputacji.

– Jednak zabijanie ludzi to już trochę za wiele – odrzekł Haver.

Ann zatopiła się w myślach, a Haver podjął na nowo poszukiwania. Wyjmował książkę za książką i potrząsał nimi, by znaleźć ewentualne kartki włożone między strony.

– Pójdę już – powiedziała Ann. – Potem nie złapiemy Rydego. Jadę do miasta. Zadzwonisz do mnie?

– Jasne, myślę, że Bronkan już przyjechał ze swoją grupą.

Byli specjalnie wyszkoleni do szukania śladów w terenie i teraz starannie przeczesywali okolicę.

Ann Lindell ledwo wsiadła do samochodu, gdy zadzwonił Edvard. Czuła pewną ulgę, że może się wymówić śledztwem w sprawie nowego morderstwa, kiedy zaproponował, że mogliby się spotkać późnym popołudniem. Jeśli był rozczarowany, nie dał tego po sobie poznać, tylko życzył jej powodzenia.

– Może spotkamy się w weekend? – zapytał.

– Zobaczymy – odrzekła Ann.

Choć miała czas, by z nim porozmawiać, dała mu do zrozumienia, że bardzo się spieszy i zakończyła rozmowę.

– Ty tchórzu – mruknęła do siebie.

Ann spojrzała po raz ostatni na dom i zapuściła silnik. Kątem oka dostrzegła jakiś ruch w oknie na piętrze. To Haver dawał jej znaki, bezskutecznie próbując otworzyć okno. Wyłączyła stacyjkę, wysiadła z samochodu i w tej samej chwili okno się otworzyło.

– Zaczekaj! – krzyknął Haver. – Znalazłem jakieś notatki.

– Już idę! – zawołała i zamknęła drzwi samochodu. Notatki, pomyślała, nareszcie coś osobistego, i przypomniał jej się pamiętnik Josefin Cederén.

Kiedy znów weszła na górę do sypialni, Haver siedział na łóżku i kartkował mały jasny kalendarzyk w kwiaty, jakiego Ann nie widziała od lat i myślała, że już takich nie produkują.

– Podejdź tu – rzekł Haver i podał jej kalendarz otwarty na stronie z datą dwudziesty dziewiąty czerwca.

Dwa zdania: „Jaką rolę odgrywa Pålle? Czy mogę mu zaufać?"

Ann spojrzała na Havera.

– Wczoraj – powiedziała, a on skinął głową. – Gdzie to znalazłeś?

– W szufladzie nocnego stolika.

– Czy jest w nim więcej notatek? – zapytała Ann, kartkując cienki zeszycik, i sama zobaczyła słowa rozsiane po różnych stronach. Wszystkie napisane ołówkiem i z tego, co widziała, charakterem pisma Gabrielli.

– „Pålle" – Haver głośno wymówił imię. – Kto to jest?

– Pålle – rzekła w zamyśleniu Ann – to ksywka.

Nie słyszała tego imienia wcześniej w śledztwie.

– Jest znajomym Gabrielli, jest wzburzony i chce ją odwiedzić. Na pewno był tu wcześniej. Ona z jakiegoś powodu nie chce, by tu przychodził – podsumował Haver.

– Czy wymienia go w innych miejscach?

– Na razie nic nie znalazłem.

Ann stała w milczeniu, próbując sobie wyobrazić Gabriellę z kalendarzem.

– To na pewno człowiek, z którym coś ją łączy, który coś dla niej znaczy – powiedziała Ann. – Pålle to od czego?

– Paul, Peter, Per-Olof, Petter – zgadywał Haver.

– Pålle, Pålle – powtórzyła Ann na próbę.

Otworzyła kalendarz na chybił trafił. Nie był to dziennik we właściwym tego słowa znaczeniu, raczej rozproszone komentarze. Niektóre dotyczyły siewu warzyw, inne pogody, w kilku miejscach pojawiało się imię Svena-Erika. „Sven-Erik przyjdzie" dwudziestego maja, „Sven-Erik jedzie do Hiszpanii" czternastego lutego.

– Okej – powiedziała – przejrzyj to i zrób zestawienie wszystkich osobistych notatek, które mogą być interesujące. Pomiń warzywa i pogodę, wynotuj wszystkie imiona i częstotliwość, z jaką się pojawiają.

– Pålle – rzucił Haver w powietrze, jakby próbował sobie stworzyć obraz znajomego Gabrielli.

Ann kartkowała dalej. Dwudziestego ósmego maja Gabriella napisała coś, co ją zbiło z tropu: „Cielak wygląda coraz gorzej. Biedactwo". Pokazała notatkę Haverowi.

– Jaki cielak? – zdziwił się. – Czy ona ma krowy?

– Mało prawdopodobne – rzekła Ann. – Może ktoś z sąsiadów hoduje zwierzęta.

Ann była w nieco lepszym humorze, kiedy znów wsiadała do samochodu, by stamtąd odjechać. Gabriella coś im powiedziała, nawet jeśli było to tylko kilka słów w kalendarzu. Kim był ten „Pålle”? Ann domyślała się, że bliskim znajomym, w innym przypadku nie używa się ksywek w takich zapiskach.

Czy „Pålle” był mordercą? To brzmi jak imię konia, pomyślała i zobaczyła w wyobraźni wielkiego ardena z mocnymi kopytami, gęstą grzywą i szczeciniastym ogonem.

21

Rozpracowanie życia Gabrielli Mark i kręgu jej znajomych było zajęciem łatwym, lecz mimo to frustrującym. Wyłonił się z niego obraz bardzo samotnej kobiety. Taki wniosek wyciągnęła Ann Lindell z lektury raportu Beatrice.

Urodziła się w małej wiosce koło Simrishamn, jej ojciec był dentystą, a matka pielęgniarką stomatologiczną w tym samym ośrodku. Oboje zmarli ponad pięć lat temu – matka na raka, ojciec się utopił przy wybrzeżu Sri Lanki. Koledzy ze Simrishamn zmieścili te informacje na połowie kartki formatu A4. Nie było w nich nic sensacyjnego.

Nie miała rodzeństwa. Najbliższymi krewnymi były trzy kuzynki, jedna w Ystad, druga w Tomelilla i trzecia w Malmö. Dwie z nich nie utrzymywały właściwie z Gabriellą kontaktu. Tylko ta z Malmö kontaktowała się z nią sporadycznie w ciągu ostatnich lat. Korespondowały i dzwoniły do siebie, jak twierdziła kuzynka z Ystad. Z tą z Malmö oczywiście nie mogli porozmawiać. Tamtejsza policja odwiedziła jej mieszkanie w centrum miasta, ale nikt nie otwierał. Sąsiadka powiedziała, że jest od tygodnia na urlopie i wróci za kolejne dwa. Wędrowała po Dolomitach.

Ostatnim razem spotkały się całą czwórką trzy lata temu w sprawie podziału spadku po wspólnych dziadkach. Gabriella pojechała do Simrishamn i wzięła należną jej część rzeczy.

Gabriella zawsze była trochę indywidualistką, jak to wyraziła jedna z kuzynek, nie to, że niemiła, ale z rezerwą. Żadna z nich nie słyszała o Svenie-Eriku Cederénie.

Firma, w której Gabriella ostatnio pracowała, już nie istniała. Beatrice udało się trafić na ślad byłego właściciela w Holandii, gdzie zajmował się teraz handlem nieruchomościami. Wiadomość o śmierci pracownicy zaskoczyła go i szczerze zmartwiła.

– Była takim dobrym człowiekiem – powiedział w trakcie niewyraźnego połączenia z Boskoop.

Ann uznała za pocieszające, że w przebiegu śledztwa ktoś powiedział o kimś coś pozytywnego.

– Poza tym była bardzo dobrym kierownikiem projektu – dodał jej dawny pracodawca. – Miała świetne pomysły i wprowadzała je w życie, czego nie można powiedzieć o większości zatrudnionych. Była wytrwała, uparta jak muł i skupiona na celu.

– Czemu odeszła z pracy? – zapytała Beatrice.

– Nie odeszła. Była na zwolnieniu lekarskim po wypadku samochodowym, w którym zginął jej mąż. Nigdy właściwie nie doszła do siebie po tym ciosie.

Mężczyzna umilkł i Beatrice myślała, że połączenie zostało zerwane, ale po chwili wypowiedział słowa, o których ona i Ann miały potem dyskutować.

– Gabriella zawsze chciała być sprawiedliwa. Nienawidziła niesprawiedliwości. Mogło to dotyczyć dyżurów przy parzeniu kawy, czegoś, co przeczytała rano w gazecie albo złego traktowania ludzi. Sądzę, że miała to po ojcu, on był takim typem naprawiacza świata i zawsze mówił prawdę. Często go wspominała.

Beatrice pomyślała, że to budujące, iż cwaniak z branży budowlanej ma tyle do powiedzenia także w temacie relacji międzyludzkich.

– Straciła wszystkich, których kochała – rzekła Ann, kiedy we dwie analizowały wypowiedzi o Gabrielli Mark. – Zginął jej mąż, umarli rodzice, teraz to z Cederénem.

– Nic dziwnego, że brała sobril – dodała Beatrice.

– Nienawidziła niesprawiedliwości – powtórzyła z namysłem Ann.

Zdążyła polubić Gabriellę. Szkoda, że nie porozmawiałyśmy więcej, pomyślała.

– Byłaby dobrą policjantką – powiedziała Beatrice.

– Tak, my też jesteśmy kierownikami projektu – zgodziła się Ann. – Projektu sprawiedliwość.

Lekarz, który wypisał Gabrielli receptę, nie miał wiele do dodania. Nie mieli bliższego kontaktu. Widocznie nie darzyła go zbyt wielkim zaufaniem i potrzebowała tylko do tego, by jej przepisywał środki uspokajające i tabletki na sen.

Materialnie nie powodziło jej się źle. Zagroda była spłacona. Odziedziczyła całkiem sporo po rodzicach i mimo długiego zwolnienia lekarskiego można było ją uznać za niezależną finansowo. Jej bankowe aktywa sięgały kwoty ośmiuset tysięcy koron. Opłacała składkę emerytalną i z tego, co dotąd ustalili, nie miała długów.

– W każdym razie nie związała się z Cederénem z powodów materialnych. Miała własne pieniądze.

– Ciekawe, czy znała sprawę w Republice Dominikany? Czy wiedziała, że Cederén kupił tam ziemię? Może mieli jakiś wspólny projekt.

– Nie sądzę – odrzekła Ann – ale kto wie. Pamiętasz fragmenty tego listu, który znaleźliśmy? Ten Piñeda, który pisał, że doznali wielu cierpień. Czy mógł być z Dominikany? Mając na uwadze obsesję Gabrielli na punkcie sprawiedliwości, nietrudno sobie wyobrazić, że chciała to naprawić.

Za kwadrans mieli zacząć zebranie. Śledztwo w sprawie Cederénów jawiło się teraz w zupełnie innym świetle. Ann zamknęła oczy, próbując znaleźć jakieś logiczne powiązania między luźnymi wątkami. Skąd przyszedł list Piñedy? Akcja obrońców praw zwierząt w TV4? Co wiedziała Gabriella na tyle groźnego, że trzeba ją było usunąć z drogi?

Kiedy otworzyła oczy, zobaczyła, że Beatrice przygląda się jej z miną wyrażającą zarówno niepokój, jak zaciekawienie.

Co ona widzi? – pomyślała Ann. Patrzyły na siebie przez krótką chwilę. Nie łączyła ich szczególna zażyłość, choć były jedynymi kobietami w wydziale i pewnie powinny mieć poczucie wspólnoty. A może też w jakiejś mierze ze sobą rywalizowały? Beatrice nie była typem kokietki, co mogło mieć znaczenie w środowisku tak całkowicie zdominowanym przez mężczyzn. Bywała dość szorstka w obejściu. Wielu kolegów płci męskiej uważało ją za zołzę i nawet Ann wolałaby czasem, żeby koleżanka zachowywała się łagodniej.

– Przynajmniej z facetem, który spadł ze schodów w TV4, już wszystko w porządku. Odzyskał władzę w nogach.

– To dobrze – rzekła Ann – ale nas ogarnia paraliż.

– Czy to mężczyzna? – zapytała Beatrice.

Ann skinęła głową.

– Na pewno. Trudno mi sobie wyobrazić kobietę, która dusi inną kobietę.

– Znał ją.

– Tak sądzę. Na pewno nie szaleniec, który wyskoczył z lasu i udusił ją pod wpływem impulsu. Znał ją i chciał uciszyć.

Ann poczuła wzbierającą falę nudności i wstała. Nie mogła się dłużej skupić. Jak długo będzie ją mdlić?

– Jeśli przyjmiemy teorię Gabrielli, że Cederén został sprzątnięty, to z jakiego powodu? – dywagowała dalej Beatrice.

– Finansowego – rzuciła Ann.

Udało się jej zapanować nad mdłościami i odwróciła się.

– Może – Beatrice nie była przekonana. – MedForsk dobrze prosperował. Mieli świetne wyniki i nowe odkrycia medyczne. Stali u progu wielkiej ekspansji.

– Przy takim ciągłym pięciu się w górę ludzie stają się bardzo zdeterminowani, by coś nie zakłóciło tego obrazu. Może Cederén zakłócał?

Ann zebrało się nagle na płacz. Znów musiała się odwrócić do koleżanki plecami. Powróciły obrazy ciał Josefin i Emily na poboczu w Uppsala-Näs. Zwłaszcza sukienka dziewczynki i rączki, które zbierały kwiaty.

– Co ci jest? – zapytała Beatrice. – Wyglądasz na zdołowaną.

Ann niemrawo skinęła głową, odwrócona do okna.

– Myślę o Emily – powiedziała cicho.

– Śmierć dziecka jest najgorsza – zgodziła się z nią Beatrice. – Też o niej myślałam.

Przez chwilę milczały. Ann czuła, że Beatrice chciałaby drążyć dalej. Ona sama zarazem chciała i nie chciała, żeby Beatrice zadała jej więcej pytań o samopoczucie. Było coraz bardziej oczywiste, że musi z kimś porozmawiać. Mama w Ödeshög odpadała. Po pierwsze, musiałaby to zrobić przez telefon, po drugie – mama byłaby w lekkim szoku, że wraz z długo wyczekiwanym wnukiem nie pojawi się zięć. Nie potrafiłaby powiedzieć niczego rozsądnego lub przynajmniej pocieszającego.

Beatrice była jedyną kobietą w bliskim otoczeniu Ann, ale tylko z tego powodu, że spotykały się codziennie, bo poza tym miały ze sobą niewiele wspólnego.

– Nie bierz tego do siebie – powiedziała Beatrice. – Wiem, że to brzmi śmiesznie, ale...

– Dam radę – odparowała Ann.

Poranna odprawa przebiegała w minorowym nastroju. Wszyscy byli przytłoczeni faktem, że popełniono nowe morderstwo, i trzeba będzie przestawić śledztwo w sprawie Cederénów na inne tory. Sammy Nilsson był jedynym wyjątkiem. Dalsze pogmatwanie obrazu zdawało się działać na niego stymulująco.

– Gabriella Mark jest kluczem – powiedział z entuzjazmem.

Pozostali rozważali przez parę sekund to zdanie, ale nie znaleźli w nim niczego odkrywczego. Kluczy mieli aż za wiele. Na właściwe myślenie mógł ich naprowadzić przypadek. Wniosek, że rozwiązanie morderstwa Gabrielli Mark jest decydujące dla całej afery MedForsk, nie był ich zdaniem szczególnie przełomowy, ale pozwolili mu mówić dalej. Dobrze, że ktoś zaczął. Może z potoku jego słów wyłowią coś istotnego.

– Sprawdziłem jej rozmowy telefoniczne w ostatnim czasie – ciągnął. – Nie dzwoniła dużo, ale jest kilka rozmów ważniejszych niż inne. Parę z nich naprawdę robi wrażenie.

Zrobił efektowną pauzę. Teraz wszyscy zrozumieli, że może miał podstawy do optymizmu i czekali na ciąg dalszy.

– Dzwoniła cztery razy do Jacka Mortensena, dyrektora zarządzającego MedForsk, i raz do rodziców Cederéna.

Ann podniosła wzrok.

– Mortensen – powiedziała. – Zaprzeczył, że zna jakąkolwiek kochankę Cederéna. Kiedy dzwoniła?

– Ostatni raz przedwczoraj – odrzekł Sammy Nilsson. – O czternastej dziesięć. Przedtem trzy razy. Pierwszy raz w dzień po śmierci Cederéna.

– O cholera – wymsknęło się Ann.

– Do rodziców dzwoniła tydzień temu. Ponad osiem minut. Z Mortensenem rozmawiała łącznie pięćdziesiąt dwie minuty.

– Pięćdziesiąt dwie minuty – powtórzył Haver. – Chyba mieli sobie dużo do powiedzenia.

– Weźmiemy tu dyrektora – powiedział Ottosson – Niech się trochę spoci. Ann, ty możesz porozmawiać jeszcze raz z ojcem Cederéna i wypytać, o czym rozmawiał z Gabriellą.

Ann zobaczyła przed sobą parę starszych ludzi. Co miała im powiedzieć? Może znali Gabriellę już wcześniej?

– Wiemy, że została uduszona przedwczoraj wieczorem między dziewiątą i dziesiątą – powiedział Ryde. – Pewne ślady wskazują, że to się stało w kuchni, choćby chodnik pofałdowany z niewyjaśnionego powodu. Kuchnia ogólnie była starannie wysprzątana, wszystko znajdowało się na swoim miejscu, tylko ten chodnik zwracał uwagę. Nie mamy jednak całkowitej pewności. Nie znaleźliśmy żadnych odcisków palców oprócz jej i Cederéna. Żadnych odpadków w śmietniku ani niczego pod jej paznokciami. Żadnych innych śladów na ciele ani siniaków – podsumował.

– Mamy ten kalendarz w kwiatki – wtrącił Berglund. – Nie daje nam wiele prócz imienia „Pålle”. Poza tym trochę bazgrołów w małym notatniku – to właściwie nie dziennik, tylko raczej luźne notatki i wszystkie zdają się pochodzić z okresu, kiedy zginął jej mąż. Są bardzo smutne. Książka telefoniczna zawierała około czterdziestu nazwisk, czyli raczej niewiele. Nie ma tam żadnego Pålle. Właśnie pracuję nad tą listą – zakończył Berglund we właściwy sobie suchy i rzeczowy sposób.

Ottosson spojrzał na niego z uznaniem i pokiwał głową.

– Jej buty były w domu. Jak wiecie, znaleziono ją bosą, co wspiera teorię, że morderstwo zostało popełnione w domu. Ma brudne pięty, jakby ktoś ją ciągnął do tego kamiennego kopca – podjął Ryde i Ann odniosła wrażenie, że śpiewa z Berglundem na przemian tę samą piosenkę.

– Czy sąsiedzi coś widzieli? – zapytał szef wywiadu kryminalnego.

– Nie, jak dotąd nie mamy takich informacji – odrzekł Haver. – Tym zajmuje się Nilsson, nasz ekspert od Rasbo. Są natomiast znaki, że ktoś przebywał na skraju lasu. Chłopcy Bronkana zabezpieczyli trochę śladów, ale nie jest pewny na sto procent. W każdym razie jest tam łajno łosia.

– Okej – powiedział Ottosson. – Ktoś przyszedł do zagrody, prawdopodobnie znajomy Mark. Albo go zaprosiła, albo też wtargnął nieproszony do domu, udusił ją i znikł. Nic nie wskazuje na to, by cokolwiek ruszano lub skradziono.

– Trudno powiedzieć, nie wiemy przecież, co było tam wcześniej – stwierdził przemądrzałym tonem Berglund.

– To oczywiste – odparował szef wydziału – ale miałem na myśli, że nic nie było poruszone ani porozrzucane.

Po kilkusekundowej ciszy głos zabrała Ann Lindell.

– Motyw. Gabriella dwa razy rozmawiała ze mną przez telefon. Za pierwszym razem była załamana i wytrącona z równowagi, ale za drugim mówiła bardziej składnie, przekonana, że Cederén nie jest winny śmierci żony i córki. Uważała też za zupełnie nieprawdopodobne, by popełnił samobójstwo. Jej głównym argumentem był gin. Co wy na to?

– Czy to znaczy, że Cederén został zmuszony do wypicia ginu, a potem zatruty spalinami? – W głosie szefa wywiadu pobrzmiewał sceptycyzm.

Ann kiwnęła głową.

– Nie jest to całkiem nieprawdopodobne – rzekła. – Gabriella była pewna swego. Sprawdzimy w otoczeniu Cederéna, czy w ogóle pijał gin.

– Kto mógł jej o tym powiedzieć? Tej informacji nie ma w brukowcach.

– Też się nad tym zastanawiam – powiedziała Ann.

– Czy komuś o tym mówiliśmy? – myślał głośno Haver.

– Ja mówiłam – odezwała się Beatrice i wszystkie twarze zwróciły się teraz w jej stronę. – Rozmawiałam z rodzicami Cederéna i kiedy jego matka zapytała, czy syn bardzo cierpiał przed śmiercią, odpowiedziałam, że nie i dodałam, że był pijany, kiedy umierał zatruty spalinami i prawdopodobnie nic nie czuł.

Nikt się nie odezwał.

– Powiedziałam to, by ją pocieszyć.

– Wspomniałaś, że to był gin? – zapytała Ann.

– Nie wiem, może. Pewnie popełniłam błąd – dodała, kiedy nikt tego nie skomentował.

– E tam, błąd – powiedział Ottosson. – Rozumiem twoje intencje. Zapytamy po prostu matkę Cederéna – dorzucił lekkim tonem, nie chcąc jej wpędzać w jeszcze większe poczucie winy.

Odprawa zakończyła się, kiedy Ann zrobiła podsumowanie i rozdzieliła zadania. Nie było to właściwie potrzebne, bo wszyscy znali swoje obowiązki, ale chciała to zrobić głównie dla siebie, by przełamać własną bierność. Ottosson uśmiechnął się do niej i pogładził brodę. Beatrice patrzyła na nią z boku. Haver najbardziej się niecierpliwił.

Tuż po odprawie Ann poszła do toalety. Chciała zobaczyć się w lustrze, by ocenić, czy jej wewnętrzny chaos jest widoczny także na zewnątrz. Przesunęła dłonią po czole i policzkach, delikatnie, jakby głaskała ją ręka kochającej osoby. Zmarszczki wokół oczu pogłębiły się i, co gorsza, oczy straciły blask. Patrzyły matowo na obcą twarz należącą do obcego ciała.

Wyszła z toalety w fatalnym nastroju i musiała się zebrać w sobie, by przejść piętnaście kroków do swojego pokoju. Gdy usiadła za biurkiem, wyjęła notatnik i wybrała numer Jacka Mortensena. Nie było go w MedForsk, nie odbierał też komórki ani telefonu domowego. Zostawiła wiadomość we wszystkich tych trzech miejscach.

Haver siedział nad listą pasażerów z Arlandy. Zajął się tym od razu po zniknięciu Cederéna. Próbowali odnaleźć na listach jego nazwisko. Teraz rozszerzył poszukiwania o wyloty i przyloty z Republiki Dominikany i Malagi. Listy obejmowały tysiące nazwisk. Odrzucił większość lotów czarterowych i skupił się na regularnych połączeniach.

Zakładał, że gdzieś pojawi się nazwisko, które znał ze śledztwa, Cederéna lub innej osoby z MedForsk. Teraz przeglądał listy, by ewentualnie wyłowić z nich nazwisko mordercy.

Cederén często latał do Malagi zimą i wiosną. Jego sekretarka miała notatki z dwunastu podróży do tego hiszpańskiego miasta.

Biuro i fabryka w Hiszpanii zostały rozbudowane i tam odbywała się większość produkcji. Może latał w czyimś towarzystwie. Haver nie wiedział dokładnie, czego szuka, ale wśród tych nazwisk coś mogło się kryć. Szczególnie wypatrywał nazwiska Piñedy, tajemniczego autora listu. Może poleciał do Szwecji, by uzyskać zadośćuczynienie? Dotąd jednak Haver nie znalazł niczego interesującego.

Mortensen oddzwonił po kwadransie.

– Miałem wyłączoną komórkę. Ludzie wydzwaniają przez cały czas – dodał na usprawiedliwienie tego, że nie odbierał.

Czyż komórka nie jest po to, by ludzie mogli dzwonić, pomyślała Ann.

– Chcę, by pan natychmiast do nas przyjechał – powiedziała bez wstępnych uprzejmości.

– Teraz?

– Tak, właśnie teraz. Mamy sporo do omówienia.

– Aha.

Mortensen powiedział to zgaszonym głosem, ale chyba miał zamiar wyrazić jakiś sprzeciw.

– Teraz – powtórzyła Ann.

Nie czekała dłużej niż dwadzieścia minut, kiedy recepcjonistka zadzwoniła, by zaanonsować jego wizytę. Zeszła po niego i zaprowadziła go w milczeniu do swojego pokoju.

Sprawiał wrażenie spokojnego i opanowanego i to ją trochę lepiej usposobiło. Nie znosiła ludzi, którym na co dzień nie brakowało pewności siebie, ale przed policją zmieniali się w nerwowych nastolatków.

– Skłamał mi pan prosto w twarz – zaczęła bez ogródek.

– To znaczy?

– Kochanka Cederéna. Pan ją znał i wiedział, gdzie mieszka.

Mortensen patrzył na nią i zdawało jej się, że widzi na jego wargach lekki uśmiech. Czy to możliwe, że siedział tu i z niej szydził?

– Oczywiście, znam Gabriellę.

– Nie żyje – oznajmiła Ann dość nietaktownie i od razu tego pożałowała.

– To niemożliwe.

– Dlaczego pan skłamał?

– Jak to się stało?

– Proszę odpowiedzieć na pytanie.

– Ja.... – zaczął, ale szybko umilkł. Patrzył na Ann z taką miną, jakby podejrzewał, że blefuje.

– Uratowałby jej pan życie, mówiąc, gdzie mieszka.

– Popełniła samobójstwo?

– Teraz czekam na odpowiedź, czemu pan kłamał. Nie chcę więcej słyszeć żadnych głupstw.

– Chciałem ją chronić – powiedział cicho. – Dość już wycierpiała. Pani może nie wie, przez co przeszła.

– A zamiast tego przyczynił się pan do jej śmierci – odparła ostrym tonem Ann.

Mortensen zdawał się rozważać to stwierdzenie, ale nie zaprotestował. Oglądał swoje dłonie, przez moment podniósł wzrok na Ann, ale szybko go opuścił.

– Rozmawiała ze mną przed śmiercią – rzekła Ann.

Znów szybko podniósł wzrok, ze zdziwioną miną, która wyrażała także co innego. Może strach.

– I co powiedziała? – zapytał ostrożnie.

– Nieważne. Chciała mówić o Cederénie.

– Jak umarła?

– Została uduszona.

Mortensen przełknął ślinę.

– Jak dobrze pan ją znał?

– Średnio. Wiedziałem, że jest ze Svenem-Erikiem. Spotkałem ją kilka razy. Kto to zrobił?

– Proszę opowiedzieć o ich związku.

Mortensen zebrał się w sobie i zaczął opowiadać o tym, jak ona i Cederén się spotkali i jak on zaczął się zmieniać. Uważał, że Gabriella była istotnym powodem zmian, jakie zaszły w Svenie-Eriku. Cederén zadawał pytania, stał się bardziej roztargniony, nie skupiał się już tak bardzo na tym, czym zajmuje się firma. Zaczął kwestionować swoją pracę, ba, cały sens istnienia MedForsk.

– Czy chodziło o doświadczenia na zwierzętach?

– Nie, nie tylko o to. Może trochę, ale przecież pracujemy ze zwierzętami doświadczalnymi przez całe swoje zawodowe życie. To jest nierozerwalnie związane z badaniami medycznymi. Wiemy, jaką rolę odgrywa dla postępu.

– Czyli nie był wojującym miłośnikiem zwierząt?

– Nie, zdecydowanie nie – zapewnił Mortensen.

– Więc o co chodziło?

– Myślę, że przeżywał coś w rodzaju życiowego kryzysu. Miało to też pewnie związek z Josefin. Wydaje się, że się od siebie oddalali.

– O to nietrudno, kiedy jedna ze stron zaczyna zdradzać – rzekła Ann.

– Wziąłem to za symptom tego, że w ich związku nie układało się dobrze. Wybór Gabrielli był raczej przypadkowy.

– Czy Cederén planował z nią jakąś przyszłość?

– Nie wiem.

– Czy zakup działki budowlanej na Dominikanie miał coś wspólnego z nią? Zamierzali się tam przeprowadzić?

– Nie wiem – powtórzył. – Ten zakup to dla mnie zagadka.

Ann coraz bardziej skłaniała się ku myśli, że Mortensen blefuje. Odzyskał już rzeczowy ton z ich pierwszego spotkania. Być może zadowolenie, że rozmawia z kimś, kto znał Cederéna, łagodziło nieco jej osąd.

– Czy mówiąc, że chronił pan Gabriellę, nie ujawniając jej tożsamości, nie myślał pan także w dużym stopniu o firmie?

– Co pani chce przez to powiedzieć?

– Sporo już napisano o zabójstwie rodziny Cederénów. Może ujawnienie, że Sven-Erik miał kochankę, pogorszyłoby jeszcze sytuację.

Mortensen jakby bronił się przed słowem „pogorszyło".

– Nie, to nie tak – powiedział cicho.

– Kto mógł skorzystać na śmierci Gabrielli?

Pytanie zawisło w powietrzu, bo zadzwonił telefon. Ann podniosła słuchawkę, nie spuszczając wzroku z mężczyzny po drugiej stronie biurka. Dzwonił Haver. Poprosiła, by zadzwonił później, położyła słuchawkę i powtórzyła pytanie. Mortensen znów zebrał siły i rozpoczął długą tyradę na temat przemocy w społeczeństwie.

– Może była to zemsta ze strony kogoś, kto stał blisko Josefin – powiedział na koniec.

– Czy miała kogoś, kto stał blisko niej i był zdolny do morderstwa?

– Skąd mogę wiedzieć. Dzisiaj ludzie wydają się być zdolni do wszystkiego.

Ann musiała się z nim zgodzić, ale jego teoria wydała się jej mało prawdopodobna.

– Rozmawiał pan z Gabriellą prawie przez godzinę? O czym?

– Aż tak długo? Najwięcej o Svenie-Eriku, oczywiście. Pytałem też, jak sobie radzi. Wiedziałem przecież, że nie jest jej łatwo. A ja znam wielu lekarzy, to znaczy, gdyby potrzebowała pomocy.

– Co odpowiedziała?

– Że zasiała warzywa. Zabrzmiało to jakoś dziwacznie.

– Co pan robił wieczorem dwudziestego dziewiątego czerwca?

– Kopałem oczko wodne – powiedział. – Zmieniam właśnie ogród i wynająłem małą koparkę.

– Sam pan to robi?

– Taka mała kopareczka jest jak zabawka, marzenie wszystkich chłopców.

– W jakich godzinach pracował pan w ogrodzie?

– Zacząłem koło szóstej i pracowałem aż do zmroku. Chciałem w pełni wykorzystać czas wynajmu.

– Był pan sam?

– Facet, który mi ją wynajął, przyszedł tuż przed szóstą. Dał mi instrukcje, zanim poszedł. Mogło być koło siódmej. Potem pracowałem sam.

– Nikt pana nie odwiedził?

Mortensen jakby się przez chwilę zastanawiał.

– Nie, ale sąsiedzi mogą poświadczyć, że pracowałem w ogrodzie.

Ann wstała nagle, a Mortensen w reakcji na jej niespodziewany ruch odsunął się z krzesłem.

– Czy ma pan jeszcze coś do dodania?

Mortensen pokręcił głową.

– Przykro mi... – zaczął, lecz Ann przerwała mu, dziękując za rozmowę, i wyciągnęła rękę.

Uścisnął ją, wykonując jednocześnie drugą nieporadny gest, jakby chciał powiedzieć: przepraszam, nie wiedziałem.

Ann Lindell zapisała treść przesłuchania w swoim notatniku. Nie była pewna, jak ma ocenić Jacka Mortensena. Fałszywy osobnik, który z pewnością umiał się przystosowywać do różnych sytuacji. Ton jego głosu i gesty bywały czasem trochę przerysowane, teatralne, ale ona wiedziała, że wiele osób przybiera postawę defensywną bez podtekstów czy złych intencji. Chcą po prostu zadowolić innych. Sporo przemawiało za tym, że należał do tego typu ludzi.

Zadzwoniła do Havera, ale nie było go już w pokoju. Wybrała numer do rodziców Cederéna, odszukawszy go z pewnym trudem w bałaganie na biurku.

Odebrała matka. Od razu przyznała, że rozmawiała z Gabriellą Mark. Przedstawiła się jako przyjaciółka Svena-Erika, ale wcześniej nie wiedzieli o jej istnieniu. Dzwoniła, by złożyć kondolencje i powiedzieć, że nie wierzy, by Sven-Erik zabił swoją rodzinę.

– Wydała mi się bardzo miła – powiedziała matka. Jej głos brzmiał tak, jakby płakała.

Na pytanie, czy mówiła Gabrielli o ginie, odpowiedziała twierdząco. Dowiedzieli się tego od innej policjantki.

– Powiedziałam to, by ją trochę pocieszyć – dodała.

Ann podziękowała za informację i chciała już zakończyć rozmowę, kiedy kobieta jej przerwała.

– Kim ona była?

– Przyjacielem rodziny – odrzekła Ann.

Słowa Mortensena o ewentualnym przyjacielu Josefin, który zemścił się, zabijając Gabriellę, przypomniały się Ann, kiedy zakończyła rozmowę. Czy mógł istnieć ktoś taki? Mortensen przez cały czas wynosił Josefin na piedestał, nazywając ją za każdym razem „fantastyczną kobietą". Czy on mógł być tym przyjacielem?

Zakochał się w żonie kolegi? Gabriella na pewno wpuściłaby go do domu.

Ann od razu odrzuciła tę teorię. Widziała przed sobą delikatne dłonie Mortensena i myślała o jego trochę niemęskiej uczuciowości. Nie mógłby nikogo zamordować. Przynajmniej nie tymi rękami. Mógł być twardy w interesach, tyle zrozumiała z komentarzy w MedForsk, ale nie był mordercą.

Musi jednak porozmawiać z sąsiadami i sprawdzić czy, jak twierdził, pracował wtedy w ogrodzie. Dostała też numer do niejakiego Gustavssona, który wynajął mu maszynę.

Namiętności, pomyślała, całe życie jest sterowane silnymi emocjami. Jedni toną, inni znajdują miłość i czasami są szczęśliwi. Największą namiętnością Mortensena była chyba jego kolekcja tekstyliów. A raczej kolekcja jego matki. Trudno było ukryć, że odnoszący sukcesy przedsiębiorca pozostał maminsynkiem.

Ann Lindell dała spokój rozmyślaniom o Mortensenie. Głód przypomniał o sobie i o małym życiu w brzuchu. Jaką to ma teraz wielkość? Ann nie miała pojęcia o rozwoju płodu. Przesunęła dłonią po pasku od spodni. Nic jeszcze nad nim nie wystawało. Jedyną zmianą było lekkie obrzmienie piersi. Czy Sammy któregoś razu dłużej im się nie przyglądał? Stanęła przed małym lustrem, próbując obejrzeć się z profilu.

Mogła zejść do kafejki i coś zjeść, ale wołała wyjść na miasto. Muszę się zastanowić, powtarzała sobie w myślach. Chciała trochę odetchnąć, by w spokoju podjąć decyzje dotyczące jej własnego życia, ale zabójstwo Gabrielli sprawiło, że prywatne rozmyślania musiała odłożyć na bok. Zrobiła to automatycznie, lecz jednocześnie z pewną na wpół uświadomioną ulgą. Teraz nie musiała decydować i mogła poświęcić całą uwagę pracy, choć przecież wiedziała, że tego problemu nie da się odsunąć. Dosłownie rósł i stawał się coraz większym zagrożeniem dla spokoju jej ducha.

Na dworze było parno i Ann spociła się już po kilku minutach. Gdybym tak mogła poronić, pomyślała, ale od razu tego pożałowała. Może to była jej jedyna szansa na dziecko. Może tak właśnie miało być? Na co dzień była osobą racjonalną i nie wierzyła w przeznaczenie, ale teraz jej wewnętrzny światopogląd przechodził ciężką próbę.

Próbowała wyobrazić sobie siebie jako samotną matkę, ale niespecjalnie jej to wychodziło. Widziała same problemy – będzie musiała zostać w domu, karmić i przewijać, siedzieć z innymi matkami w otwartym przedszkolu, które znajdowało się w jej dzielnicy. Widywała tam codziennie cały tabun matek i ani jednego ojca i myślała, że to musi być śmiertelnie nudne. Kiedy dziecko podrośnie, zacznie się gonitwa do przedszkola, z wiecznymi wyrzutami sumienia, w domu i w pracy.

Nie tak wyobrażała sobie ciążę i wychowanie dziecka. Chciała mieć mężczyznę i ojca, z którym mogłaby dzielić codzienność. Gdyby to było dziecko Edvarda! Przystanęła na chodniku, oszołomiona tą myślą. Zdecydowała się być z Edvardem po nocy świętojańskiej, ale co jej postanowienie było teraz warte?

Przyspieszyła kroku, jakby te niespokojne myśli popychały ją do przodu. Muszę podjąć decyzję w ciągu tygodnia, pomyślała. Do kiedy można zrobić aborcję? Coś jej się majaczyło, że do dwudziestego tygodnia. To pięć miesięcy. Czy to możliwe? Będę przecież wtedy wielka jak dom.

Tydzień, wymamrotała pod nosem i pchnęła drzwi Złośliwego Månsa.

Jedynym znaczącym wydarzeniem reszty dnia był raport Bronkana, którego ekipa zabezpieczyła odcisk stopy koło zagrody Gabrielli Mark, jakieś pięć metrów w głąb lasu. W lekko podmokłym terenie zachował się ślad rozmiaru czterdzieści dwa.

Osoba stojąca w tym miejscu miała dobry widok na dom i podwórze, sama ukryta za drzewami. Obok odcisku znajdowały się odchody łosia. Haver zażartował, że może miał racice w rozmiarze czterdzieści dwa, ale Bronkana to nie rozbawiło, spojrzał tylko ze złością na Havera i Ann. Ann wiedziała, że włożyli w tę pracę mnóstwo czasu i sił, więc szybko pogratulowała odkrycia i podziękowała za dobrze wykonaną robotę. Bronkan trochę się rozchmurzył, ale nie potrafił ukryć zmęczenia.

Zdjęto odcisk śladu, który miał być dołączony do nieistniejącego jeszcze zbioru dowodów technicznych w sprawie Mark. Nikt zresztą nie przesądzał, że ślad miał cokolwiek wspólnego z morderstwem. Mogli tylko mieć nadzieję, że okaże się kolejnym małym kawałkiem układanki.

Przesłuchania niewielkiego kręgu przyjaciół i byłych kolegów z pracy Gabrielli zostały już zakończone. Większość odbyła się przez telefon. Tylko w jednym przypadku Berglund pojechał do domu emerytowanej nauczycielki, która wcześniej była sąsiadką Gabrielli przy Geijersgatan i w ciągu ostatnich lat miała z nią sporadyczny kontakt.

Nauczycielka Hedda Ljunggren, pani koło siedemdziesiątki, pełniła funkcję kogoś w rodzaju opiekuna społecznego Gabrielli po śmierci jej męża.

Ostatni raz rozmawiały przez telefon w maju i Gabriella wydała jej się wtedy pogodna i optymistycznie nastawiona do życia.

– Ale to zawsze trochę falowało – powiedziała Hedda. – Potrafiła nagle się załamać, kiedy zdawała się być w świetnym nastroju. Była niestabilna.

Wtedy, w maju, rozmawiały o starych sąsiadach, a Gabriella oczywiście o swoich uprawach i o tym, jaka jest szczęśliwa w nowym domu. Ljunggren miała wrażenie, że w tym pejzażu jest jakiś mężczyzna, ale nie chciała pytać o to wprost. Temat był delikatny.

Pod koniec rozmowa zeszła z jakiegoś powodu na politykę. Może pisali coś w gazetach i Gabriella mówiła o jakimś międzynarodowym projekcie dla krajów rozwijających się. Było dla niej frustrujące, że tylu ludzi na świecie żyje w nędzy, kiedy one w Szwecji mają tak dobrze. Hedda nie pamiętała, czy chodziło o jakiś konkretny kraj i organizację, ale zdawało jej się, że działalność dotyczyła dzieci.

Gabriella była pełna entuzjazmu i nauczycielka wyczuwała, że jest to dla niej coś w rodzaju rekompensaty za brak własnych dzieci.

W zagrodzie nie znaleźli nic, co by wskazywało na to, że brała udział w jakimkolwiek projekcie: żadnych prospektów, dowodów wpłaty czy innych oznak zaangażowania.

Ogólnie z rozmowy z Heddą wyłonił się obraz młodej kobiety, która była na dnie, lecz powoli wypływała na powierzchnię. Głównie o własnych siłach, bo nigdy nie ufała psychoterapeutom. Wskazywało to na wolę i upór i potwierdzało słowa byłej sąsiadki. W całym swoim nieszczęściu była przekonana, że wyciągnie się z depresji i zacznie nowe życie. Zagroda, którą Hedda kilka razy odwiedziła, była pierwszym krokiem.

– Była taka ładna, kiedy się cieszyła – powiedziała nauczycielka. – Wręcz promieniała. Potrafiła się również dzielić z innymi w rzadko spotykany sposób. Mogło to być parę miłych słów albo pęczek marchewek.

Berglund podsumował swoje wrażenia. Polubił starą nauczycielkę. Jej słowa świadczyły o wielkiej miłości do Gabrielli, znajomości ludzkiej natury i zdolnościach analitycznych opartych na wiedzy i szacunku, które Berglund chciałby widzieć u niektórych ze swoich młodszych kolegów.

Uświadomił sobie, że brakuje mu Gabrielli Mark. Chciał, żeby wróciła do świata żywych. Za mało jest takich, pomyślał, którzy promienieją i rozdają marchewki.

Zajrzał do pokoju Ann Lindell i opowiedział jej o swojej rozmowie z Heddą Ljunggren. W międzyczasie przyszedł Haver i we troje starali się odtworzyć portret Gabrielli.

– Sądzę, że dla Cederéna była kimś więcej niż kochanką. Znacznie odbiegała od osób z kręgu jego znajomych.

– Była przeciwwagą dla jego obowiązkowości i perfekcjonizmu – mówił Berglund. – Wszyscy potwierdzają, że Cederén pracował ciężko i efektywnie, był rzeczowy i ukierunkowany na cel. Wtedy pojawiła się Gabriella z bardziej ludzkim podejściem do życia. Życie to nie tylko zaliczanie dołka jednym uderzeniem czy zdobywanie pieniędzy i sławy. Sądzę, że za jej przyczyną pod Cederénem zadrżała ziemia.

Ann patrzyła na starszego kolegę, którego opinie bardzo sobie ceniła.

– Wiem, że to tania psychologia – dodał Berglund – ale życie często jest tanie i banalne.

– To oczywiste, że zachwiała fundamentami jego świata – rzekła Ann. – Wiele osób mówiło, że ostatnio był rozproszony. To mogło mieć związek z Gabriellą.

– Może zaczął też wątpić w sens swojej pracy – wtrącił Haver.

– Tego nie wiem – zastrzegła Ann. – Był przecież naukowcem i poświęcił całe życie badaniom nad nowymi lekami.

– Obawiam się, że masz wyidealizowany obraz przemysłu farmaceutycznego – powiedział Haver.

– Dominikana – przypomniała Ann.

Umilkli. Nikt nie chciał się w to zagłębiać, bo dotąd nie wypłynęło nic ciekawego w związku z karaibską wyspą. Plany ewentualnego wysłania tam kogoś, by zbadał na miejscu zakres interesów Cederéna, zostały odłożone na czas nieokreślony. Tamtejsza policja zdobyła wszystkie możliwe informacje. Był to zwyczajny zakup ziemi. Nie stwierdzono dotąd innych powiązań Cederéna z Dominikaną.

Przesłuchali miejscowego przedsiębiorcę budowlanego, który miał z Cederénem relację wyłącznie zawodową. Otrzymał niewielką kwotę zaliczki na zakup cementu i zbrojenia oraz zatrudnienie ludzi. Teraz nie wiedział, co ma robić, ani z cementem, ani z pozostałymi pieniędzmi.

– Trudno coś budować na drugim końcu świata, nie będąc na miejscu – skwitował Haver.

– Dobrze, jeśli są to pieniądze innych – rzekł Berglund. – Użył przecież konta firmowego. Może miał na miejscu jakiś kontakt, który by to wszystko nadzorował.

Szwedzka policja poprosiła również kolegów z Dominikany, by poszukali niejakiego Piñedy, który mógł się pojawić w związku z budową, ale nie dostali dotąd odpowiedzi.

W tej samej chwili ktoś zastukał do drzwi i wszedł Sammy Nilsson.

– Dobrze, spróbujmy to podsumować – rzekła Ann.

Sammy usiadł w jedynym fotelu.

– Chyba wiem, jak to się ze sobą wiąże – powiedział, wyciągając niedbale nogi przed siebie. Umilkł na chwilę.

– Mamy ojca Josefin. Tylko on miał wystarczająco silny motyw, by zemścić się na kobiecie, która przyczyniła się pośrednio do śmierci jego córki.

Przed oczami Ann stanął stary człowiek w Uppsala-Näs, siedzący przy kuchennym stole i rozdrapujący ranę na czubku głowy, niezdolny zrozumieć, co się przytrafiło jego córce i wnuczce. Na pewno stracił wielką miłość swego życia, ale czy był zdolny do morderstwa?

– Może poszedł porozmawiać z Gabriellą, wpadł we wściekłość i ją udusił – ciagnął Sammy.

– Jak się dowiedział, że ona w ogóle istnieje i gdzie mieszka? – zapytał Berglund.

– Josefin mogła znać kochankę męża. Ilu osobom mogła się zwierzyć? Wpadłem na Magnussona w garażu i wspomniał, że zadzwonił jeszcze raz do kelnerki z Piwnicy Wermlandzkiej, by zapytać, czy przypomniała sobie więcej szczegółów związanych z wizytą Cederéna w restauracji i powiedziała wtedy, że pojechała do Uppsala-Näs do ojca Josefin. Chciała go pocieszyć, bo najwyraźniej mieli ze sobą dobry kontakt, kiedy pracowała u niego jako opiekunka. Innymi słowy, ojciec wiedział, że szukamy nieznajomej kobiety, która pojawiła się w towarzystwie Cederéna. Wiedział, kim ona jest, ale zamiast porozmawiać z nami, postanowił sam ją odnaleźć. Może nie po to, by ją zabić, ale zobaczyć na własne oczy, zrobić jej awanturę, bo ja wiem. Ludzie tak różnie reagują.

Ann nie mogła powstrzymać uśmiechu, słysząc ostatnie słowa Sammy'ego, ale był to jedyny wniosek w całej jego długiej tyradzie, z jakim musiała się zgodzić.

– Śmiejecie się – stwierdził Sammy – ale czy wymyśliliście coś lepszego?

Wstał z fotela, sięgnął po termos na biurku i potrząsnął nim tylko po to, by stwierdzić, że jest pusty.

– Nie śmiejemy się – odrzekła Ann – ale trzeba przyznać, że nie brakuje ci wyobraźni.

– Chodzi o motyw – wyjaśnił Sammy. – Silny motyw. A co może być silniejsze niż rozpacz ojca po stracie jedynej córki. Na Cederénie nie mógł już się zemścić. Zostawała Gabriella.

– Obawiam się, że to jest bardziej pogmatwane – rzekł Haver. – To znaczy, wszystko się jakoś wiąże. W tym dramacie jest nie tylko rodzinna żałoba. Mamy jeszcze MedForsk, małpy i obrońców praw zwierząt.

– Okej – powiedział Sammy, wstając. – Wracam do siebie, by wymyślić nową błyskotliwą teorię. Zostaniecie tu jeszcze przez pół godziny?

– Jedna teoria na pół godziny to niezły wynik – odrzekła Ann. – Może w tym tempie znajdziemy mordercę za kilka dni.

– Ale i tak uważam, że powinniśmy przesłuchać ojca – upierał się Sammy.

– Ja to zrobię – zaoferowała się Ann.

– Sprawdź jego buty – przypomniał jej Haver.

Ann Lindell postanowiła jechać prosto do ojca Josefin. W drodze zatrzymała się przy kościele, by odwiedzić grób Josefin i Emily, ale szybko się rozmyśliła i pozostała w samochodzie, podziwiając piękny widok.

Idylliczny krajobraz, pomyślała, pasuje do otoczenia kościoła. Stała tak przez dziesięć minut, rozważając, czy nie zadzwonić do Edvarda, ale co właściwie miałaby mu powiedzieć? Czy on zadzwoni jeszcze raz, czy może się rozmyślił? W pewnym sensie byłoby to dobre. Nie musiałaby wtedy podejmować decyzji, czy powiedzieć mu o dziecku, czy nie. Wtedy to on by zdecydował.

Postanowiła, że jeśli Edvard nie odnowi kontaktu, jeśli spotkanie w noc świętojańską było tylko nostalgiczną zabawą, urodzi to dziecko.

Jechała dalej, pozornie uspokojona, i minęła pustą willę Cederénów. Pewnie zostanie sprzedana i z tego, co wiedziała, dom dziedziczyli rodzice Svena-Erika i Josefin.

Holger Johansson siedział w hamaku razem z sąsiadką Verą. Nie okazał najmniejszego zdziwienia, widząc Ann jeszcze raz.

Ann nie mogła się powstrzymać, by nie spojrzeć na głowę Holgera i sprawdzić, czy wciąż jest na niej rana, ale nic nie zobaczyła. Vera poszła po jeszcze jedną kawę.

Johansson postarzał się w ciągu tygodni, jakie upłynęły od ich ostatniego spotkania. Sprawiał wrażenie niemal speszonego. Może bierze leki, pomyślała Ann.

Opowiedziała krótko, że znaleźli kobietę, z którą spotykał się Cederén. Holger nie wyglądał na zdziwionego, popatrzył tylko na Ann, jakby chciał powiedzieć: Oczywiście, to wszystko przecież wina Cederéna, to jego niewierność zabiła moją córkę i wnuczkę.

– Przyjaciółka Cederéna też nie żyje. Została zamordowana.

Mężczyzna odstawił z brzękiem filiżankę i spojrzał na nią z osłupieniem.

– Co? – wykrztusił z trudem. W tej samej chwili weszła Vera. W jednej ręce trzymała filiżankę, a w drugiej talerzyk z plastrami rolady.

Ann powtórzyła. Vera zastygła z filiżanką w ręku.

– To ta, o której pisali w gazecie?

Ann skinęła głową.

– Kawa – powiedział Holger. – Nalej jej kawy.

Vera nalała.

– Nie było tam nic o tym, że miała jakiś związek ze Svenem--Erikiem – powiedziała.

– Nie, nie podaliśmy tej informacji mediom.

– Jak zginęła? – zapytał Holger.

– Została uduszona.

Dziwnie się czuła, nie mogąc powiedzieć, że Gabriella była dobrym człowiekiem, który został skrzywdzony przez życie, lecz się z tego podniósł.

– To smutne – rzekła Vera i szybko spojrzała na sąsiada, jakby powiedziała za dużo.

– Muszę zapytać, co pan robił wieczorem dwudziestego dziewiątego?

Nienawidziła zadawać tego pytania i na jednym oddechu wyjaśniła, że jest do tego zmuszona.

– Rozumiem – odrzekł Holger. – Byłem w domu, jak zwykle. Od śmierci Jossan rzadko wychodzę.

– Mogę to potwierdzić – wtrąciła szybko Vera.

– Wierzę wam – odparła Ann – ale muszę zadać jeszcze dwa pytania. Jaki pan ma numer buta?

– Czterdzieści cztery – odrzekł Holger zaskakująco raźnym głosem.

– Dziękuję – powiedziała Ann i wypiła pierwszy łyk kawy.

– Miały być dwa pytania.

– Tak, to drugie może się wydawać trochę dziwne...

– Jakby to o mój numer buta nie było – mruknął Holger.

Ann nie mogła powstrzymać uśmiechu.

– Chcę zapytać, czy był jakiś alkohol, którego Sven-Erik Cederén nie znosił i nigdy nie pił?

– Nie wiem, ale najczęściej pił whisky. Bez lodu i wody. Ileż to wieczorów przesiedzieliśmy przy szklaneczce.

Holger Johansson zatopił się w myślach. Ann zerknęła na Verę.

– Nigdy nie pił wódki ani grogu – podjął mężczyzna. – Czy to dobra odpowiedź?

– Dziękuję – odrzekła Ann.

Została kwadrans dłużej. Kiedy wstawała od stołu, przyszło jej do głowy jeszcze jedno pytanie.

– Miał pan przez jakiś czas opiekunkę, Marię Lundberg. Czy rozmawiał pan z nią, odkąd przestała tu pracować?

– Nie. – W głosie Holgera brzmiało zdziwienie. – Czemu miałbym to robić?

– Trafiliśmy na nią w związku z tą sprawą i powiedziała nam, że pana zna. Ale się nie widzieliście ani nie rozmawialiście?

Holger pokręcił głową.

– Dziwna była ta rozmowa – powiedział – ale to przecież pani praca.

Vera wstała i odprowadziła ją do samochodu. Kiedy były już blisko, chwyciła ją za rękę.

– Musi pani wybaczyć Holgerowi, ale on zapomina o różnych rzeczach. Oczywiście, że Maria przychodziła z wizytą.

Ann pokiwała głową.

Zostawiła Holgera i Verę z mieszanymi uczuciami. Czy dlatego, że para w hamaku przypominała jej własnych rodziców? Ten sam zastój, który zdawał się panować w otaczającym ich powietrzu, ten sam brzęk filiżanek i trochę przygnębiająca bierność. Hamak kołysał się tam i z powrotem. To Vera wprawiała go dyskretnie w ruch stopą, co znaczyło, że ona jest stroną aktywną. Holger huśtał się w roztargnieniu razem z nią, może nawet w ogóle tego nieświadomy.

Tak samo było w domu w Ödeshög. Bez drobnych ruchów, wyćwiczonych w ciągu całego życia spędzonego z ojcem, dom dzieciństwa tkwiłby w zastoju. Mama z pewnością by się nie zgodziła z tą analizą, wprawianie przez nią domu w ruch było taką oczywistością, że podkreślanie tego uznałaby za pewną nielojalność ze strony córki.

– On nie miał łatwo – mawiała, kiedy Ann dawała do zrozumienia, że ojciec mógłby być bardziej aktywny albo pomagać jej w pracach domowych. Ann nigdy nie zrozumiała, co matka miała na myśli, ale patrzyła na jej dobrowolnie podjęte starania z mieszaniną czułości i pogardy.

Całe to gadanie, myślała, prowadzi donikąd. Przychodziły jej na myśl słowa „monotonia" i „rutyna". Widziała siebie jadącą tą samą drogą nieskończoną ilość razy. Przy drodze stali zabójcy, mordercy, gwałciciele i handlarze narkotyków, patrząc, jak ona i jej koledzy biegają tam i z powrotem jak koty z pęcherzem, notując, rozmawiając przez komórkę i prowadząc gorączkowe dyskusje. Na pewno się uśmiechali i szydzili z pozbawionych wyobraźni policjantów.

Tylko sporadycznie zjeżdżali niezgodnie z planem z głównej drogi, skręcali w boczne ścieżki, na które nikt wcześniej nie zwrócił uwagi i śledztwo nabierało nagle rozpędu. Pojawiały się w nim nowe pejzaże i nowi ludzie.

Tak musimy pracować, myślała. Robić rzeczy nieprzewidziane. Jaką ścieżkę przeoczyłam, zastanawiała się, skręcając w Skärfälten na drogę 55 do Uppsali.

Jechała szybko, o wiele za szybko i wkrótce była już w mieście, lecz zamiast prosto do komisariatu, pojechała dalej do Rasbo.

Zbliżała się do domu Gabrielli Mark z dziwnym, nieokreślonym uczuciem. Martwa ziemia, martwy dom, uschnięte warzywa. Nic nie pozostało z idylli, tak jakby zagrodę i otaczający ją las spowił smutek i trwoga.

Chodziła wokół ze ściśniętym sercem. Sadzonki kapusty leżały jak rzucone na ziemie zużyte i pogniecione rękawiczki. Kilka słonecznych dni wystarczyło, by je zniszczyć. Nic już nie mogło sprawić, by wypuściły pędy. Śmierć prowadzi do śmierci, pomyślała ponuro. Szyby w inspektach lśniły. I po co tak się starałaś?

Ann ominęła kamienną trumnę, kopiec, pod którym znalazła ciało. Miała irracjonalne uczucie, że Gabriella wciąż tam leży, kiedyś piękna, ciepła, z zachwycającym ciałem, a teraz zimna, zdeformowana, skalana, ze sztywnymi członkami. Delikatna skóra nie kusiła już, by ją głaskać i całować, lecz wyglądała niemal perwersyjnie w swej trupiobladej nagości.

Turkawki krzyczały w lesie. Ann poszła dalej drogą. Na skraju podwórza stała bardzo stara grusza, a na ziemi leżało mnóstwo niedojrzałych gruszek, które z siebie strząsnęła. Przykucnęła i podniosła jedną z nich, w kształcie małego, nie w pełni rozwiniętego owocu.

Turkawki zawodziły swoją melancholijną pieśń. Przynajmniej tworzą pary, pomyślała. Usłyszała nagle dobiegający z lasu słaby szelest i natychmiast wstała. Niedojrzała gruszka wypadła jej z rąk. Wytężyła wszystkie zmysły i postąpiła o krok w stronę grubego pnia, jak gdyby chciała zyskać sojusznika. Guzowaty pień z głęboko żłobioną korą wydawał się jedynym źródłem bezpieczeństwa w tej krainie śmierci.

Znów usłyszała szelest. Próbowała coś dojrzeć między olchami i konarami. Wietrzyła jak zwierzę, by wyczuć zapach obcego. Coś mignęło między drzewami, ale nie mogła rozpoznać, co. Ogarnął ją strach i przywarła do drzewa, jak gdyby szukała schronienia. Starała się kontrolować oddech, stojąc bez ruchu i mając w głowie tylko jedno pragnienie – nie umrzeć jak Gabriella Mark.

Przeklęty niech będzie dzień, w którym złożyłam papiery do Wyższej Szkoły Policyjnej, pomyślała. Chcę wędrować po lesie, przyciskać policzek do starej gruszy i czuć nagromadzone w niej ciepło, zamiast ciągle stykać się ze śmiercią. Chcę żyć jak normalna kobieta, nie zadawać się ze zmarłymi, nie szperać w domach zmarłych, nie wędrować przez czarną ziemię. Chcę kochać, widzieć życie wokół siebie, chcę mieć dziecko, krzyczało coś w niej.

Krok w las. Ruch między gałęziami. Tak jakby las skrywał przemoc i wszystko, co nieludzkie. Ten szelest tam był, wyczuwalny, lecz niewidzialny dla oka.

Turkawki krzyczały. Ann odwróciła się szybko i spojrzała na zagrodę. Gdzie ma się schronić? Czy morderca powrócił? Czy w domu zostało jeszcze coś ważnego? Coś, co pominęli. Zawsze są jakieś szczegóły widoczne tylko dla złych ludzi.

Rozważała bieg z powrotem do samochodu, ale nie chciała uciekać jak jakaś ofiara. Miała obowiązek zarejestrować to, co tam było, nieważne, mordercę czy nie. Musiała radzić sobie ze strachem. Nieważne, czy za pomocą wina czy tabletek nasennych.

Przeżywała teraz strach Gabrielli. Wyobraziła sobie nagle zamordowaną jako bliską krewną, desperacko poszukującą prawdy. Kochała i straciła wszystko, nie raz, ale dwa razy. Śmierć przyszła od strony lasu. Unicestwiła ją i delikatne rośliny na grządkach i w inspektach. Ann przywarła do drzewa i wyjrzała zza niego, by w końcu zobaczyć to, co poruszało się wśród gęstej roślinności.

Mignęło jej wielkie cielsko. Zwierzę. Nagle pojawiła się łosza. Ogromny pysk wietrzył, a oczy wpatrywały się w coś nieznanego, co było w pobliżu. Znajdowała się najwyżej kilkanaście metrów od Ann, która nigdy wcześniej nie stała tak blisko wielkiego dzikiego zwierzęcia.

Łosza przeszła jeszcze parę kroków i obejrzała się. Z tyłu mignął łoszak, który teraz zbliżał się do niewielkiej polanki. To musi być ten cielak, o którym Gabriella pisała w kalendarzu, pomyślała Ann.

Poruszał się z największym trudem. Prawa tylna noga była zraniona. Wielka, otwarta, zakażona rana lśniła żywą czerwienią. Ann widziała brzęczące wokół niej muchy. Każdy krok musi być udręką, pomyślała. Łosza odwróciła łeb i patrzyła na swoje młode. Czy wiedziała, że nie ma szans? Potrząsnęła lekko wielką głową, jakby z żalu na widok swego dziecka. Ann miała wrażenie, że jej spojrzenie jest pełne smutku.

Trzymali się tego miejsca, bo nie mogli przemierzać większych tras. Łoszak był wychudzony i apatyczny. Teraz skubnął zaledwie parę liści.

Ann stała za drzewem jak skamieniała, patrząc na łoszę, która cierpliwie czekała, aż kulawe młode do niej dołączy.

Znowu znikli wśród zieleni. Tragizm tej sceny, matczyna czułość i wytrwałość cielaka, myśl o nieuchronnej śmierci czekającej młode sprawiły, że omal nie wybuchła płaczem.

– Jakie to cholernie smutne – wymamrotała.

22

Poranna odprawa zaczęła się od krótkiego podsumowania poprzedniego dnia. Z Rasbo napłynęły trzy informacje. Dwie odrzucili od razu, ale trzecia, od kobiety, która zadzwoniła późnym wieczorem i połączyła się z dyżurnym, była znacznie bardziej interesująca.

Mieszkała o jakiś kilometr od Gabrielli Mark i wieczorem dwudziestego dziewiątego czerwca, około godziny ósmej, zobaczyła nieznany jej samochód. W sąsiedztwie kobiety było tylko pięć domów, włącznie z tym Gabrielli, więc rozpoznawała przejeżdżające samochody.

Tamtego wieczoru widziała czerwony samochód. Miał z tyłu mało miejsca, opisała go jako niewielki dostawczy. Nie rozpoznała marki, ale nigdy wcześniej go nie widziała.

Samochód przemknął szybko, „o wiele za szybko jak na naszą wąską żwirówkę", i nie zauważyła, czy w środku siedziała jedna czy więcej osób. Dziwne było to, że nie wrócił tą samą drogą. Przynajmniej nie do czasu, kiedy świadek i jej mąż poszli spać, czyli o wpół do dwunastej. Twierdziła też, że budzi się, kiedy przejeżdża samochód. „Nie jesteśmy przyzwyczajeni do samochodów i dlatego nas budzą". Raport został wydrukowany dwie minuty przed północą.

– Musimy to sprawdzić – rzekł Ottosson. – To robota dla Nilssona, który urodził się w wiosce, gdzie ludzie nie są przyzwyczajeni do samochodów. Myślę też, że powinniśmy wysłać kogoś do Hiszpanii – powiedział i zabrzmiało to jak coś oczywistego.

Cztery ręce podniosły się w górę. Wende, Beatrice, Sammy i Jonsson z wydziału technicznego wyrazili swoje zainteresowanie.

– Wyślij Nilssona do Rasbo, a mnie do Hiszpanii – zaproponował Sammy.

Ottosson uśmiechnął się swoim najbardziej serdecznym uśmiechem. Sammy miał iść parę dni temu na urlop, ale sam zaproponował, że popracuje jeszcze przez tydzień, więc choćby z tego powodu ten wyjazd w pewnym sensie mu się należał.

– Zobaczymy – powiedział szef wydziału i nie mógł się powstrzymać, by nie zerknąć na Ann Lindell, która zrozumiała, że to ona powinna móc zdecydować, kogo mają wysłać.

– Myślę, że wyślemy Ann – powiedział.

– Nie! – krzyknęła. – Nie mogę.

– Bo uważasz, że jesteś tu niezastąpiona? – zapytał Berglund, jedyny z nich, który mógł rzucić taki komentarz, nie będąc odebranym jako niekoleżeński. Bywał wprawdzie szczery i czasami wręcz szorstki, ale koledzy Ann pilnowali się, by za dużo z niej nie żartować. Brakowało jej poczucia humoru i bywała nieprzewidywalna. Czasem dobrze przyjmowała żart, a czasem się obrażała.

– Oczywiście, że możesz – rzekł Ottosson. – Tu wszystko toczy się jak zwykle.

– Może poznasz przystojnego tancerza flamenco – powiedział Sammy i poznał po jej gniewnej minie, że posunął się za daleko.

Beatrice położyła dłoń na ramieniu Ann.

– Jedź do Malagi – powiedziała cicho. – Tam jest na pewno trzydzieści stopni. Dobrze ci to zrobi. Oni po prostu ci zazdroszczą.

– Nie mogę – powtórzyła Ann.

Rano postanowiła, że jeszcze dziś skontaktuje się z poradnią opieki nad matką i zapyta o fachową poradę albo po prostu porozmawia z kimś o ciąży. Każdy upływający dzień odczuwała jak małą katastrofę. Miała wrażenie, że coraz bardziej puchnie, choć musiała przyznać, że kiedy wieczorem badała swoje ciało, nie widziała najmniejszych oznak ciąży.

Dręczyło ją niezdecydowanie. Musiała zmierzyć się z problemem równie szybko i efektywnie, jak robiła to w śledztwach. Jadąc do Hiszpanii, zmarnuje kolejne dni.

Może powinnam wziąć kilka dodatkowych dni i zrobić aborcję w Maladze, przemknęło jej przez myśl, wtedy nikt by niczego nie zauważył, ale w tej samej chwili ogarnęła ją taka złość na samą siebie, że aż poczerwieniały jej policzki. Znów powrócił obraz łoszy i jej cielaka.

– Proponuję, żebyśmy wysłali kogoś innego – powiedziała, ale w jej głosie nie było przekonania. Inni odebrali to tak, że w rzeczywistości chciała jechać, lecz w imię skromności udawała, że jej na tym nie zależy.

– Rozmawiałem z szefem i on też tak uważa – dodał Ottosson.

Sammy uśmiechnął się szeroko. Miał już na końcu języka nowy żart, ale powstrzymało go spojrzenie Ottossona.

– Co więcej – ciągnął Ottosson – odezwali się z Ystad. Znaleźli „kuzynkę" Gabrielli. Ma na imię Lennart, nazwisko pewnie Mark. Wędrował po Włoszech, ale upadł, złamał nogę i trafił do szpitala. Zadzwonił do kogoś z rodzeństwa i dowiedział się o śmierci Gabrielli. Mają zdobyć numer telefonu do szpitala w Bolzano.

– Gips to włoska specjalność – wtrącił Sammy.

Rozeszli się do swoich pokoi. Ann została trochę dłużej, jak zwykle, by spędzić chwilę z Ottossonem. On zebrał papiery, spojrzał na nią i zauważył jej zmartwioną minę.

– Jedź do domu i się pakuj – rzekł przyjaźnie. – Prosiłem Anki o sprawdzenie lotów. Możesz lecieć już jutro. Tylko uprzedzimy Hiszpanów.

– Ja naprawdę nie mogę jechać – powiedziała Ann. – Z powodów osobistych.

– To przez tego z Roslagen?

Ann pokręciła głową.

– Rodzice w Ödeshög?

– Nie, też nie.

Wyobraźnia Ottossona widocznie nie sięgała dalej, bo umilkł i tylko na nią patrzył. Chciała już mu powiedzieć, ale ją uprzedził.

– Jesteś w ciąży?

– A widać?

– Nie, i nikt mi o czymś takim nie wspomniał, ale widzę, że jesteś czymś bardzo zmartwiona.

Włożył dokumenty do walizki, unikając jej spojrzenia.

– I...

– Tak, wyciągnąłem prosty wniosek, że jeśli kobieta jest taka zatroskana, to musi być w ciąży, prawdopodobnie niechcianej.

Mówił cicho. Ann patrzyła na niego, nie mogąc wydobyć z siebie słowa.

– Czy powiedziałem za dużo?

– Nie, tylko zupełnie mnie zatkało.

Słowa Ottossona w jakiś sposób ją poruszyły. Może dlatego, że po raz pierwszy mogła z kimś porozmawiać o swoim stanie. Może prostota jego słów dotknęła wprost jej serca.

– Nie wiesz, co robić?

– Nie. Jesteś naprawdę cudowny.

– Jedź do Malagi, porozmawiaj z naszymi kolegami, sprawdź hiszpańską filię MedForsk i dobrze to sobie przemyśl. Może powinnaś wziąć parę dodatkowych dni i tylko odpoczywać, opalać się i dobrze bawić.

– Jeśli mam jechać, chcę mieć towarzystwo.

– Pojedzie z tobą Bosse Wanning z wydziału gospodarczego, to już postanowione. Mają ciekawe informacje, ale muszą je sprawdzić tam na miejscu. Może Hiszpanie nam pomogą. Zdaje mi się, że chodzi tu również o pieniądze unijne, rodzaj dotacji na rozwój.

– Miałam na myśli kogoś z wydziału zabójstw.

– Aha – Ottosson wyraźnie się zawahał. – Wiesz, jak jest z pieniędzmi.

Gdyby to on decydował, chętnie wysłałby do Hiszpanii cały wydział, na tydzień albo dwa.

– Zwykle pracujemy w parach – upierała się Ann.

– Przecież jedzie was dwoje.

– Ale Wanning będzie ślęczał nad księgami. Co mi z tego przyjdzie?

– Okej, spróbuję – zakończył rozmowę Ottosson.

Ann Lindell poszła prosto do swojego pokoju. Nie prosiła Ottossona, by nie mówił nikomu o jej stanie, ale wiedziała, że nie jest to potrzebne. Czuła się dziwnie, że zauważył to mężczyzna, ale skąd mogła wiedzieć, może Beatrice i inni też się czegoś domyślali.

Malaga pojawiała się w prognozie pogody, tyle o niej wiedziała. Południowa Hiszpania. Na pewno czterdzieści stopni.

Ottosson obiecał, że zajmie się stroną organizacyjną, to znaczy: porozmawia z Anki. Czy Ola z nią pojedzie? Podała jego nazwisko, bo z nim najłatwiej się jej współpracowało. Sammy miał czasem trochę ostry język i bywał za bardzo macho. Ola był delikatniejszy, choć nie mięczak. Niestrudzony, gdy wytropił ślad. Wtedy wyrywał się do przodu niczym pies myśliwski, bez ujadania, lecz nieustępliwie. To on odnalazł kochankę Ceueréna – co prawda za późno, ale jednak. Ale czy naprawdę za późno – to ona zmarnowała szansę porozmawiania z żywą Gabriellą.

Zadzwoniła po Havera, który od razu do niej przyszedł.

– Hiszpania – powiedziała bez wstępów, kiedy wszedł do pokoju.

– Co?

– Jedziemy razem – wyjaśniła. – Możesz się pakować wieczorem. Ma być ciepło.

Ola Haver sprawiał wrażenie zbitego z tropu, przełknął i miał minę, jakby chciał zaprotestować, lecz Ann go uprzedziła.

– Musi być nas dwoje. To nie jest jeszcze pewne, ale zaproponowałam ciebie.

– Nie wiem, w domu jest trochę zamieszania.

– To będzie tylko kilka dni. Wyluzuj. Nie pojadę sama z naszego wydziału.

– Szczerze mówiąc, nie sądzę, by Rebecka była zadowolona.

– Pozwoli ci chyba na kilka dni w słońcu.

Haver wstał. Wyglądał na bardzo zakłopotanego.

– Nie chodzi o to, czy pozwoli – powiedział, odwracając się do okna. – Rzecz w tym, że jedziemy tam we dwoje.

– No i co?

– Rebecka jest trochę zazdrosna.

– O mnie?

– O wszystkich. – Haver próbował załagodzić sytuację, widząc konsternację na twarzy Ann.

– Chcesz powiedzieć...

– Chcę powiedzieć, że ty i ja się lubimy i spędzamy dużo czasu razem. Jesteś ładna i Rebecka o tym wie i...

– Dzięki, Ola, ale my przecież nigdy...

– Nie, ale ona o tym nie wie.

– Często narzeka?

– Nie narzeka, ale robi drobne aluzje.

– Porozmawiaj z nią najpierw – zaproponowała i Haver poszedł do swojego pokoju.

Ann miała mętlik w głowie po wyznaniach kolegi o jego życiu rodzinnym i wpływie, jaki ma na to ona sama. Nigdy nie pomyślała o Oli jako kochanku, nawet z nim nie flirtowała. Był miły, przystojny, ale nic więcej.

Uśmiechnęła się do siebie. „Jesteś ładna", powiedział i był to największy komplement, jaki mogła usłyszeć w wydziale. Wprawdzie Ottosson nie szczędził jej miłych słów, mówił, jaka jest świeża i podobna do lilii, no ale to był Ottosson.

Postanowiła, że zadzwoni do Edvarda. Teraz miała dobrą wymówkę. Mogła się zasłonić Hiszpanią, gdyby chciał się spotkać. Było zajęte.

Spisała naprędce notatki z wizyty u Holgera Johanssona. Tak jakby wiadomość o Maladze zmuszała ją do pośpiechu. Poczuła nagle inspirację i wypełniającą ją chęć działania. Rozpoznawała symptomy i trzeba było kuć żelazo, póki gorące.

Znalazła numer do właściciela koparki, którą pożyczył Mortensen. Odebrał od razu. Hałas w tle utrudniał zrozumienie tego, co mówi, więc po chwili wyłączył urządzenie.

– Muszę iść do samochodu i sprawdzić w terminarzu. Te dni są tak cholernie do siebie podobne. A do czego to pani potrzebne?

– Rutynowe czynności – wyjaśniła Ann.

– No tak, jasne – powiedział właściciel koparki. – To był dziwny typ. Jego matka też. Przez cały czas nadawała, jakie to niebezpieczne i nie chciała, żeby robił to sam. Powiedziałem jej w końcu, żeby się zamknęła. Musiałem jechać do innej roboty i nie miałem czasu, żeby tam stać i ględzić. Pana Mortensena zatkało, kiedy się wtrąciłem.

– Co powiedziała matka?

– Poszła sobie bez słowa.

– Dziękuję za pomoc – rzekła Ann przyjaznym tonem. – Jeszcze jedno: kiedy odebrał pan maszynę?

– O wpół do siódmej następnego ranka. Nie był takim kozakiem w kopaniu, no ale przecież nie miał wprawy.

– Dziękuję – powtórzyła i położyła słuchawkę.

23

Ann Lindell wyglądała przez okno samolotu. Nie ma lasu – to pierwsze przyszło jej na myśl. Ziemia uprawna została podzielona na małe pola, wszystkie w różowoczerwonym odcieniu. Niektóre były nakrapiane w małe zielone punkciki w równych rzędach. Ann przypuszczała, że to krzewy, może małe drzewka.

Wszystkie kraje są ładne z lotu ptaka, pomyślała, kiedy samolot przelatywał nisko nad domami i budynkami gospodarczymi. Nie latała często i czuła napięcie w całym ciele, kiedy siadała w fotelu lotniczym. Obok niej siedział Haver, a z drugiej strony Bosse Wanning z gospodarczego i mówiący po hiszpańsku ekspert od komputerów, którego wydział szczęśliwie znalazł w ostatniej chwili.

Odebrali bagaże i ruszyli do wyjścia. Po przejściu prawie niezauważalnej kontroli natknęli się od razu na młodego człowieka, który trzymał tablicę z jej imieniem.

– Witamy w Maladze – powiedział po angielsku.

Był ubrany po cywilnemu i samochód, do którego wsiedli, też był cywilny.

– Teraz mamy spotkanie z szefem gabinetu kryminalnego – rzekł szofer.

– Brzmi elegancko – stwierdził Haver.

Malaga powitała ich umiarkowanym ciepłem, około dwudziestu pięciu stopni. Ruch samochodowy w stronę miasta był intensywny. Wszyscy siedzieli w milczeniu, patrząc na mrowie ludzi.

Dla Ann była to druga podróż do Hiszpanii. Wiele lat temu spędziła tydzień na Majorce z Rolfem, mężczyzną, z którym była przed Edvardem. Wiedziała, że ten pobyt będzie inny.

Nigdy nie była za granicą w sprawach służbowych i ciekawiło ją, jak się ułoży współpraca z hiszpańskimi kolegami. Uprzedzono ją o biurokracji, a Berglund napomknął coś o czarnych koszulach*. Zapytała, co ma na myśli, ale wykręcił się od odpowiedzi i wymamrotał coś o starych przesądach.

Głowna kwatera policji kryminalnej znajdowała się przy Plaza Azaña, przypominającym bardziej rozjazd drogowy niż plac.

Czekali na nich. Szef wydziału kryminalnego i szef public relations stali w foyer. Ann rozejrzała się dokoła. Przewiewne

* Aluzja do Falangi, faszyzującej partii hiszpańskiej. W rzeczywistości czarne koszule były atrybutem faszystów włoskich – falangiści nosili granatowe.

pomieszczenie z recepcją, przy której tłoczyli się ludzie. Hałas był wręcz ogłuszający. Miała wrażenie, że interesanci wchodzą i wychodzą bez żadnej kontroli. Porównała to z komisariatem w Uppsali, gdzie ludzie napotykali dość ponure otoczenie i zamknięte na klucz drzwi.

Antonio Fernandez Moya miał około czterdziestu pięciu lat, był niski i zaczynał tyć. Miał uderzająco jasną karnację i błyszczące, brązowe oczy. Zdawało się jej, że w ułamku sekundy otaksował jej ciało wzrokiem, nim przyjął wyciągniętą rękę i mocno uścisnął.

– Miło was tu gościć – powiedział i wydawało się, że naprawdę tak myślał.

Jego kolega był starszy i znacznie bardziej sztywny. Wymamrotał swoje nazwisko i cofnął się o parę kroków. Ann nie wiedziała, jaką funkcję pełnił, lecz domyślała się, że był miejscowym odpowiednikiem Liselotte Rask, odpowiedzialnej za informację w uppsalskiej policji.

Zaprowadzono ich na piętro. Antonio Moya nieprzerwanie mówił. Szarmancko wziął Ann pod rękę. Usiedli w mniejszej sali konferencyjnej.

– Kawy? – zapytał Moya.

Cała czwórka gości powiedziała „tak". Dołączył do nich trzeci policjant, również w cywilu, i przedstawił się jako Max Arrabal.

Sala była zimna i przywodziła na myśl powiększony pokój przesłuchań. Nie przypominała w niczym sali konferencyjnej szwedzkiej policji, z dziwną mieszaniną funkcjonalnego wyposażenia i wypracowanej przytulności. Tu najważniejsze były stoły i krzesła. Król nadzorował wszystko z portretu na ścianie.

Po wstępnych grzecznościach, podczas których nieumundurowany policjant przyniósł kawę, Moya zaczął mówić o hiszpańskim partnerze MedForsk. Był dobrze przygotowany i wywarł na nich spore wrażenie. Ann zerknęła na Havera i oboje się uśmiechnęli. Czuli napięcie. Może tu było otwarcie sprawy Cederén-Mark.

UNA Medico powstała w Maladze osiem lat temu i szybko się rozwijała. Na początku wynajmowali budynek po upadłej fabryce obuwia, ale już po paru latach zbudowali własne pomieszczenia biurowe i laboratoryjne.

Zatrudniali około pięćdziesięciu osób i byli znani z dobrego traktowania personelu. Dobrze im się też układała współpraca z władzami i burmistrz Malagi wiele razy wyrażał zadowolenie z istnienia firmy w mieście. Chodziło mu o to, że przemysł farmaceutyczny był branżą odnoszącą sukcesy. Moya napomknął także, że jego dawny kolega ze szkoły pracował w kadrze kierowniczej przedsiębiorstwa.

O współpracy z firmą szwedzką Moya wiedział w zasadzie tylko tyle, że przed biurem UNA Medico powiewała od czasu do czasu szwedzka flaga.

Połowę zatrudnionych stanowiły kobiety, większość w pakowni i w magazynie. Przedsiębiorstwo nie płaciło wprawdzie wysokich pensji, ale mimo to nie mieli problemu z utrzymaniem stałego personelu.

Ann naprawdę zaimponowało, że hiszpańska policja była w stanie zebrać tyle informacji w tak krótkim czasie, niespełna doby.

Prowadzili interesy w nieposzlakowany sposób, ciągnął Moya. W ciągu roku dostali dwieście pięćdziesiąt tysięcy euro na dalsze inwestycje. Dotyczyły one ochrony środowiska i rozwoju kontaktów międzynarodowych. Przemysł farmaceutyczny coraz bardziej się internacjonalizował i UNA Medico jako mała firma musiała szukać partnerów do współpracy.

Jeżeli w MedForsk działo się coś niezgodnego z prawem, władze hiszpańskie nic o tym nie wiedziały ani nie miały powodu, by się wtrącać, ale chcieli oczywiście pomóc szwedzkim kolegom w śledztwie.

– Współpraca z wami to dla mnie przyjemność. – Moya zakończył swój referat i powędrował spojrzeniem po szwedzkich kolegach, by na końcu zatrzymać je na Ann.

Ciekawe, ile są warte jego słowa, pomyślała, ale uśmiechnęła się uprzejmie. Zamknęła notatnik, specjalnie kupiony na wyjazd, i powiedziała, dlaczego interesują się MedForsk. Kiedy mówiła o tym, jak Josefin i Emily zostały przejechane przez nieznanego kierowcę, Moya wydał westchnienie, a raczej jęk. Jego mina dobitnie wyrażała, co o tym sądzi.

Sprawozdanie ze śledztwa zajęło Ann kwadrans. Nikt jej nie przerywał, a kiedy skończyła, w pokoju zapadła nienaturalna cisza.

– Jeszcze kawy? – zapytał Moya.

Ann spojrzała najpierw na Havera, a potem na Bossego Wanninga, jakby szukała wsparcia. Haver chciał jeszcze jedną kawę. Wanning patrzył na swoje dłonie spoczywające na stole.

– Znakomicie – powiedział Moya z entuzjazmem. – Bardzo obszerne i rzeczowe sprawozdanie. Dziękujemy.

Ann poczuła, jak się rumieni.

Przyniesiono więcej kawy i Wanning od razu trochę się ożywił. Może jest zmęczony, pomyślała Ann, ale chyba powinien wykrzesać z siebie więcej zaangażowania.

– Mamy następującą propozycję – powiedział Moya, kiedy popijali małymi łykami mocną kawę. – Nie mamy uprawnień, by wejść prosto do UNA Medico i zacząć grzebać w ich papierach. Rozumiecie, że do tego jest potrzebny nakaz prokuratora. Pracujemy nad tym. Możemy natomiast przeprowadzić wstępną rozmowę z kierownictwem firmy i poznać ich opinię na temat nieporozumień w spółce szwedzkiej. Będziemy wtedy wiedzieli, na ile są chętni do współpracy.

– Czy zostali uprzedzeni o naszej wizycie? – zapytał po hiszpańsku ekspert od komputerów, Antonio Morales.

– Och, moja piękna mowa ojczysta! – wykrzyknął Moya i rozpromienił się cały w uśmiechu. – Co za niespodzianka. Nie, oczywiście, że o niczym nie wiedzą.

– Czuję się dotknięty – dodał po hiszpańsku, przybierając udawanie obrażoną minę.

Morales lekko przechylił głowę i rzekł coś po hiszpańsku. Moya odpowiedział uśmiechem i ledwo dostrzegalnym ruchem głowy, jednocześnie powolnym ruchem odwodząc jedną rękę w bok.

Południowcy, pomyślała Ann. Moya znowu zwrócił się w jej stronę.

– Proponuję, żebyście rozgościli się w hotelu, odpoczęli i może coś zjedli, bo później, powiedzmy, o trzeciej, pojedziemy do UNA Medico. Czy tak będzie dobrze?

– Czy to trochę nie za późno?

– Nie, my tu pracujemy długo.

Malaga Palacio znajdował się przy Alameda Principal, która wydała się Ann główną ulicą w mieście. Przed hotelem rozciągał się duży park, a kilka przecznic na północ wznosiła się wielka katedra.

Ann poczytała trochę o mieście, jego historii i zabytkach. Wiedziała, że liczy sobie ponad dwa i pół tysiąca lat i przez siedem wieków było w rękach arabskich.

– Siedemset lat – powiedziała do Havera, kiedy siedzieli na ławce w parku. – To tak, jakby Uppsala była pod panowaniem rosyjskim lub niemieckim od czternastego wieku. To musiało mieć wpływ na ludzi, na kulturę, na wszystko.

– Mhm – mruknął w odpowiedzi Haver, studiując plan miasta. – Tutaj urodził się Picasso.

– Tak, i to jest typowy przykład wpływów arabskich – odrzekła Ann.

Haver podniósł wzrok i się uśmiechnął.

– Dobrze się czujesz? – zapytał.

– Czy dobrze się czuję? Oczywiście.

– Ostatnio jesteś trochę klapnięta – stwierdził Haver, odkładając mapę.

– Dużo się działo – odrzekła wymijająco Ann.

Przyglądała się gołębiom, które zbierały się tłumnie wokół starszego mężczyzny po drugiej stronie małego otwartego placu, przy którym siedzieli.

– Przyjemnie wyjechać na trochę – powiedział Haver – ale ja się zastanawiam nad sensem tego wszystkiego. Jeśli nie możemy teraz sprawdzić ich księgowości i korespondencji, jak mamy znaleźć coś przydatnego? Jesteśmy przecież na łasce przedsiębiorstwa.

– Wiem, ale ja widzę to tak: rozwiązanie znajduje się w Szwecji, jestem o tym przekonana, ale jeśli zamieszamy tutaj trochę w kaszy, może zacznie bulgotać u nas.

– To tylko pobożne życzenia – odrzekł Haver.

Minęła ich matka z wózkiem. Odprowadził ją wzrokiem.

– Trudno mi ocenić Moyę – dodała Ann.

– Tam masz trochę wpływów arabskich – rzekł Haver, wskazując ruchem głowy kobietę z dzieckiem. Falujące włosy okalały jej głowę jak ciemna chmura.

Za piętnaście trzecia cywilny samochód zajechał przed hotel. Był w nim ten sam szofer, który wiózł ich rano. Ann zauważyła, że zmienił koszulę.

W samochodzie, dużej toyocie, siedzieli Moya i Arrabal. Jechali w kierunku dzielnicy przemysłowej na peryferiach miasta, niedaleko lotniska. Ann zdawało się, że zobaczyła na tablicy napis „Guadelhorce", kiedy skręcili z autostrady. Po torach biegnących równolegle do drogi przejechał z hukiem pociąg. Za stacją skręcili w prawo, minęli kilka przecznic i odbili w lewo. Samochód zwolnił i przejechał koło rzędu radiowozów. Moya wyciągnął rękę w pozdrowieniu jak prezydent podczas przejazdu.

– To było niezłe – powiedziała Ann, odwracając się do uśmiechniętego Moyi.

– Dobrze jest czasem się postarać – odrzekł – żeby widzieli, że traktujemy to poważnie.

Ann nabrała podejrzeń, że Moya może wykorzystać gości ze Szwecji i planowaną akcję do własnych celów. Spojrzała na Havera i chciała coś powiedzieć, kiedy Moya wskazał palcem i rzekł parę słów do kierowcy. Ten wjechał między słupy bramy, kierując się w stronę budynku z czerwonej cegły. Sznur radiowozów jechał za nimi jak gąsięta za matką.

Nazwa „UNA Medico" była wypisana wielkimi literami na miedzianej tablicy, a pod spodem widniał napis „MedForsk", nieco mniejszą czcionką. Starszy mężczyzna z miotłą w ręce patrzył szeroko otwartymi oczami na tę inwazję samochodów. Zdjął czapkę, podkreślając w ten sposób spektakularność całej akcji.

Moya podszedł pewnym krokiem do drzwi wejściowych. Jeden z ubranych po cywilnemu policjantów wyjął aparat i uwiecznił szefa kładącego dłoń na klamce. Na twarzy Moyi nie pozostał ślad życzliwości, wyglądał bardziej na surowego dowódcę.

Szefowie wszędzie są podobni, pomyślała Ann. Wkrótce nasz mały komendant będzie obecny przy akcji, upudrowany i w mundurze, a błyski fleszy oślepią stojących z rozdziawionymi ustami gapiów.

Policjanci rozeszli się i znikli za ścianami budynku. Kilkunastu weszło za Moyą i Szwedami głównym wejściem.

Hiszpańsko-szwedzką delegację powitało w recepcji dwóch mężczyzn w średnim wieku. Prezentowali styl, który w Szwecji określono by jako przesadnie zbytkowny. Jeden z nich był uderzająco niskiego wzrostu. Wystąpił naprzód i zwrócił się do Moyi, jak gdyby znał go wcześniej albo przynajmniej wiedział, kto tu dowodzi.

– Witamy w UNA Medico – powiedział przyjaźnie i przedstawił się jako Francisco Cruz de Soto.

Czyżby jednak ich się spodziewano? – przemknęło przez głowę Ann, kiedy nie dostrzegła w twarzy de Soto najmniejszych oznak zdziwienia, raczej rodzaj usłużnej grzeczności, nie serdecznej, ale też i nie odpychającej.

– Jesteśmy tutaj, by sprawdzić pewne fakty dotyczące przedsiębiorstwa – powiedział Moya bez zbędnych wstępów, a Morales przetłumaczył to na szwedzki.

– Jest z nami paru szwedzkich kolegów – dodał, po czym przeszedł na angielski.

De Soto podszedł do czwórki gości z Północy, by się z nimi przywitać uściskiem dłoni. Zaczął od Ann i trudno było zgadnąć, czy to dlatego, że była kobietą, czy szefem.

– Bardzo mi miło – powtórzył cztery razy, starając się, by zabrzmiało to szczerze.

– Potrzebujemy niezwłocznie dostępu do księgowości, dzienników podawczych, korespondencji, listy zatrudnionych – wyrecytował jednym tchem Moya, wyciągając z wewnętrznej kieszeni jakiś papier. – Tu jest upoważnienie – dodał.

De Soto całkowicie zignorował dokument.

– Będziemy współpracować niezależnie od tego, o co wam chodzi – powiedział, zwracając się do Ann.

On wie, o co nam chodzi, pomyślała.

W ciągu kwadransa policjanci rozlokowali się w pomieszczeniach biurowych firmy. Moya, Arrabal, de Soto plus parę innych osób z UNA Medico i czworo Szwedów siedziało w sali konferencyjnej. Po kilku minutach na stole pojawiła się kawa, napoje chłodzące i piwo.

Moya zaczął od przydługiego wstępu, w którym mówił o bezproblemowej i daleko idącej współpracy między szwedzką i hiszpańską policją. Napomknął też coś o Unii Europejskiej, o tym, jak współpraca policji coraz bardziej się rozwija i jak ważną w tym rolę odgrywają komputery.

De Soto siedział spokojnie, słuchając wykładu. Kiedy komendant skończył, powtórzył swoje zapewnienia, że nie napotkają na żadne przeszkody ze strony przedsiębiorstwa.

Moya spojrzał na Ann, a ona zrozumiała, że teraz jej kolej. Przygotowała się do tego wystąpienia i zdała relację z wydarzeń w Uppsali.

– Sądzimy – powiedziała na koniec – że rozwiązania niektórych z tych zagadek znajdziemy tu, w Maladze.

– Których? – zapytał wprost de Soto.

– Są transakcje finansowe, które nie wyglądają dobrze – odrzekła Ann, czując, że początkowa nerwowość ustąpiła niemal całkowicie. – Mamy powód zakładać, że z MedForsk zniknęła dość duża suma pieniędzy i prawdopodobnie trafiła tutaj albo do innego kraju. Poza tym mamy pytania związane z Dominikaną. Doszło tam do zakupu ziemi i być może innych transakcji, które nas trochę zdziwiły.

De Soto chciał jej przerwać, lecz Ann niezrażona mówiła dalej.

– Co więcej – powiedziała – na pewno wiecie, że kierownik laboratorium w MedForsk, Sven-Erik Cederén, nie żyje, podobnie jak jego żona i córeczka, które zostały brutalnie przejechane przez samochód.

– Słyszeliśmy i głęboko nad tym ubolewamy, ale z tego, co zrozumieliśmy, była to rodzinna tragedia, która nie miała nic wspólnego z MedForsk ani z nami. Sven-Erik Cederén był dobrym badaczem i kolegą, ale widocznie miał napad szaleństwa, że tak bezpośrednio to ujmę – odrzekł de Soto.

– Czy mówi panu coś nazwisko Julio Piñeda? – zapytał nagle Haver.

Na twarzy de Soto pojawił się przez moment wyraz irytacji, ale od razu odpowiedział przecząco.

– Czy był pan kiedyś w Republice Dominikany? – zapytała Ann.

– Tak, dwukrotnie. Za każdym razem z żoną i dziećmi. Piękny kraj.

– Nie prowadzicie tam działalności?

– Nie, sytuacja polityczna jest zbyt niepewna. Poza tym są braki w infrastrukturze i trudno znaleźć wykwalifikowaną siłę roboczą.

– Więc co tam robiliście? – drążył Haver.

– Byliśmy na wakacjach – odparł krótko de Soto.

Akurat, pomyślała Ann. Twarz Havera wyrażała podobny sceptycyzm.

– I nie macie żadnych planów, by rozpocząć tam działalność?

– Nie, jak już powiedziałem. Republika Dominikany nas nie interesuje.

Bosse Wanning z wydziału do walki z przestępczością gospodarczą dotąd się nie odzywał, ale teraz zakaszlał i wszystkie spojrzenia zwróciły się na niego. Ann była mu za to wdzięczna. Prowadzenie rozmowy po angielsku było dość wyczerpujące, zwłaszcza że chciała pokazać się de Soto z najlepszej strony i zrobić dobre wrażenie w obcym kraju.

– Odnotowaliśmy transakcję szwedzkiego przedsiębiorstwa z krajem na Karaibach – zaczął Wanning. – Na pewno zna pan tę sprawę.

Zrobił pauzę, jakby się spodziewał, że de Soto zaoponuje, ten jednak spokojnie czekał na ciąg dalszy.

– Jak pan to skomentuje?

– Bez komentarza, jak mówią – powiedział de Soto i uśmiechnął się. – Po prostu nic na ten temat nie wiemy. Prawda? – zwrócił się do jednego ze swoich współpracowników, który wymownym gestem rozłożył ręce.

– Znaleźliśmy faks, który przeczy temu twierdzeniu – odrzekł łagodnym głosem Wanning.

Ann wiedziała, że potrafi być ostry jak brzytwa, naprawdę złośliwy, kiedy chciał.

– Skąd był ten faks?

– Z tego biura – odrzekł Wanning, nie podnosząc wzroku, bo szukał czegoś w papierach.

– Podpisany „Pedro" – dodał.

– Mamy jednego Pedro, może dwóch, ale pracują w dziale produkcji i nie mają nic wspólnego z kierowaniem firmą – oznajmił de Soto z takim samym spokojem.

– Może to pseudonim? – zapytał Wanning, któremu Morales pomógł znaleźć właściwe słowo.

– To jest przedsiębiorstwo, nie drużyna piłkarska. Nie używamy pseudonimów artystycznych.

– Mamy potwierdzenie od waszych szwedzkich przyjaciół – ciągnął niezrażony Wanning.

– Potwierdzenie?

Wanning wyjął jakiś papier i szybko przebiegł jego treść oczami, nim podał go przez stół.

– Jest przetłumaczone na hiszpański.

De Soto nawet nie spojrzał na kartkę, tylko podał ją dalej współpracownikowi.

– Może wystąpiły jakieś niejasności, skąd mogę wiedzieć, ale nie w wyniku świadomej woli łamania szwedzkiego czy hiszpańskiego prawa. Jesteśmy w bardzo ekspansywnej fazie, podkreślam, bardzo ekspansywnej i mogą się teoretycznie zdarzyć jakieś drobne błędy, lecz w takim wypadku oczywiście niezwłocznie je naprawimy.

Zapadła cisza, jakby uczestnicy spotkania potrzebowali trochę czasu na ocenę wypowiedzi szefa UNA Medico. Mortensen miał taki sam argument, pomyślała Ann.

– Nie możemy sobie pozwolić na działanie niezgodne z prawem – podjął de Soto. – Działalność rozwija się tak dobrze, że trzeba wszystkich sił, by doskonalić produkty i zdobywać nowe rynki. Wprowadzamy właśnie nowy lek – perspektywy są obiecujące, amerykański rynek może go przyjąć lada moment. Sami rozumiecie, że nigdy byśmy nie ryzykowali dla paru nędznych peset.

Ann wiedziała, że dalej się nie posuną. De Soto był dobrze przygotowany do wizyty. Czy Moya o tym wiedział? Czy dlatego tak chętnie ruszył do akcji z całą kawalerią?

Zakaszlała, to był chyba najlepszy sposób, by dojść do głosu.

– Czy możemy dostać listę waszych pracowników? Nie tylko aktualnie zatrudnionych, lecz również tych, którzy pracowali, powiedzmy, rok temu.

– Oczywiście – odrzekł de Soto.

– Dziękuję – odpowiedziała Ann.

– Kiedy Cederén był tu ostatni raz? – zapytał Haver.

Hiszpanie spojrzeli po sobie. Na to pytanie nie byli widocznie przygotowani.

– Musimy sprawdzić – powiedział w końcu de Soto – ale coś mi się wydaje, że to był koniec maja.

– Czy wspomniał o Republice Dominikany? – pytał dalej Haver.

U Hiszpana dało się wyczuć pewne zdenerwowanie.

– Jak już powiedziałem, nie mamy żadnego powodu, by rozmawiać o tym kraju.

– Ale czy Cederén coś mówił? – nalegał Haver.

– Nic, co bym pamiętał. Może mówił ogólnie o Karaibach i na pewno wiedział, że tam byłem. Może pytał, jak się tam podróżuje.

– Kiedy był pan ostatni raz w Szwecji? – ciagnął Haver.

Ann była ciekawa, dokąd Ola zmierza, ale czuła, że chce po prostu zmęczyć Hiszpanów pytaniami.

– W maju. Obaj byliśmy w maju – powiedział, wskazując głową najbliższego sąsiada przy stole. – Pożyteczna wizyta. Dobre rezultaty.

– Kto jest głównym udziałowcem każdego z waszych przedsiębiorstw? – przerwał mu Wanning.

Znów wymiana spojrzeń, pomyślała z zadowoleniem Ann.

– Cederén, Jack i ja mamy po jednej czwartej udziałów. Reszta jest podzielona między dwadzieścia różnych osób.

– Czy są aktywnymi udziałowcami?

De Soto pokręcił głową.

– Uważają posiadanie akcji za dobrą inwestycję.

– Co się stanie z częścią Cederéna?

– Zgodnie z umową Jack i ja mamy prawo pierwokupu jego akcji. Jeśli nie będziemy zainteresowani, oferta trafi do pozostałych, proporcjonalnie do ich udziału.

– A jesteście zainteresowani? – zapytał Haver.

– Jeszcze się nad tym nie zastanawiałem – uciął krótko de Soto.

Akurat, pomyślała Ann, to było pierwsze, co przyszło ci do głowy, kiedy się dowiedziałeś o śmierci Cederéna.

– Czy widzi pan jakieś finansowe powody, dla których Cederén zabił swoją rodzinę, po czym sam odebrał sobie życie? – zapytała.

– Nie – odparł szybko de Soto, trochę wyprowadzony z równowagi tym krzyżowym ogniem pytań. – Jack mówił, że bardzo się martwi o swojego przyjaciela i współpracownika.

– Mamy informacje, które wskazują na to, że nie popełnił samobójstwa – powiedziała Ann.

De Soto uniósł brwi.

– To jak mogło do tego dojść?

– Nie znamy wszystkich szczegółów – odrzekła Ann, kartkując notatnik.

– Wie pan, czy Cederén pił gin? – Tym razem Haver włączył się do gry.

– Nie mam pojęcia.

Teraz wyraźnie było widać, że jest zdenerwowany. Nic już nie pozostało z jego służalczego uśmiechu. Wprawdzie nadal uprzejmie odpowiadał na pytania, ale wyraz jego twarzy wskazywał na to, że uważa je za zupełnie nieistotne dla sprawy.

Moya, który milczał przez dłuższy czas, pochylił się nagle do przodu.

– Señor de Soto – powiedział – ja też mam pewne informacje.

Zapadła pełna napięcia cisza. Moya przypominał teraz tygrysa szykującego się do skoku.

– Według pewnego źródła, a właściwie dwóch źródeł, zadaje się pan z elementem przestępczym. Z osobami, które nam, policji, są bardzo dobrze znane. Co pan ma do powiedzenia na ten temat?

To było coś zupełnie nowego i Ann zrozumiała, że Moya czekał na właściwy moment. Hiszpańskiemu komisarzowi też nie brakowało doświadczenia w kwestii przesłuchań.

– Co mogę powiedzieć? Zawsze krążą jakieś plotki o firmach, które odnoszą sukcesy, i ich kierownictwie. Przypuszczam, że to samo dotyczy dobrych policjantów?

Moya natychmiast skontrował. Ann patrzyła zafascynowana, jak się rozkręca w napiętej atmosferze.

– Jaime Urbano – powiedział krótko.

Ann wyczuła reakcję siedzącego obok niej Havera. Wzdrygnął się, ale szybko się opanował i udał, że tłumi kichnięcie. Sprytnie, pomyślała, ale była pewna, że Haver natrafił na nazwisko Urbano podczas śledztwa.

– Nie – odrzekł de Soto. – Czy to ktoś z pana znajomych?

Moya znów usiadł wygodnie, patrząc na de Soto przyjaznymi zwykle oczami, które teraz miały ostry wyraz. Ann uświadomiła sobie intencję słów de Soto. Była to ukryta aluzja, że Moya miał być może kontakty, które nie lubiły światła dziennego.

– To osławiony morderca – odrzekł spokojnie Moya. – Zaczął jako drobny złodziejaszek i awanturnik, a teraz jest wykwalifikowanym zabójcą. Myślę, że się spotkaliście. Może po prostu nie pamięta pan nazwiska. Niespełna miesiąc temu dostał cztery miliony peset od nieznanego wielbiciela.

De Soto patrzył rozbieganym wzrokiem. Ann czuła się w pełni usatysfakcjonowana, a Haver gorączkowo notował.

– Urbano nie robi niczego za darmo – dodał szef policji. – On też jest w pewnym sensie firmą, która odnosi sukcesy i ma duże możliwości ekspansji. Tak przynajmniej uważa jego stara matka.

– Nic mi o tym nie wiadomo – wymamrotał de Soto. – I pięknie dziękuję za łączenie mojego nazwiska z takim osobnikiem.

Rozległo się pukanie do drzwi i jeden z policjantów Moyi wsunął głowę do środka. Spojrzał na swego szefa i skinął głową.

Moya wstał, przeprosił zebranych i podszedł do młodego policjanta. Rozmawiali przez chwilę szeptem, po czym wyszli z pokoju.

Moya wrócił po pół minucie. Usiadł bez żadnych wyjaśnień. Wszyscy czekali, aż coś powie. On sam rozsiadł się wygodnie, odwrócił do Ann i się uśmiechnął.

Czemu trzydzieści sekund trwa tak długo, pomyślała Ann i odwzajemniła uśmiech.

– Obawiam się, że będziemy musieli zakłócić pana spokój jeszcze przez parę godzin – powiedział hiszpański komisarz, który w toku rozmowy tak niespodziewanie zmienił swój wizerunek.

Ann popatrzyła na Moyę i spostrzegła, że podoba mu się ta sytuacja, a jeszcze bardziej to, że zaskoczył swoich szwedzkich gości. Powinno ją to irytować, ale przyjęła to spokojnie. Chciała, żeby Moya dobrze się przy nich czuł, nawet jeśli działał w trochę nieprzewidywalny sposób. To dodawało tylko przypraw do potrawy.

– W rzeczy samej, prowadzimy tu produkcję – odrzekł de Soto, ale był to tylko formalny sprzeciw. Wiedzieli to obaj, on i Moya, który nawet nie zadał sobie trudu, by to skomentować.

– Dziękujemy za wolę współpracy – odrzekł uprzejmie. – Zostawimy tu kilkunastu kolegów jeszcze na parę godzin. Jeżeli trzeba będzie zabrać materiały z firmy, przedstawimy oczywiście nakaz stosownych władz.

De Soto wiedział, że Moya ma przewagę, i robił dobrą minę do złej gry. Powiedział coś po hiszpańsku, a Moya uśmiechnął się z rozbawieniem.

– Dziękujemy za wszystko – powiedziała Ann i energicznie uścisnęła dłoń de Soto.

Haver spojrzał na nią z krzywym uśmiechem.

– Tak piszą na wieńcach pogrzebowych – rzekł po szwedzku.

– Może właśnie jesteśmy świadkami pogrzebu – odparła.

Wracali w milczeniu do głównej kwatery policji przy Plaza Azaña. Moya sprawiał wrażenie zamyślonego. Ann Lindell wiedziała, że ocenia swój wkład w akcję, może rozważa jej celowość. Dobrze to znała. Refleksja. Czy mogliśmy zrobić to inaczej? Co powie prokurator?

Nie zrozumiała wszystkich podtekstów w wymianie zdań między Moyą i de Soto. Było w tym jeszcze coś, nie całkiem dla niej jasnego. Teraz poczuła zdenerwowanie, że nie jest w pełni poinformowana, ale uspokoiła ją myśl, że to pewnie dopiero początek. W tej grze ona i pozostali Szwedzi byli tylko pionkami.

Czy Moya wykorzystał Szwedów do celów, których nie rozumiała? Co się kryło za tą zmasowaną akcją hiszpańskiej policji?

Kiedy wysiedli z samochodu przed komendą, Moya zaproponował, by zjedli razem obiad. Ann była zupełnie wyczerpana. Koncentracja na tym, by wszystko rozumieć, mówić po angielsku i robić dobre wrażenie nadwerężyła jej siły. Najchętniej wyciągnęłaby się teraz na hotelowym łóżku.

– Z przyjemnością – odpowiedziała z promiennym uśmiechem.

Usiedli w tym samym pokoju co wcześniej. Ann miała wrażenie, że król Juan Carlos na ścianie wygląda teraz na bardziej zadowolonego.

– Muszę zapytać, dlaczego na początku tak nisko ustawiłeś poprzeczkę? – zaczęła Ann. – Dałeś nam do zrozumienia, że nie ma formalnych możliwości, by przeprowadzić większą akcję w UNA Medico.

– Nie chciałem zbyt wiele obiecywać – odparł skromnie Moya. – Lepiej móc kogoś pozytywnie zaskoczyć.

– Znam nazwisko Jaime Urbano – powiedział Haver.

Wszyscy spojrzeli na niego ze zdziwieniem.

– To dlatego tak gwałtownie zareagowałeś – powiedziała po szwedzku Ann.

– Prześledziliśmy listy pasażerów do Republiki Dominikany i Malagi. Są ich tysiące, lecz odrzuciliśmy wszystkich, którzy sprawiali wrażenie turystów, szwedzkich emerytów mieszkających na Costa del Sol oraz podróżujących dla poratowania zdrowia. Trochę na chybił trafił, ale nie mieliśmy wyboru. I tak zostało prawie tysiąc nazwisk. Wśród nich był Jaime Urbano.

– Dlaczego zapamiętałeś właśnie to nazwisko? – zapytał Moya.

– Mój sąsiad ma na imię Urban – odrzekł Haver. – Pomyślałem, że to zabawne mieć nazwisko Urbano, po prostu.

– I Urbano poleciał do Sztokholmu?

Haver skinął głową.

– Nie pamiętam kiedy, ale jest na liście, może jednak być więcej osób o tym nazwisku, prawda?

– Z pewnością co najmniej setka w samej Maladze – powiedział Moya – ale nie tak wielu Jaime Urbano. Czy jesteś pewny imienia?

– Raczej tak.

– Czy masz te listy ze sobą?

– Nie, ale gdybym mógł skorzystać z faksu, możemy zaraz mieć te nazwiska – odrzekł Haver.

– 952046200 – wyrecytował bez namysłu Arrabal.

Haver spojrzał na zegar, sięgnął po komórkę i wybrał numer.

Ann Lindell obawiała się, że obiadem, na który zaprosił ich Moya, będą się delektować w luksusowej restauracji i spojrzała krytycznym wzrokiem na swoje ubranie. Ku jej zdziwieniu znaleźli się jednak w skromnym lokalu w cieniu wielkiej katedry. Cały przekrój ludzi siedział przy stolikach na świeżym powietrzu. Było bardzo głośno. Ruch na wąskiej uliczce sprawiał, że czasem trudno było zrozumieć, co mówi siedząca przy tym samym stoliku osoba, lecz Moya uważał widocznie, że nie ma nic dziwnego w tym, że sprawy policyjne omawia się w samym środku ludzkiego mrowia i gwaru.

Ann spojrzała w górę na kościół. Budynek wydał jej się ciężki, przytłaczający patrzącego imponującą, wręcz groźną fasadą, która przywodziła na myśl twierdzę. Domyślała się, że w środku robi zupełnie inne wrażenie.

Moya zamówił jedzenie i picie, gawędząc w międzyczasie o Maladze i pytając szwedzkich kolegów o ich życie rodzinne.

Kiedy Ann powiedziała, że mieszka sama, rzucił jej trudne do zinterpretowania spojrzenie, które odebrała jako współczujące, jakby właśnie wyznała, że jest ciężko chora.

– Teraz mamy już pewność – powiedział Moya, kiedy jedzenie pojawiło się na stole – że Jaime Urbano, a prawdopodobieństwo, że to człowiek, o którego nam chodzi, jest bardzo wysokie, poleciał do Sztokholmu na dwa dni przed śmiercią żony i dziecka szefa laboratorium, dokładnie dwunastego czerwca. Trzy dni później wrócił do kraju. Towarzyszył mu niejaki Benjamin Olivares. To hultaj, którego też dobrze znamy.

Ann czuła narastające napięcie. Z każdą godziną spędzoną w Maladze utwierdzała się w przekonaniu, że Gabriella Mark miała rację: Sven-Erik Cederén nie zamordował rodziny i nie odebrał sobie życia.

– Olivares jest drobnym przestępcą, który nie pojawił się dotąd w związku z jakąś poważną zbrodnią, ale w towarzystwie Urbano wszystko może się zdarzyć – ciągnął Moya. – Poszukiwaliśmy Urbano przez dłuższy czas, ale wygląda na to, że nikt go nie widział od paru tygodni. Wiemy, że w połowie czerwca otrzymał dużą kwotę pieniędzy. Potwierdza to kilka niezależnych źródeł, w tym diler narkotykowy, któremu Urbano był winien sporo pieniędzy i prostytutka, z której usług korzystał.

– Jak wam się udało zdobyć te wszystkie informacje w tak krótkim czasie? – zapytał Haver.

Jadł ze smakiem danie z ośmiornicy. Ann patrzyła na jego zatłuszczone usta i marzyła o tym, by wytarł je serwetką.

– Od dłuższego czasu mamy Urbano pod obserwacją – odrzekł Moya. – A ściśle mówiąc: poszukujemy go.

Odłożył sztućce, podparł ręką podbródek i spojrzał w górę na katedrę.

– Zabił policjanta – powiedział głuchym głosem.

Wypił łyk wina i odstawił kieliszek, dając Szwedom czas na przetrawienie tej informacji. Ann rzuciła Haverowi szybkie spojrzenie. To dlatego zadziałał z takim rozmachem, pomyślała.

Już wcześniej odkrył związek między Urbano i UNA Medico i kiedy się pojawiliśmy z naszym zapytaniem, świetnie wpasowało się w jego plan, by prześwietlić firmę.

– Martwi mnie natomiast, że Urbano mógł wyjechać z kraju i wrócić pod własnym nazwiskiem, a my tego nie zauważyliśmy – powiedział.

– Czy zechcesz nam powiedzieć, co się stało? – zapytał Haver.

Moya skinął głową i wypił jeszcze trochę wina, nim zaczął mówić. Ann przestała jeść, czekając na ciąg dalszy.

– To się zdarzyło na początku maja. Kolega z miejscowej policji zatrzymał samochód na północ od miasta. Nie wiemy dlaczego, ale kazał mu zjechać na pobocze. Była to biała honda, według zeznań jedynego świadka, młodego mechanika samochodowego, który pięćdziesiąt metrów dalej czekał na autobus.

Moya skrzywił się, bo koło nich przejechał właśnie z dużą prędkością samochód.

– Świadek zobaczył, jak kierowca wysiada z auta i wyjmuje z kieszeni coś, co okazało się pistoletem i niespodziewanie otwiera ogień do policjanta. Kolega ledwo zdążył wysiąść z samochodu, kiedy trafiły go cztery strzały, w tym jeden bezpośrednio śmiertelny, choć żył jeszcze przez parę minut.

Moya opuścił wzrok i umilkł.

– To wszystko stało się bardzo szybko – podjął. – Mężczyzna wsiadł spokojnie do hondy i odjechał. Prawie tak, jakby wysiadł po to, by dobić potrącone zwierzę. Uśmiechnął się, przejeżdżając koło świadka. Mechanik pobiegł na miejsce zbrodni i nasz kolega zdążył jeszcze powiedzieć parę słów, zanim umarł. Podał nam nazwisko Jaime Urbano. Wiemy, że znał go wcześniej. Nie mamy pojęcia, dlaczego go zatrzymał. Zrobienie tego bez wsparcia nie było rozsądne, ale kara śmierci za taki błąd jest zbyt wysoka.

– I od tamtego dnia ścigacie Urbano? – zapytał Haver.

– Dniem i nocą. Szybko dowiedzieliśmy się, że miał kontakt z UNA Medico. To nas zaskoczyło. Firma cieszy się dobrą opinią i nigdy nie była zamieszana w działania niezgodne z prawem. Przynajmniej z tego, co wiemy. Nie wiedzieliśmy, jaki to rodzaj współpracy, ale w przypadku Urbano na pewno nie była to zwykła działalność biznesowa.

– Więc zaczęliście obserwować UNA Medico? – zapytała Ann, widząc analogie do ich własnego śledztwa.

Moya opowiedział im o staraniach podjętych przez miejscową i krajową policję, by odnaleźć zabójcę policjanta. Już na początku pojawiło się nazwisko Olivares. Zwiększona aktywność policji zamieszała w przestępczym świecie Malagi i dużo się mówiło o tych dwóch. Wielu przekazywało informacje policji, pewnie głównie po to, by samemu zyskać trochę spokoju.

– W zeszłym tygodniu dostaliśmy cynk, że ktoś widział Urbano i Olivaresa w Rondzie. To miasto w górach, kilkadziesiąt kilometrów stąd.

Ann domyśliła się, co będzie dalej.

– Olivares nie żyje, prawda? – powiedziała.

Jeżeli Moya się zdziwił, nie dał tego po sobie poznać.

– Jesteś bardzo dobrą policjantką – powiedział tylko i uśmiechnął się. – Tak, nie żyje. Na pół godziny przed naszym przyjazdem tutaj zadzwonili koledzy z Rondy z informacją, że w wąwozie za miastem znaleźli ciało. To był Olivares. Został zabity trzema strzałami, z czego jeden trafił go za uchem.

– Co teraz zrobicie? – zapytał Haver, który między pytaniami niestrudzenie żuł swoją ośmiornicę.

– Mamy informację, że Urbano nadal przebywa w Rondzie. To małe miasteczko i wieści szybko się rozchodzą. Jeden z moich starych znajomych, fałszerz czeków, który teraz zdziera pieniądze z turystów w swoim barze, wspiera nas informacjami o byłych kumplach. Widział tych dwóch nie dalej niż wczoraj.

Ann ogarnęło uczucie wdzięczności. Wszystkie jej podejrzenia co do korupcji wśród hiszpańskiej policji okazały się niesłuszne.

– Zaplanowaliśmy wizytę w Rondzie wczesnym rankiem – powiedział Moya. – Może chcielibyście pojechać z nami?

– *Claro* – odrzekł Haver i Ann rzadko widywała go tak zadowolonego.

Wstali od stołu po ustaleniu, że zabiorą Ann i Havera z hotelu już o wpół do piątej rano. Ann spojrzała na zegarek i szybko policzyła, ile godzin snu jej zostało.

Mimo zmęczenia nie mogła się odprężyć.

– Przejdę się – powiedziała do Havera.

Rozstali się. Haver poszedł do hotelu, a Ann postanowiła zwiedzić katedrę.

– Mogę chyba poczuć się trochę turystką – rzekła do kolegi, ale to raczej potrzeba, by pobyć przez chwilę sama, ciągnęła ją do kościoła.

Przy wejściu siedziało paru żebraków. Jeden z nich, starszy mężczyzna z posiwiałymi włosami, wypowiedział kilka niezrozumiałych słów, kiedy go mijała. Zatrzymała się, poszperała w torbie i wyjęła pięćset peset, mniej więcej równowartość jednego piwa w restauracji, z której właśnie wyszła. Położyła monetę na dłoni mężczyzny, który w podziękowaniu wydał gardłowy dźwięk.

W katedrze przygotowywano się właśnie do wieczornej mszy. W ławkach siedziało jakieś pięćdziesiąt osób. Kościelny chodził dookoła, zapalając świece w prezbiterium. Sprawiał wrażenie znudzonego, a jego ruchy były nonszalanckie. To ją drażniło, bo jak zwykle, kiedy wchodziła do kościoła, ogarnęło ją uczucie nabożnego skupienia. Nie była wierząca, jednak samo wnętrze kościoła zapraszało do wyciszenia i refleksji.

Światła w nawie bocznej gasły jedno po drugim. Pojawiła się starsza kobieta w zakonnym habicie i sprawdziła mikrofon, stukając w niego palcem. Ann usiadła. Zakonnica zaintonowała coś, co Ann odebrała jako hymn. Usłyszała, jak śpiewa czystym głosem *Dios*. Wierni wstali i Ann czuła się zmuszona iść za ich przykładem.

Wszedł ksiądz i diakon, którego z początku wzięła za kościelnego, ale teraz był ubrany w szatę sięgającą do ziemi, i nabożeństwo się rozpoczęło.

Wierni odpowiadali krótkimi frazami na jego monotonne czytanie. Co ja tutaj robię? – pomyślała. Siedziała z przodu i sądziła, że nie wypada wychodzić w trakcie ceremonii.

Spojrzała na siostrę, która znów zaintonowała pieśń. Wyglądała na zadowoloną, a w kącikach jej ust czaił się pewien rys wesołości, jak gdyby nie traktowała tego wszystkiego całkiem poważnie, lecz Ann domyślała się, że po prostu jest szczęśliwa, mogąc śpiewać z niezachwianym przekonaniem wypływającym z wiary.

Śledziła ruch jej warg i zobaczyła coś, czego brakowało jej samej. Wierni znów usiedli, jakby z westchnieniem, w ławkach, i Ann wraz z nimi. Zakonnicę zmienił teraz ksiądz i Ann poddała się monotonnemu brzmieniu jego głosu, zapadając w stan melancholijnego spokoju. Uświadomiła sobie, że odczuwa żal – żal, że nie należy do żadnej wspólnoty, z którą mogłaby dzielić swoje przekonania. Policja była w gruncie rzeczy taką jej bezpieczną wspólnotą, ale nie pocieszyło jej to na długo i niewygodne myśli powróciły.

Chciała wstać i wyjść z kościoła, a jednocześnie pozostać w tym uduchowionym nastroju. Może tutaj podejmę decyzję, pomyślała, by w następnej chwili przeklinać swoją podatną na wpływy psychikę.

Podniosła się szybko, starając się jednak wyjść z kościoła niespiesznym krokiem, by nie okazać lekceważenia dla mszy. Głos zakonnicy towarzyszył jej w drodze do wyjścia i kiedy była już na schodach, żebrak powitał ją uśmiechem na suchych i spękanych wargach.

Na dworze było wciąż bardzo ciepło, na pewno dwadzieścia pięć stopni. Poszła powoli w stronę hotelu. Starała się myśleć o śledztwie i dość sensacyjnym zwrocie, jakie przybrało.

24

Edvard ściągnął łódź szarpnięciem. Do dłoni przykleiło mu się parę łusek, które zostały na relingu po wiosennych połowach śledzia. Zebrał je i wyrzucił z zamyślonym wyrazem twarzy.

Wiedział, że Ann jest w Hiszpanii, ale to nie miało znaczenia. Gdyby była w Uppsali, odczuwałby odległość jako równie dużą. Upłynęły dwa tygodnie, odkąd się widzieli. Tamta radość z ponownego spotkania, a właściwie połączenia się, ustąpiła zwykłej chwiejności nastroju.

Kolano miało wpływ na złe samopoczucie. Sprawiało ból, a staw czasami strzykał i wtedy z wielkim trudem je zginał. Viola powiedziała mu, żeby poszedł do lekarza.

Viola też nie była całkiem zdrowa. Tuż po nocy świętojańskiej mocno się przeziębiła, miała wysoką gorączkę i dudniący kaszel. Edvard zauważył, jak to wpłynęło na jej formę. Wciąż była zgaszona i miała spowolnione ruchy.

Kiedy pili poranną kawę, radio grało piosenki z lat pięćdziesiątych. Lily Berglund śpiewała, by „wpuścić trochę słońca do swego serca". Spojrzeli na siebie i roześmieli się.

Słońce nie rozpieszczało tego lata, ale dziś świeciło jeszcze po południu, a Edvard poprzedniego wieczoru rozstawił sieci. Zawsze mógł trafić do nich jakiś okoń.

Nie chciało mu się odpalać silnika, więc wypłynął na zatokę, wiosłując. Mewa, która spędzała tyle czasu koło jego pomostu, leciała za nim. Teraz siedziała na pomoście.

Viola była wyjątkowo rozdrażniona, kiedy wychodził z domu. Edvard wyczuwał, że coś ją niepokoi. Czasami widziała znaki, wyobrażała sobie różne rzeczy. Wspomniała, że może mocno wiać i powinien uważać. Kiedy powiedział, że zamierza tylko powiosłować kilkaset metrów, uspokoiła się.

Nie lekceważył niepokoju Violi. Jej dość niejasne prognozy dotyczące zmian pogody często się sprawdzały, ale dziś się pomyliła. Zatoka lśniła w słońcu i Edvard pozostał jeszcze przez chwilę przy brzegu.

Ann łowiła ryby w mętniejszej wodzie niż on. Opowiedziała mu zwięźle, czemu jedzie do Hiszpanii. Czy był zazdrosny o ten wyjazd? A może po prostu zazdrosny? Wiedział, że spotyka w pracy wielu ludzi i coraz częściej myślał, że pewnie wychodzi na odizolowanego od świata wyspiarza w porównaniu z większością ludzi, z którymi miała kontakt.

Jakie życie mógł jej zaproponować? Ogarnęło go uczucie bezsilności. Jak mógłby opuścić Gräsö i odnaleźć się w nowym otoczeniu? Musiałby mieć pewność, że zostanie tam na dłużej. Nie był typem nomada, chociaż tęsknił za nowymi horyzontami. Uświadamiał to sobie stopniowo podczas tych przeszło dwóch lat spędzonych na wyspie. Nie powinien się więcej przeprowadzać. Albo zostać na wyspie i nastawić się na kawalerskie życie w archipelagu, albo stworzyć rodzinę z Ann i może mieć z nią dziecko.

Wiatr trochę się wzmógł. Może Viola miała jednak rację? Czasami wiatr wiejący od rana nasilał się wieczorem. Teraz zrozumiał, że właśnie tego obawiała się Viola. Myślała trochę bardziej dalekowzrocznie niż on.

Mewa poderwała się, jakby zaniepokojona wiatrem. Edvard przeszedł niezdecydowanym krokiem wzdłuż linii wody. Fredrik Stark, jego stary przyjaciel z czasów związku zawodowego rolników, miał przyjechać na weekend. Edvard nie wiedział właściwie, co sądzić o tej wizycie. Na pewno było miło mieć towarzystwo, ale wolałby spędzić ten czas z Ann. Nie wiedział, jak długo zostanie w Hiszpanii. Czy powinien zadzwonić na jej komórkę? Tęsknota wymieszana z bezpodstawną zazdrością sprawiała mu ból. Nie potrafił tego inaczej opisać. Ból w kolanie, ból w sercu. Uśmiechnął się do siebie.

25

Na ulicach Malagi było pusto, kiedy Haver i Ann wsiedli do toyoty, by pojechać do Rondy. Moya wyglądał na zmęczonego i Ann domyślała się, że pracował po tym, jak rozstali się wczoraj wieczorem po kolacji.

Jechali w milczeniu. Moya nie przejawiał chęci, by mówić o tym, co ich czeka. Wjechali na tereny wiejskie i po pół godzinie, kiedy oddalili się od wybrzeża i zbliżyli do gór, zobaczyli za sobą Morze Śródziemne. Błękitne i kuszące. Ann pomyślała o innym morzu: Alandzkim, na które patrzył Edvard.

Po kilku godzinach dojechali do Rondy, przypominającej twierdzę na skale. Przy wjeździe czekał na nich cywilny radiowóz. Moya zamienił kilka słów z siedzącym w nim kolegą, nim ruszyli dalej w stronę centrum.

– Mamy adres – powiedział Moya, zwracając się do Ann. – Według naszych informacji znajdziemy tam Urbano.

Przerwał, słysząc sygnał komórki, i słuchał przez kilka sekund.

– Koledzy przygotowali nalot. Niestety, nie możemy wziąć w tym bardziej aktywnego udziału, tylko śledzić akcję z pewnej odległości – dodał.

Minęli starą arenę korridy, o której Ann czytała w przewodniku, i wjechali w zabytkową dzielnicę miasta. Samochód zwolnił i zatrzymał się tuż przed rogiem ulicy.

– To na tej ulicy – powiedział sucho Moya, wskazując ręką – ma się znajdować Urbano. Zostańcie tutaj.

Ann skinęła głową. Moya wysiadł z samochodu i zniknął za rogiem. Kierowca pozostał na swoim miejscu. Tak bardzo chciała iść razem z Moyą. Zamiast tego próbowała rozmawiać z Haverem, który jednak sprawiał wrażenie spiętego i apatycznego. Wiedziała, że nie jest rannym ptaszkiem, ale mógłby chyba się postarać wyglądać na bardziej ożywionego?

Oczekiwanie przedłużało się. Ann domyślała się, że hiszpańscy policjanci zbliżają się do kryjówki Urbano z największą ostrożnością. Może pracowali razem z kolegami ubranymi po cywilnemu, którzy zajmowali się takimi czynnościami jak wywożenie śmieci lub innymi wpisującymi się w codzienny pejzaż. Próbowała to sobie wyobrazić, ale nie szło jej za dobrze. Otoczenie było zbyt obce.

Przez pół godziny nic się nie działo. Zaczęła się niecierpliwić. Zadzwoniła komórka kierowcy, a on w milczeniu słuchał rozmówcy, przypuszczalnie Moyi, po czym rozłączył się i zapuścił silnik.

– *Nobody there* – powiedział.

Skręcili za róg i podjechali sto metrów dalej. Ulica była teraz pełna radiowozów. Ciekawscy wychylali się z okien. Moya stał przed domem z popękaną fasadą. Zatrzaśnięte okiennice nadawały mu wygląd zamkniętego na cztery spusty.

– Ptaszek wyfrunął – oznajmił, kiedy wysiedli z samochodu.

Ann spojrzała w górę na fasadę domu. Nad zielonymi drewnianymi drzwiami wisiał mały, odręcznie wypisany szyld: „Camas". Wiedziała, że oznacza to łóżka.

– To bardzo skromny pensjonat – powiedział Moya.

W drzwiach stanęła kobieta, co najmniej osiemdziesięcioletnia. Była ubrana na czarno. Przywodziła Ann na myśl czarownicę. Jej małe oczka w sieci niezliczonych zmarszczek patrzyły na Ann ze złością i zaciekawieniem. Z tyłu dały się słyszeć jakieś głosy. Kobieta odwróciła się i coś krzyknęła.

– Wchodzimy – rzekł Moya.

Kobieta wpuściła ich niechętnie. Ann słyszała, jak coś mamrocze. W korytarzu było ciemno, nieosłonięta żarówka u sufitu bezskutecznie próbowała go oświetlić. Mężczyzna około pięćdziesiątki stał jedną nogą na schodach. Powiedział coś do Moyi. Miał wadę wymowy i sprawiał wrażenie upośledzonego. Pachniał stajnią i gestykulował przed Moyą wielkimi rękami. Policjant się odwrócił.

– To syn tej kobiety. Był w oborze, parę kilometrów za miastem, i doił krowy.

Ann zobaczyła oparty o ścianę motorower z nierdzewnymi kankami w koszach na bagażniku i domyśliła się, że należy do tego mężczyzny.

– Matka i syn wynajmują trzy pokoje na piętrze. Możemy tam wejść – powiedział Moya.

Syn poszedł za nimi i jego niewyraźna mowa robiła na Ann nieprzyjemne wrażenie. Był wzburzony i wydawał się jej nieobliczalny.

Pierwszy pokój, otwarty na oścież, był bardzo skromnie umeblowany. Łóżko, krzesło i szafa na ubrania, nic więcej. Przy łóżku stał nocnik. Na łóżku siedział mężczyzna z zapadniętymi policzkami i rzadkimi siwymi włosami. Dostał ataku kaszlu i splunął natychmiast do nocnika pełnego zielonkawoczerwonej wydzieliny. Znów zakaszlał i splunął, zupełnie się nie przejmując obecnością Ann.

– Ma chore płuca – rzekł przepraszającym tonem Moya. Ann wyobrażała sobie, jak się wstydzi pokazywać jej taki obraz swojego kraju.

Poszli dalej. W następnym pokoju również siedział na łóżku mężczyzna. Był wzrostu znacznie poniżej średniego, niemal karłowatego i nie miał jednej nogi. Była ucięta tuż nad kolanem.

– Sprzedaje losy – rzekł Moya i Ann ogarnęło uczucie nierzeczywistości na widok tych ludzkich wraków.

Sprzedawca losów skinął głową w stronę Ann i siegnął po leżącą na łóżku protezę.

Pokój Urbano był znacznie większy od pozostałych.

– Apartament – rzuciła Ann do Havera.

Podłoga była pokryta czarnymi i białymi kafelkami. Grafika z Jezusem zmierzającym na Golgotę zajmowała sporą część jednej ze ścian, a po przeciwnej stronie znajdowały się otwarte podwójne drzwi wychodzące na ulicę. Kiedy do nich podeszła i wychyliła się, zakręciło jej się w głowie, choć do ziemi było tylko parę metrów. Uchwyciła się metalowej barierki i zamknęła oczy.

Grupka dzieci hałasowała na ulicy i Ann znów otworzyła oczy. Zawrót głowy minął. Po drugiej stronie ulicy w równie podupadłym domu okna były otwarte. W jednym z pokoi chodziła w kółko jakaś kobieta. Ann zwróciła uwagę na jej różowe pantofle i fantastycznie piękne włosy spływające falami aż do talii. Dziecko w wieku około dwóch lat trzymało się jej szlafroka. Wiedziała, że z jakiegoś powodu zapamięta ten obraz. Kobieta, dziecko, pantofle i włosy. Codzienny widok w obcym dla niej środowisku, do tego w dramatycznym momencie śledztwa i jej życia, utkwił jej pod powiekami.

Wróciła do rzeczywistości, kiedy Moya położył dłoń na jej ramieniu.

– Kobieta twierdzi, że Urbano opuścił dom bardzo wczesnym rankiem. Syn, którego z trudem rozumiem, mówi, że wyszedł parę minut przed nim. To znaczy około piątej.

Za późno, pomyślała Ann. Wtedy siedzieliśmy w samochodzie. Chciała zapytać, czy dom nie był obserwowany, ale Moya ją uprzedził.

– Zdaje się, że czmychnął mimo naszych starań – powiedział. – Może tylnym wyjściem. Są drzwi, które wychodzą na wąskie przejście między budynkami. Można się tam przecisnąć między ścianą i starym kurnikiem i wyjść na boczną uliczkę.

Syn w korytarzu dalej coś mówił gardłowym, jąkającym się głosem, mężczyzna w pierwszym pokoju kaszlał, do tego dołączył alarm z ulicy. Usłyszeli śmiech i warkot odjeżdżającego skutera.

Najbardziej surrealistyczne w całej sytuacji było to, że Ann przejęła się tym mniej niż zwykle. Wyobrażała już sobie, jak zgarniają tego Urbano. Powinien, gdyby chciał współpracować, rzucić trochę światła na śledztwo w sprawie Cederénów. Tak blisko, pomyślała, tak cholernie blisko – i dopiero teraz poczuła ogarniającą ją złość.

Opuścili dom. Zostało w nim dwóch policjantów, gdyby Urbano wbrew wszelkim oczekiwaniom tam wrócił. Ann i Haver rozważali możliwość, że został ostrzeżony o akcji i uciekł. Nie chcieli nękać Moyi pytaniami. Widać było po nim, jak bardzo się wstydzi, i nie chcieli dokładać mu ciężaru. W obecności podwładnych i kolegów z Rondy był spokojny i rzeczowy, ale kiedy wsiadł do samochodu, wybuchnął gniewem. Oficer z Rondy, który dowodził akcją i przechadzał się po ulicy, dostał porządną burę. Moya krzyczał przez kilka minut bez przerwy, po czym zamknął drzwi samochodu z głośnym trzaskiem.

Ann Lindell i Haver polecieli następnego dnia do domu. Wanning i ekspert od komputerów mieli zostać jeszcze jeden dzień. Pożegnanie ze strony Moyi było, jeśli nie wylewne, to na pewno bardzo ciepłe. Ann powtórzyła zaproszenie do Szwecji i do Uppsali. Moya uśmiechnął się i zapewnił, że chętnie pojedzie do Skandynawii, choćby po to, by znów się z nimi spotkać. Haver miał wrażenie, że chodzi mu zwłaszcza o Ann.

W samolocie rozmawiali ściszonymi głosami, podsumowując pobyt i zastanawiając się, jak najlepiej wykorzystać uzyskane informacje. Przefaksowali do Uppsali dane dotyczące wizyty Urbano i Olivaresa w Szwecji, a Ann zadzwoniła parę razy do Ottossona, by informować go na bieżąco.

Wiedziała, że pracują już nad pobytem dwóch Hiszpanów w Szwecji. Prawdopodobnie najważniejsze były pytania, gdzie się zatrzymali i jak poruszali. Czy wynajęli samochód, czy też mieli w Szwecji jakiś kontakt, u którego mogli mieszkać? Należało sprawdzić hotele w Uppsali i jej okolicach. Podobnie wszystkie wypożyczalnie samochodów.

Ann była zadowolona z wyjazdu do Hiszpanii, mimo że Urbano wymknął się z sieci.

26

Teraz zobaczymy - zaczął Ottosson głosem pełnym zapału.

Stał przed tablicą, której na zebraniach używał rzadko lub wcale, ale uznał ją widocznie za niezbędną do zilustrowania obecnego stanu śledztwa.

To zebranie powinna była poprowadzić Ann Lindell, lecz poprosiła szefa, by ją zastąpił. Wymówiła się bólem głowy.

– Dwaj Hiszpanie z kryminalną kartoteką, Urbano i Olivares, lecą do Szwecji i zostają na dwa dni. W tym samym czasie ginie rodzina Cederénów. Dwie osoby zostają przejechane, trzecia idzie nieświadoma na spotkanie śmierci – ciągnął Ottosson.

Sammy Nilsson spojrzał z rozbawieniem na Berglunda. „Idzie nieświadoma na spotkanie śmierci" zanotował i podsunął notes Berglundowi, by też mógł to przeczytać.

Na tablicy widniały oba nazwiska napisane wytłuszczonymi literami. Olivaresa było oznaczone czarnym krzyżem. Ottosson chyba naprawdę był w swoim najlepszym pedagogicznym nastroju, kiedy się przygotowywał do tego zebrania.

– Sądzimy, że współdziałali przy śmierci Josefin i Emily. Mogło to przebiegać tak: porywają w jakiś sposób Cederéna, nie wiemy jeszcze gdzie, biorą jego samochód, jadą do Uppsala-Näs, by śmiertelnie potrącić kobietę i dziewczynkę, wracają do lasu koło Rasbo, upijają Cederéna i trują go spalinami.

– A kartka z „przepraszam"? – wtrącił Riis.

– Na pewno można zmusić człowieka, by napisał taką kartkę – odpowiedział spokojnie Ottosson. – Weź pod uwagę, że miał w organizmie pół litra ginu.

Popatrzył na Riisa, który jednak się nie odezwał.

– Ale dlaczego? – wybuchnął Ottosson.

– Cederén był głównym celem przyjazdu do Szwecji – rzekł Haver. – Co do tego nie mamy chyba wątpliwości.

– Skąd Hiszpanie wiedzieli, że Josefin właśnie tego dnia wybierze się na spacer? – zapytał szef wywiadu kryminalnego.

– Pojechali do Uppsala-Näs, by w jakiś sposób pozbawić życia Josefin i Emily – tak, by skierować podejrzenia na męża. Może zobaczyli, jak matka z córką wychodzą z domu i pojechali za nimi, czekając na dogodny moment.

Nikt nie rozumiał, dlaczego zabicie Svena-Erika Cederéna było aż tak ważne, by zabijać także jego żonę i córkę dla stworzenia pozorów rodzinnej tragedii. Czyim interesom zagrażał Cederén?

Większa część porannego zebrania upłynęła na rozmaitych spekulacjach. Wszyscy przyjęli założenie, że akcją kierowano z Hiszpanii. Z Malagi nie przyszły jednak żadne nowe wieści. Urbano jakby zapadł się pod ziemię. Sprawa zabójstwa jego kompana Olivaresa nie została rozwiązana, niemniej wszystko wskazywało na to, że stoi za tym Urbano. Może Olivares stchórzył i stał się czynnikiem ryzyka.

Haver wystąpił z teorią, że zarówno Urbano, jak i Olivares mieli zostać zamordowani, ale temu pierwszemu udało się uciec. W takim wypadku stałby za tym jeszcze ktoś inny. Może UNA Medico miała jakiś cel w tym, by uciszyć ich obu.

Innymi słowy, dreptali w miejscu. Sprawdzanie hoteli i firm wynajmujących samochody nie przyniosło żadnych rezultatów. Byli coraz bardziej przekonani, że musiał istnieć jakiś szwedzki kontakt, który im pomógł.

Ann Lindell miała problemy z koncentracją. Włączała się do dyskusji tylko sporadycznie. Przeżycie z ostatniej wizyty w zagrodzie Gabrielli Mark pozostawiło w niej ślad. Widok rannego łoszaka wciąż powracał w jej myślach. Jakiemu przeznaczeniu szedł na spotkanie? Rozważała nawet namówienie kogoś do schwytania go i przewiezienia do kliniki dla zwierząt w Ultunie, ale miała świadomość, że to nierealne. Kto by się przejmował rannym łoszakiem?

Jednak nie tylko to wspomnienie tak ją poruszało. Przeżyła jakąś cząstkę strachu Gabrielli w tym krótkim czasie, gdy była w pobliżu jej domu. Nie miała najmniejszych trudności z utożsamieniem się z ofiarą morderstwa. Były w podobnym wieku, obie samotne, a w życiu Gabrielli istniała jakaś izolacja z wyboru, która Ann zarówno pociągała, jak i przerażała.

Po gruntownym zbadaniu swego wnętrza doszła do wniosku, że źródłem jej niepokoju jest strach przed samotnością, lecz również myśl o życiu, jakie stworzyła sobie Gabriella – kobieta z poważnymi problemami, która stopniowo zmieniła się w silną samotnicę. Drogą do tego wydawał się Ann warzywnik. Czy ona sama chciałaby przeprowadzić się na wieś i uprawiać marchewki? Wątpliwe, ale może w innej formie? Życie inne od tego, które prowadziła teraz, zdawało jej się coraz wyraźniejszym celem.

Próbowała wziąć się w garść i uważniej słuchać tego, co mówią koledzy, ale szybko się zorientowała, że dyskusja toczy się na wolnym biegu. Ottosson też to zauważył i jego optymistyczny z początku ton przeszedł w oszczędne w słowach zachęcanie do kreatywnego myślenia.

Spotkanie zakończyło się po trzech kwadransach. Ann nie chciała słyszeć współczujących słów Ottossona, więc wymknęła się szybko z pokoju i poszła do swojego.

Na biurku leżała kartka od Fredrikssona. Zajmował się od miesiąca śledztwem w sprawie napadu z użyciem noża i zaczął rozkręcać nieprzyjemną historię związaną z tak zwaną mafią uppsalską. Ann prawie go nie oglądała w ciągu ostatnich dwóch tygodni.

„Zadzwoń do Adriana Mårda", brzmiała wiadomość na kartce, wraz z numerem telefonu. „Przyjaciel zwierząt", dopisał Fredriksson na samym dole.

Ann patrzyła na kartkę i zastanawiała się, kiedy Allan ją tu położył i jak zaznaczył tego „przyjaciela zwierząt", ale stwierdziła, że nie będzie sobie zawracać głowy sprawdzaniem i od razu wybrała numer.

Adrian Mård odebrał po pierwszym sygnale, jak gdyby siedział i czekał na jej telefon. Ann przedstawiła się.

– Dobrze, że pani dzwoni – powiedział.

Oceniła go po głosie na jakieś dwadzieścia pięć lat.

– Mam trochę przemyśleń w związku z MedForsk – rzekł mężczyzna bez wstępów. – Pani się tym zajmuje?

– Kim pan jest? – zapytała Ann.

– Pracuję w piśmie o nazwie „Alternatywna hodowla zwierząt". Zajmujemy się informacją w kwestii warunków hodowli, przemysłu spożywczego i alternatywnego stylu życia.

– Aha, a czego chce pan ode mnie?

Adrian Mård ożywił się i zaczął elokwentnie opisywać sytuację zwierząt gospodarskich. Sporo mówił o chowie klatkowym, któremu zdawał się poświęcać szczególnie dużo uwagi.

– Wspomniał pan o MedForsk – Ann przerwała potok jego wymowy. – Może byśmy się spotkali?

– Oczywiście – odrzekł Mård. – Dlatego zadzwoniłem.

Ustalili, że spotkają się na mieście. Ann zaproponowała Savoy, lecz Mård nie wiedział, gdzie to jest, więc zamiast tego umówili się w Hugo.

Adrian Mård był raczej bliżej czterdziestki i zupełnie nie odpowiadał wyobrażeniom Ann. Niski, pulchny, żeby nie powiedzieć gruby, z rudymi włosami sterczącymi na wszystkie strony.

Siedział w głębi lokalu i intensywnie palił. Alternatywny styl życia, pomyślała Ann.

– Świetnie – rzekł na powitanie. Uśmiechnął się szeroko i wyciągnął pulchną dłoń.

– Dzień dobry – odrzekła Ann, przyglądając się z sympatią tej osobliwej postaci.

Przyniosła sobie kawę z mlekiem i usiadła. Mård wyjął w międzyczasie gruby plik papierów.

– Tu jest trochę informacji o tym, czym się zajmujemy – powiedział, wręczając jej plik. Na wierzchu leżało pismo, o którym wspominał.

Ann wrzuciła papiery do torby i wypiła parę łyków kawy.

– MedForsk – stwierdziła.

– Mam dobrego przyjaciela we Froncie Wyzwolenia Zwierząt. Nieważne, jak się nazywa. Nie zdradziłbym jego nazwiska nawet na torturach.

– Nie sądzę, że będą potrzebne – odparła Ann.

– On się martwi. Od tamtego zdarzenia w TV4 pani koledzy ich prześladują. Są naprawdę wystraszeni, choć starają się zachować twarz. Wielu z nich to bardzo młodzi ludzie, którzy nie do końca wiedzą, czym się zajmujemy. Uwalnianie chomików i lisów jest działaniem trochę na żywioł, ale teraz zaczyna się robić nieprzyjemnie.

Zapalił następnego papierosa, a Ann poczuła wzrastające zainteresowanie. Kiedy robi się nieprzyjemnie, wchodzimy my, pomyślała.

– Mają dowody, mówi mój kontakt, że MedForsk zajmował się zabronionymi doświadczeniami.

– Skąd te dowody?

Mård popatrzył na Ann taksującym wzrokiem.

– Z samego przedsiębiorstwa – powiedział w końcu.

Ann starała się nie okazywać podekscytowania, tylko z obojętnym wyrazem twarzy popijała małymi łykami kawę.

– Kto? – zapytała.

– Nie wiem – odrzekł Mård, lecz Ann spojrzała mu w oczy i wiedziała, że kłamie.

– Kto? – powtórzyła.

Mård sprawiał wrażenie zawiedzionego, jakby przekroczyła pewną granicę.

– Proszę respektować to, co mówię – rzekł z naciskiem. – Ważne są informacje, jakie uzyskał mój kontakt.

W jego głosie zabrzmiał ostrzejszy ton, nielicujący z jowialnym wyglądem. Hołdowała przesądowi, że ludzie z nadwagą są sympatyczni i dobroduszni, lecz Adrian Mård mógłby się z tym nie zgodzić.

– Okej – powiedziała z uśmiechem. – Proszę mówić dalej.

Odwzajemnił jej uśmiech i podjął swoją opowieść. „Kret" w MedForsk znalazł dokument, który wskazywał na to, że przeprowadzano doświadczenia na małpach. Nie wynikało z nich, gdzie się odbywały. Na pytanie, czy może za granicą, Mård odpowiedział, że dokument ani tego nie potwierdzał, ani nie wykluczał.

Wyniki badań trudno było ocenić. Jedna grupa zwierząt doświadczalnych zareagowała niespodziewanie dobrze, ale u drugiej wystąpiły poważne skutki uboczne. Były to głównie zaburzenia równowagi, a w kilku przypadkach pojawiło się bardzo agresywne zachowanie.

– Mówił pan, że to były nielegalne doświadczenia?

Mård skinął głową.

– Skąd to wiecie?

– Po prostu wiemy.

Do małej kafejki wpadła grupa młodych ludzi. Usiedli przy stoliku obok. Rozmawiali bardzo głośno i od razu zapalili papierosy.

– Chyba będziemy musieli się przenieść – rzekła Ann.

Opuścili Hugo i kiedy wyszli na ulicę, Ann z wdzięcznością wciągnęła w płuca trochę świeżego powietrza.

– Możemy iść do Ogrodu Linneusza – zaproponowała.

W wąskim wejściu musieli się tłoczyć z grupą japońskich turystów, nim udało im się wejść do środka. Po obu stronach ścieżki prowadzącej do oranżerii kwitły niebieskie i różowe kwiaty. Z paru przekwitłych piwonii opadały kolorowe wcześniej płatki.

Okazało się, że Mård zna się na roślinach.

– Nazywają je córkami Linneusza – powiedział, wskazując na jasnoróżowe kwiaty posadzone wzdłuż ścieżki. Między nimi rósł tojad i lilie.

Znaleźli ławkę w cieniu lipy. Ann błądziła spojrzeniem po ogrodzie. Gdyby nie okoliczności, potrafiłaby bardziej docenić to zielone płuco w centrum miasta. Podobał jej się widok uporządkowanych kwater z roślinami oznaczonymi ręcznie wypisanymi tabliczkami, jak również wesołych turystów siedzących przy kawiarnianym stoliku przed oranżerią. Przypominały jej o tym, że istnieje inne życie. Choć mieszkała w Uppsali od wielu lat, dopiero drugi raz odwiedziła ten słynny w świecie ogród. Za pierwszym razem przyszła tu z Lundkvistem, dawnym kolegą, który wyjechał z miasta.

On też lubił kwiaty i wymknęli się tu w porze lunchu. Wtedy także nie rozmawiali zbyt wiele o roślinach. Ann pamiętała, że Lundkvist mówił o przedawnionym już morderstwie, które zdarzyło się w mieście.

Odsunęła od siebie te myśli i nawiązała do tematu ich rozmowy.

– Okej, nielegalne doświadczenia, kupuję to – powiedziała.

– Poza tym był jeden dokument, którego nie mogliśmy dobrze zrozumieć. Napisany po angielsku.

Ann czuła, wzbierającą energię. Teraz, pomyślała z uczuciem wyzwolenia, ruszy kamyk, który pociągnie za sobą lawinę.

– Przetłumaczyliście go?

Mård skinął głową.

– Co tam było takie trudne do zrozumienia?

– Częściowo terminologia medyczna. Chodziło o badania nad chorobą Parkinsona, tyle zrozumieliśmy, ale dokument był sformułowany tak zagadkowo, że nie mogliśmy dojść z nim do ładu.

– Chodzi o małpy? – zapytała Ann.

– Szczerze mówiąc, nie wiemy – odparł Mård. – To, co nas naprawdę zaciekawiło, to komentarze po szwedzku na dole strony. Ktoś napisał coś w stylu: „Odradzam kontynuację. To szaleństwo, może pociągnąć za sobą wielkie ryzyko i wielkie cierpienie".

– Był pod tym podpis?

– Nie, tylko komentarz nabazgrany na samym dole – odrzekł Mård.

– Gdzie jest teraz ten dokument?

Mård miał zmartwioną minę. Jego okrągła twarz ściągnęła się w grymasie i przez chwilę spoglądał na ogród. Ann podążyła za jego wzrokiem i zobaczyła Japończyków zebranych wokół niewielkiego stawu. Wszyscy mieli podobne czerwone czapeczki i posłusznie zwracali głowy w kierunku wskazywanym przez przewodnika.

– Nie ma go – powiedział Mård. – Przynajmniej tak mi się wydaje.

– Nie ma?

– Po śmierci szefa laboratorium nasz kontakt się wystraszył. Osoba ta nie chciała z nami rozmawiać, a poza tym dokument został zniszczony.

Ann zwróciła uwagę, że Mård nie powiedział „on", tylko „osoba". Czy to znaczyło, że chodzi o kobietę?

Adrian Mård wyjaśnił, że kontakt w MedForsk nie chciał już rozmawiać z jego znajomym z Frontu Wyzwolenia Zwierząt. Ona czy on dał do zrozumienia, że jego udział w sprawie się zakończył. Papiery trafiły do niszczarki, a kontakt zaprzeczył, że w ogóle je widział.

– Nie zrobiliście kopii?

– Nie, nie dało rady.

– Pamięta pan coś jeszcze?

Mård pokręcił głową. Ślepa uliczka, pomyślała Ann z uczuciem frustracji i próbowała znaleźć jakieś wyjście.

– Czy opisywał działania bezprawne? Wie pan może, czy kontakt w MedForsk poczuł się zagrożony?

– Nic więcej nie wiem.

Ann przyszło do głowy, że kontaktem mógł być Cederén, ale Mård od razu zaprzeczył.

– Nie ukrywam, że sam się trochę boję – powiedział.

– Czemu mi pan o tym opowiada?

– Żeby pomóc przyjacielowi. Kiedy przeprowadzali akcję w TV 4, nie mieli pełnego obrazu sytuacji. Chcieli tylko zaprotestować przeciw doświadczeniom na małpach. Teraz są nękani. Wydaje mi się, że dość mocno ich pilnujecie.

– Oczywiście – odrzekła Ann. – Wzięcie zakładnika jest poważnym przestępstwem. Poza tym jeden z zatrudnionych mocno ucierpiał.

– Tak, słyszałem – odrzekl cicho Mård – ale to nie było celem. Nie mieli nawet broni. Z tą bombą to był tylko wymysł, czcza pogróżka.

– Tak podejrzewałam – powiedziała Ann.

Grupa Japończykow opuściła ogród pośród ożywionych rozmów. Znikli jak płyn wyciekający z butelki, by dalej szybko zwiedzać miasto i robić zdjęcia.

Para na ławce wciąż siedziała pogrążona w myślach. Początkowa wesołość i entuzjazm Mårda ustąpiły miejsca zamyśleniu i może także lękowi. Zauważył spojrzenie Ann i jej intensywne zainteresowanie dokumentem i pewnie zdał sobie sprawę, o ile już nie wcześniej, że stąpa po zaminowanej ziemi.

– Nie sądzi pan... – zaczęła Ann.

– Nie – przerwał jej Mård. – Kontakt wszystkiemu zaprzeczy. Jestem tego pewny.

– Obawia się czegoś?

– Tak, nawet bardzo się boi.

– Spotkał się pan z kontaktem?

– Ja nie, tylko mój przyjaciel.

– Co ich łączyło? To znaczy, dlaczego właśnie pana kolega się kontaktował?

– Nie wiem – odrzekł Mård i tym razem Ann mu uwierzyła.

– Powiedział pan, że po śmierci Cederéna kontakt się wystraszył, ale dokument pojawił się na biurku po akcji w TV 4, która miała miejsce po jego śmierci. Jak to się wiąże?

– Może trochę głupio się wyraziłem. Ma pani rację, ale najwyraźniej zaszło coś, co sprawiło, że kontakt się przestraszył.

– Czym zajmował się pan wcześniej? – zapytała Ann.

Mård uśmiechnął się, nim odpowiedział.

– Byłem w komisji Agencji do spraw Żywności. Zrobiłem doktorat z kur z wolnego wybiegu.

Ann uśmiechnęła się. Kury z wolnego wybiegu, pomyślała, to ja, wolno biegająca kura.

– Ze szczęśliwych kur – powiedziała.

– Może niezupełnie, ale trochę. Pod koniec lat osiemdziesiątych weszło prawo zakazujące chowu klatkowego, teraz jednak dopuszczają jeden wyjątek za drugim. Wiem, jak silny jest przemysł spożywczy i to samo odnosi się do farmaceutycznego. Chodzi przede wszystkim o zysk.

– To dlatego pan nam pomaga?

– Zysk – powtórzył tylko i skinął głową.

– Czy mówi coś panu nazwisko Gabriella Mark?

– Nie, a powinienem ją znać?

Ann miała już na końcu języka, że nie żyje, ale się powstrzymała, by nie wystraszyć go jeszcze bardziej.

– A Julio Piñeda?

Mård drgnął i spojrzał na nią zaskoczony.

– Słyszał je pan wcześniej?

– Nie słyszałem, ale widziałem – odrzekł Mård. – Jego nazwisko było w tym angielskim dokumencie razem z innymi.

– Czy pamięta pan pozostałe nazwiska?

– Nie, ale kiedy pani to powiedziała, przypomniałem sobie, że je widziałem – rzekł Mård. – O co w tym chodzi? – zapytał.

– Nie wiemy – przyznała szczerze Ann – ale do tej pory kosztowało życie pięciu osób, może więcej.

– Pięć osób – powtórzył głuchym głosem Mård.

Ann dała mu chwilę na przetrawienie tej informacji. Co ma robić dalej? Wierzyła w zapewnienia Mårda, że obrońcy praw zwierząt nie mają nic wspólnego ze śmiercią rodziny Cederénów, tak samo jak ich akcja w TV 4 była złamaniem prawa, ale nie stanowiła zagrożenia dla życia ludzi. Jeżeli Mård mówił prawdę, oni też powinni przycichnąć na pewien czas.

Odpowiedź znajdowała się w zaginionym dokumencie i w Hiszpanii, była o tym coraz bardziej przekonana. Powinna się skontaktować z prokuratorem, by przedyskutować z nim dalsze działania.

Mård przerwał jej rozmyślania.

– Jeżeli sprawa wygląda tak poważnie, jeśli to prawda, że zginęło pięć osób, to kontakt w MedForsk jest w niebezpieczeństwie, prawda?

Ann skinęła głową.

– To dlatego musimy się z nim albo z nią skontaktować – powiedziała.

Uderzyła ją nagle myśl, że może Gabriella Mark była kontaktem, o którym mówił, że zapłaciła życiem za swoje prywatne śledztwo. Nikt nie powiedział, że informacja pozostała w MedForsk. To Cederén mógł napisać komentarz u dołu dokumentu, pokazać go Gabrielli i wyrazić smutek i lęk z powodu tego, czym zajmuje się jego firma.

– Muszę się spotkać z pana przyjacielem. Może pozostać anonimowy, jeśli chce. Koniecznie muszę z nim porozmawiać.

Mård pokręcił głową.

– To może rozwiązać sprawę morderstwa i zapobiec kolejnym – ciągnęła Ann. – Proszę z nim mimo wszystko porozmawiać i starać się uświadomić powagę sytuacji.

– Przecież jest świadomy – padła szybka odpowiedź.

– Jedna z zamordowanych osób mogła być jego kontaktem – rzekła Ann. – On może być następny.

Nie lubiła roztaczać takich ponurych wizji, ale jeśli mają ruszyć dalej, muszą wiedzieć, kto był kretem, informatorem w środowisku MedForsk.

– Porozmawiam z nim – rzekł Mård.

Nic nie pozostało z jego jowialności. Siedział pochylony i wpatrywał się w żwir. Nadleciało stado wróbli i przycupnęło u ich stóp.

Mård odwrócił głowę. Ann widziała, że obficie się poci.

– Niepojęte, do czego zdolny jest człowiek dla marnych pieniędzy – powiedział. – Kiedy zacząłem się angażować, myślałem, że można zmienić różne rzeczy, że człowiek w swej istocie jest rozsądny.

Umilkł, odwrócił się w stronę wróbli i spojrzał na nie takim wzrokiem, jakby chciał wyczytać z tych małych stworzeń jakąś życiową mądrość.

– Dialog, to się tak nazywa, powinniśmy budować dialog, ale jak rozmawiać z mordercą? Czy to dziwne, że nastolatkowie w desperacji podpalają samochody do przewozu zwierząt rzeźnych i wypuszczają norki? Zacząłem jako biolog, studiowałem agronomię i widziałem się w przyszłości jako naukowiec, naprawiacz świata.

– Ale... – podsunęła Ann, kiedy Mård umilkł.

– Ale – podjął Mård – istnieje układ, na który nic nie możemy poradzić. Rozumie pani – ciągnął zapalczywie – to jakby niewidzialna sieć dysponentów władzy, polityków, przemysłowców i bankierów, naukowców i dziennikarzy, którzy sterują naszymi myślami. To dzieje się w ukryciu. Wydaje się nam, że żyjemy w otwartym i demokratycznym społeczeństwie, ale to ci ludzie nami kierują. Pani z pewnością robi dobrą robotę, ale zbiera szum tylko z powierzchni. Prawdziwi zbrodniarze uchodzą wolno.

– Ma pan na myśli przestępstwa przeciw środowisku?

Czytała statystyki mówiące o tym, jak niewiele spraw trafia do sądu i jaki ułamek kończy się wyrokami skazującymi.

– Tak, częściowo, ale za największą uznałbym zbrodnię, którą nazywam zbrodnią przeciw człowieczeństwu. Ci przestępcy dostają honorowe doktoraty, a nawet nagrodę Nobla. Kto ma zapewnić sprawiedliwość?

Pytanie zawisło w powietrzu. Ann nie znała na nie odpowiedzi. Normalnie odpowiedziałaby, że policja i wymiar sprawiedliwości, ale wiedziała, że tą wypowiedzią nie zaimponuje Mårdowi.

– Proszę porozmawiać z tym kolegą. Ma pan moją wizytówkę, niech on koniecznie zadzwoni. Proszę mu powiedzieć, że to sprawa życia i śmierci. Nie zmienimy całego świata, ale tę sprawę możemy rozwiązać razem – powiedziała, kładąc mu dłoń na ramieniu.

Spojrzał na nią i uśmiechnął się po raz pierwszy od dłuższego czasu, skinął głową, wstał, podciągnął wygniecione spodnie i odszedł bez słowa.

Ann siedziała jeszcze przez kilka minut. Czy oni już obserwowali Mårda? Czy jemu też coś groziło? Rozejrzała się po ogrodzie.

Zadzwoniła po taksówkę, co nie zdarzało jej się często. Dojście do komisariatu zajęłoby jej piętnaście minut, ale była wyczerpana po rozmowie z Adrianem Mårdem, a poczucie, że są o krok z tyłu, kazało jej się spieszyć.

Ottosson, Ann Lindell i prokurator Fritzén przeprowadzili późnym popołudniem minikonferencję, by porozmawiać o stanie śledztwa. Cała trójka była zgodna, że należy jak najszybciej przesłuchać cały personel MedForsk oraz powiadomić hiszpańską policję.

Postanowili, że zaatakują firmę na kilku frontach. Zabiorą wszystkich jednocześnie, oprócz paru osób sprawujących najważniejsze funkcje w firmie – karmiących zwierzęta laboratoryjne, odbierających telefony czy co to mogło być.

Mortensen będzie protestował, lecz prokurator był przekonany, że w ten sposób osiągną najlepszy rezultat i wszelkie skargi zostaną odrzucone.

– Chodzi o to, by zachwiać pewnością pracowników firmy – tłumaczył Fritzén. – Może potrząśniemy nimi na tyle, że ktoś się z czymś wygada i da nam pożywkę do działania.

Przygotowali się do przesłuchań i ustalili, kto będzie je prowadził. Berglund zajmie się Jackiem Mortensenem, Ann jak pająk w sieci będzie krążyć między różnymi pokojami przesłuchań. Po pewnym czasie wszystkie przesłuchania zostaną przerwane i prowadzący zbiorą się, by je podsumować i przedyskutować, co robić dalej.

Ukierunkują się na trzy sprawy: czy ktoś widział dwóch Hiszpanów lub o nich słyszał, jak chcą skomentować oskarżenia o prowadzenie nielegalnych doświadczeń na zwierzętach i na koniec – czy są świadomi, że ukrywając informacje, stają się współwinnymi zbrodni?

– Musimy ich postraszyć – rzekł Ottosson. – Nawet trochę przesadnie.

– Czy mamy napomknąć, że być może będą musieli zostać u nas dłużej? – zapytała Ann, patrząc na prokuratora.

Kiedy nie odpowiedział, dodała:

– Możemy powiedzieć, że dla dobra śledztwa.

I prokurator, i Ottosson dobrze wiedzieli, do czego zmierza.

– Możemy – zgodził się na koniec prokurator. – Nie mam żadnych uwag.

27

Wiatr północny wzmógł się w ciągu nocy. Kiedy Edvard obudził się o piątej, usłyszał, jak zawodzi w dachówkach i jak sznur flagi tłucze się o maszt.

Poleżał jeszcze kilka minut w łóżku, myśląc o ostatnich słowach Violi z poprzedniego wieczoru, kiedy przepowiadała silny wiatr, choć nie mówili o tym w ostatnim raporcie o pogodzie na morzu. Zdumiewające, co ta kobieta potrafiła wyczytać z nieba i znaków.

Poranne światło prześwitywało przez szczelinę pod roletą. Starał się rozpoznać, czy również pada. Jeżeli tak, nie będzie się przejmował sieciami. Postawił trzy tuż za skałą pośrodku zatoki. Połów nie będzie jednak udany, zważywszy na pogodę.

Viola była już na nogach i krzątała się po kuchni. Słyszał, jak brzęka naczyniami. Nawet osłabienie po przeziębieniu nie przeszkadzało jej wstawać skoro świt i szykować śniadanie dla Edvarda. Robiła tak każdego ranka, kiedy pracował. Teraz miał zebrać sieci i było jej oczywistym obowiązkiem dopilnować, by zjadł coś porządnego, nim wyruszy do pracy. Takie przynajmniej miała podejście. „To moje zadanie", powiedziała, kiedy próbował ją przekonać, by dała sobie z tym spokój, i choć ją zapewniał, że sam potrafi zrobić sobie śniadanie, staruszka wstawała i tak.

Tego ranka próbowała go przekonać, by nie wypływał łodzią. Viola była odważną i twardą kobietą, ale jeśli czegoś się bała, to potęgi żywiołów.

– Daj sobie spokój z siecią – powiedziała na powitanie, kiedy zszedł na dół.

Rzadko mówiła tak wprost. Usiadł. Termos z kawą stał już na stole, a Viola smarowała trzy kanapki. Zawsze trzy – dwie z serem i jedną z kawiorem.

– Nie jest tak źle – odparł Edvard.

– Może być szkwał – rzekła, odwracając się i patrząc mu prosto w oczy.

Wystrzępiony szlafrok był niedbale zawiązany na supeł z jednym dłuższym końcem paska, który zdaniem Edvarda wyglądał na sznurek od firanki. Prześwitywała spod niego nocna koszula i chude ciało. Poczuł się zakłopotany. Gdyby był sam, pewnie by się nie wyprawił, ale teraz był to w jakimś sensie jego obowiązek. Jeżeli Viola przygotowała śniadanie według tradycyjnego podziału ról, jego zadaniem było zadbanie o sieci. To tkwiło w jego podświadomości, nawet jeśli uważał to za staroświeckie i irracjonalne.

– Ja w każdym razie pójdę – powiedział i zaczął jeść śniadanie.

Viola mruknęła z niezadowoleniem, nalała kawy, ale nie usiadła przy stole. Edvard odebrał to jako protest przeciw jego decyzji.

„Może być szkwał", powiedziała i na to wyglądało. Paskudnie wieje, pomyślał Edvard, kiedy minął olchy i mógł zobaczyć zatokę w całej okazałości.

Morze zmagało się z wiatrem i przy skale wyrzucało w powietrze białe kaskady ze złością, którą Edvard rzadko miał okazję widzieć. Już w tym momencie powinien był się zdecydować na powrót do ciepłej kuchni, lecz zamiast tego postanowił zejść do łodzi i zobaczyć, czy wszystko z nią w porządku. Nowa kaszyca była wprawdzie stabilna i brała na siebie najgorsze uderzenia fal, ale nigdy nie wiadomo. Przynajmniej mógł sprawdzić liny.

Łódka była w jednej trzeciej wypełniona wodą, więc Edvard wskoczył do środka i zaczął ją wybierać. Po dłuższej chwili podniósł wzrok, zdyszany i z bólem w kolanie, i popatrzył na morze. Czy się trochę uspokoiło? Wstał i spojrzał na skałę. Tak, może trochę, próbował sobie wmówić.

Kiedy w łodzi nie było już wody, sprawdził „Wydrę" Victora i wyszedł na pomost. Wiatr szarpał jego płaszcz przeciwdeszczowy. Zamknął oczy i zwrócił się w kierunku północnym. Wystawienie się na furie żywiołów było w pewnym sensie wyzwalającym uczuciem. Poranna ospałość znikła, miał wrażenie, że wiatr go oczyścił.

– Jens i Jerker – wymamrotał ledwo dosłyszalnie.

Powtórzył ich imiona trochę głośniej i jeszcze głośniej, by na koniec wykrzyczeć imiona swoich synów nad wzburzonym morzem.

Wyobraził sobie, że wiatr zaniesie je ponad wyspą i Öregrundsgrepen, a potem nad stałym lądem aż do Ramnäs Gård, gdzie mieszkali.

Wiatr nie smagał już tak mocno kaszycy. Edvard odwrócił się i popatrzył na łódkę, tak jakby ona miała zdecydować, czy powinien wypłynąć, czy nie. Podskakiwała lekko na fali pod osłoną kamieni i bali z drewna. Mógł wziąć łódź Victora, która lepiej opierała się morzu i do tego miała kanapę rufową, dającą pewną osłonę przed żywiołem.Victor nie miałby nic przeciw temu, lecz Edvard uważał, że pożyczanie łodzi bez pytania nie należy do dobrych obyczajów na morzu.

Poluzował przednią linę i wszedł do łodzi. Kiedy wypłynął z małej spokojnej zatoczki utworzonej przez kaszycę, zdawało mu się, że widzi jakiś ruch na brzegu. Pomyślał, że Viola zeszła nad morze, ale niczego nie zauważył. Wiedział też, że musiałoby się zdarzyć coś wyjątkowego, by Viola tu się zjawiła. Nawet jeśli obawiała się o jego połów, nie zdradzałaby się tak otwarcie ze swoim strachem. Narastałby w niej w kuchni lub w pokoju z oknem wychodzącym na morze.

Pociągnął kilka razy wiosłami, nim uruchomił silnik. Morze było tak wzburzone, że silnik czasami sterczał w powietrzu. Powinien przepłynąć w ten sposób pierwszy odcinek, a potem zmienić kurs i skierować się nieco na ukos w stronę sieci.

Wytężał wzrok, lecz nie mógł wypatrzeć boi, którą oznaczył sieci. Widocznie zdryfowała, sieci pewnie też. Przeklęty pech, pomyślał, teraz będzie w nich pełno wodorostów.

Silnik zmagał się z morskim żywiołem, torując sobie powoli drogę naprzód. Edvard zdążył już przemoknąć od wzbijających się fal, lecz znów doświadczał uczucia wolności, jakie dawała mu trudna pogoda. To była walka, lecz także rozgrywka – między nim, łodzią i morzem. Przesunął dłonią po twarzy i poczuł w ustach smak słonej wody. Północny wiatr groził zdmuchnięciem z łódki, lecz udało mu się jedną ręką chwycić liny.

Po zmianie kursu zauważył w końcu boję, która wyraźnie zdryfowała w stronę skały. Jaskrawoczerwona plastikowa bańka podskakiwała na wodzie, znikając chwilami, lecz teraz mógł już określić kierunek i łódź płynęła tam, uderzana przez fale ukośnie z tyłu.

Wyczuwał, że spycha ją w stronę lądu i musiał skorygować kurs. Wielka fala wdarła się do łodzi i przelała przez pokład. Czy wiatr znów się wzmógł? Chwycił czerpak, pochylił się i zaczął wybierać wodę, drugą ręką starając się utrzymać kurs.

Przyszła następna fala i łódź znowu wypełniła się wodą. Było jej jakieś dziesięć centymetrów i Edvard poczuł, że łódź stała się cięższa.

Do boi zostało jeszcze pięćdziesiąt metrów, ale nie mógł płynąć prosto ze względu na kamienie czające się tuż pod powierzchnią wody dzielącej go od celu. Zszedł nieco z kursu, starając się panować nad łodzią, by morze znów jej nie zaatakowało.

Zaczął siąpić deszcz i Edvard spojrzał nerwowo w niebo. Czarne chmury zbierały się nad przesmykiem wychodzącym na Morze Alandzkie. Musiały nadciągnąć bardzo szybko, bo kiedy stał na pomoście, zdawało mu się, że się przejaśnia na północy.

Teraz był już przy boi. Pierwsza próba uchwycenia plastikowej bańki nie powiodła się, musiał zrobić lekki skręt i podejść jeszcze raz. Sterując łodzią jedną ręką, drugą starał się zlokalizować przesuniętą sieć. Jej grube oka znikły w granatowoczarnej głębi. Próbował dalej. Kiedy wiatr gwałtownie zmienił kierunek, łódź przechyliła się, a on puścił uchwyt, starając się manewrować ciałem i drążkiem sterowniczym, ale udało mu się w końcu złapać boję, nim znikła za burtą.

Teraz po raz pierwszy naprawdę zwątpił, czy jego wyprawa ma sens. Padało coraz mocniej. Poziom wody w łodzi podwyższył się i znów musiał ją wylewać. Trzymał mocno sieć, która ciągnęła w dół i stawiała opór, i udało mu się w ten sposób ustawić pod osłoną skały. Pierwszy okoń trochę go uspokoił. Wylądował w łodzi, trzepocząc się na jej dnie, za nim jeszcze kilka, ale poza tym w okach sieci tkwiły głównie wodorosty.

Musiał przerwać, by wylać wodę z łodzi. Ściskał mocno sieć między nogami. Rozbolało go od tego chore kolano i musiał zacisnąć zęby, by nie krzyczeć z bezsilności, złości i bólu.

W pierwszej sieci znalazł osiem ryb, ale teraz okonie wydały mu się najmniej ważne. Pozostały dwie sieci. Łódź kręciła się wokoło, kiedy coraz bardziej rozpaczliwie ciągnął oporną sieć, wystawiając się na uderzenia wiatru i fal.

Kiedy wyciągnął sieć numer dwa, nadeszła potężna fala, a za nią następna. Łódź stanęła dęba jak cyrkowy koń, po czym zapadła się w morze, zanurzając dziób w wodę, która wdarła się strumieniem. Deszcz padał nieprzerwanie. Łódź przechyliła się i Edvard musiał puścić sieć, która natychmiast zaczęła pełznąć przez reling jak rozgniewany wąż.

Rozważał rzucenie kotwicy, by ustabilizować łódź, zyskać trochę czasu na wylanie wody i zebrać siły, ale ledwo zdążył o tym pomyśleć, przyszła następna potężna fala. Łódź przechyliła się gwałtownie na sterburtę i Edvard musiał przytrzymać się ławki, by z niej nie wypaść. Ryby znikły w wodzie, a ruch sieci ciągnął łódź w dół.

Następna fala rozstrzygnęła walkę. Teraz, kiedy wypłynął spod osłony, jaką przez pół minuty dawała mu skała, łódź padła ofiarą zmasowanego ataku całej zatoki. Ciężka fala uderzyła w nią i natychmiast napełniła wodą. Edvard upadł do przodu, uderzając kolanem w ławkę, ale nie poczuł bólu, bo w następnej chwili leżał już w wodzie koło przewróconej łodzi.

Kiedy wypłynął na powierzchnię, chwycił się czegoś instynktownie i było to wiosło. Łódź, niezdatna do żeglugi, kołysała się na wodzie do góry dnem kilka metrów dalej. Edvard zdążył zauważyć, że trzeba pomalować dno, nim nadeszła następna fala i przetoczyła się nad nim, wypełniając jego usta wodą. Puścił wiosło i próbował silnymi pociągnięciami ramion dopłynąć do łodzi. To była jego jedyna szansa. Gdyby miał przepłynąć dłuższy odcinek, szybko straci siły. Był dobrym pływakiem, lecz nie miał na sobie kapoka i wiedział, że potężne, nieobliczalne morze wyciśnie z niego wszystkie soki żywotne.

Jedną ręką zdołał chwycić silnik, przyciągnął się bliżej do łodzi i przez chwilę mógł odpocząć. Starał się ocenić, jak daleko zdryfował od skały, ale nic nie widział na wzburzonym morzu.

Umrę tu, pomyślał, opierając głowę o łódź. Widocznie tak miało być. Doprowadziła go tutaj tęsknota za morzem. Czy to kara za to, że zostawiłem Maritę i dzieci? – pomyślał, nim następna fala wcisnęła go pod powierzchnię wody.

Myśl o Violi sprawiła, że zwiększył wysiłki, by utrzymać się przy łodzi. Jeśli nie wróci do domu za pół godziny, może Viola zejdzie nad brzeg, zobaczy, co się stało i uderzy na alarm.

Próbował podnieść się wyżej, lecz mu się nie udało i zrozumiał, że musi oszczędzać siły. Czy się utrzymam? – przebiegło mu przez głowę i ta myśl go poraziła. Ileż to razy w ciągu ostatnich dwóch i pół roku stał na brzegu i pragnął śmierci, pogrążony w mroku? Morze zawsze go przyciągało. Już w dzieciństwie żył marzeniem, że kiedyś nad nim zamieszka. Czy to przeznaczenie sprawiło, że znalazł się na Gräsö nie po to, by tam żyć, lecz przygotować się do śmierci?

Dyszał ciężko, uczepiony burty łodzi. Fale przetaczały się nad nim, krusząc jego opór. Chłód powoli przenikał kończyny i czuł ciężar w całym ciele, jakby mu sygnalizowało, że już ma dość, że zaraz zatonie.

Myślał o Ann, lecz bez żalu czy melancholii. Przemknęła przez jego życie, dając mu trochę nadziei i ludzkiego ciepła. Co ona teraz robi? Je śniadanie, czyta gazetę, bierze prysznic albo się ubiera. Starał się przypomnieć sobie jej twarz, ale mu się nie udało. Pamiętał, jak jej ramiona, plecy i biodra lśniły w blasku świec, które często zapalali.

28

Ann obudziła się gwałtownie. Budzik wskazywał szóstą trzy. Opadła z powrotem na poduszkę. Zadzwoni dopiero za pół godziny.

Prześcieradło owinęło się wokół jej nóg. Energicznym ruchem odrzuciła kołdrę, ale szybko tego pożałowała, bo zaczęła marznąć. Słyszała, jak na dworze wyje wiatr i obawiała się kolejnego chłodnego, dżdżystego dnia. Tego lata było niewiele słonecznych i ciepłych dni, co stawało się powoli najczęstszym tematem rozmów.

Naciągnęła z powrotem kołdrę i zwinęła się w kłębek. Sen, który tak brutalnie ją obudził, tkwił w jej świadomości jak ledwo dostrzegalna mgła. Na próżno starała się uchwycić obrazy. Pamiętała tylko, że dotyczył Edvarda. Był na wyspie, ale nie koło domu, lecz w otoczeniu, którego nie poznawała. Były tam budki na sprzęt i sitowie, w którym stał Edvard. Ann zawołała go, lecz cała jego uwaga była zwrócona ku morzu.

Tylko tyle zapamiętała i to ją drażniło. Na co on patrzył? Nie pamiętała, co krzyczała, ale to było ważne.

Leżała nadal w łóżku, a jej dłoń powędrowała bezwiednie w stronę brzucha. Pogłaskała go ostrożnie, jakby próbowała uspokoić siebie albo raczej płód, który się tam rozwijał. Budzik zadzwonił i wyłączyła go szybkim ruchem.

Dziś będą przewracać MedForsk do góry nogami. Ann czekała na to z niecierpliwością, lecz nie miała pewności co do rezultatów. Mieli tak nikły punkt zaczepienia. Tylko parę niepewnych, niepotwierdzonych informacji od obrońcy praw zwierząt, do tego przekazanych z drugiej ręki. Dokument, na który wskazał Mård, został prawdopodobnie zniszczony. Jaką miał wartość? W przyszłym postępowaniu procesowym żadną, tyle wiedziała, ale jako wstęp do przesłuchania pracowników MedForsk? Zastanawiała się, czy w ogóle można go wykorzystać.

Człowiekiem, który powinien go znać, był oczywiście dyrektor Jack Mortensen. Musi przedyskutować taktykę z Berglundem, który będzie prowadził przesłuchanie.

Zwlekła się z łóżka i stanęła pod prysznicem. Gdy się namydlała, zastanawiała się, czy jej odczucie własnego ciała zmieniło się w związku z ciążą. Wcześniej tak bardzo się nie przejmowała. Przeglądała się oczywiście w lustrze, sprawdzała, czy zaczynają się już oznaki starzenia jak zmarszczki czy cellulit, ale miała dość wyluzowane podejście do ciała. Wiedziała, że wygląda całkiem zgrabnie. Proporcjonalnie zbudowana, z ładnymi piersiami, smukłymi biodrami i pupą, ale bez wystających kości. Wiedziała, że mężczyźni patrzą na nią z uznaniem. Edvard na swój nieporadny sposób dawał jej do zrozumienia, jaka jest ładna. Na początku trudno było to przyjąć, ale się cieszyła, była wręcz szczęśliwa, kiedy dotarło do niej, z jaką miłością na nią patrzy. Jego dłonie i usta pozwalały jej się wznosić, zyskać świadomość własnego ciała.

Z Rolfem było inaczej. Przyjmował ją taką, jaka była. Byli też wtedy młodsi i wydawało się im oczywiste, że ciało, nawet jeśli nie jest perfekcyjne, nie ma żadnych poważniejszych mankamentów. Edvard miał inną zmysłowość, która wyzwalała jej sensualizm i poczucie własnej wartości. Przy Edvardzie i jego pieszczotach nie czuła się nigdy kobietą w wieku prawie średnim. Przeciwnie, dojrzała, zaczęła odkrywać i doceniać siebie taką, jaka jest i swoje ciało takie, jak wygląda.

Raz powiedział coś w stylu, że jest piękna jak łan pszenicy. Rozpłakała się, bo zrozumiała znaczenie i głębię tego porównania. Był rolnikiem, który czytał piękno z krajobrazu, to, czego nie dało się wyrazić słowami, tylko wyczuwało jak radosne upojenie lub spokojną wdzięczność dla darów życia. Czyli miłość. Chciała być jego dojrzałym łanem pszenicy.

Widziała Edvarda na skraju pola, przy pastwiskach i łąkach, a także wchodzącego w zboże. To spojrzenie, spokój, jaki go wtedy ogarniał, zdobyły jej serce. Dojrzały od słońca, te słowa przyszły jej na myśl, kiedy stała pod prysznicem.

Teraz ciało miało inne znaczenie, bo nosiło w sobie nowe życie. Wiedziała, że powinna przestać pić wino, zacząć prowadzić zdrowszy tryb życia i zwolnić tempo. Miała coraz większą świadomość, że jest odpowiedzialna za drugiego człowieka.

Tak bardzo żałowała, że Edvard nie może jej towarzyszyć w tej podróży.

To była zbieranina sfrustrowanych ludzi, których ściągnięto na przesłuchanie. Powiadomiono ich o tym z niewielkim wyprzedzeniem. Nawet prokurator Fritzén był w MedForsk, czego Ann nigdy przedtem nie widziała. Zachowywał się raczej biernie, lecz sama jego obecność podkreślała powagę, z jaką traktowali tę akcję.

Kilka osób protestowało, wśród nich Jack Mortensen, lecz je zignorowano. Kiedy wszyscy zgromadzili się w pokoju socjalnym, Berglund i Haver cierpliwie im wyjaśnili, dlaczego są zmuszeni do tak ostrego działania.

– Chodzi o morderstwo – powiedział Berglund śmiertelnie poważnym tonem.

Jeden z badaczy uniósł się z krzesła, by coś powiedzieć, lecz stary policjant nie dopuścił go do słowa.

– Morderstwo – powtórzył nieco ostrzejszym tonem i pracownik stracił wątek.

Teraz rozdzielono osiem osób w ośmiu pokojach. Jedna z zatrudnionych, Lena Friberg, została, by odbierać telefony i mówić, że nikt w firmie nie jest teraz dostępny.

Jack Mortensen przeszył Ann Lindell wzrokiem, kiedy weszła do pokoju, w którym siedział z Berglundem. Dopiero zaczęli i Ann stała przez chwilę w drzwiach, nim poszła dalej.

W następnym pokoju Beatrice siedziała z Teresią Wall. Ann skinęła jej głową na powitanie. Brzuch Teresii urósł znacznie od ich ostatniego spotkania.

Wyglądała na bardzo zdenerwowaną. Ann została przez kilka minut, słuchając, jak Beatrice daje z siebie wszystko, by kobieta się odprężyła.

– Czy to pani pierwsze dziecko? – zapytała.

Teresia skinęła głową.

– Pewnie pani ciężko, kiedy jest tak ciepło?

– Nie jest źle – odrzekła niepewnie Teresia, jak gdyby nie wiedziała, co ma sądzić o tej przyjacielskiej pogawędce.

– Ja sama starałam się celować z ciążą w zimę – ciągnęła Beatrice. – Co robi pani mąż?

– Pracuje w Ultunie – odrzekła Teresia Wall.

– Też jest naukowcem?

– Weterynarzem.

Ann wyszła z pokoju i wróciła do siebie.

Osiem osób, pomyślała, nalewając kawy z termosu. Czy któraś z nich się złamie? Największe nadzieje pokładała w Teresii i Sofi Rönn, nie dlatego, że były kobietami – bardziej z tego powodu, że przesłuchiwała je wcześniej sama i łatwiej było sobie wyobrazić, kto się okaże bardziej rozmowny i skłonny do współpracy.

Z Mortensenem nie wiązała natomiast żadnych nadziei. Jego mrukliwa postawa świadczyła o tym, że będzie szorstki i opryskliwy. Rozważała przez chwilę, czy powinna tam wrócić, ale postanowiła, że pozwoli Berglundowi działać na własną rękę.

Ktoś zapukał do drzwi, więc zawołała „Proszę". Wiedziała, że to Ottosson. Inni koledzy z wydziału po prostu wchodzili po krótkim pukaniu. Szef zawsze czekał na odzew.

– Dostaliśmy faks od naszego hiszpańskiego przyjaciela – zaczął Ottosson i pomachał jakąś kartką. – Jestem taki kiepski z angielskiego, że niewiele rozumiem.

Ann szybko przebiegła wzrokiem tekst. Jaime Urbano nie został jeszcze znaleziony. Moya informował, że poszukiwania są wciąż prowadzone na dużą skalę. Podczas kontroli księgowości i korespondencji UNA Medico znaleziono natomiast coś, co zdaniem Moyi mogłoby ją zainteresować. Jesienią 1999 roku jeden z pracowników naukowych firmy odbył trzy podróże do Republiki Dominikany. W sumie spędził tam trzy tygodnie. Moya wynotował daty.

Ottosson pociągnął za brodę z zamyślonym wyrazem twarzy.

– Czy oni nie zaprzeczali, by mieli cokolwiek wspólnego z Dominikaną? – zapytał.

– Oczywiście, de Soto był tam tylko na wakacjach – odrzekła Ann. – Poprosimy Havera, by sprawdził te daty. Może Cederén też tam wtedy był. Tak to zrozumiałam. Tam się dzieje coś złego, ale co?

– Doświadczenia na zwierzętach – rzucił Ottosson.

– Prawdopodobnie.

Ann myślała o dokumencie, o którym mówił Adrian Mård, o tym, jak opisano w nim doświadczenia i o dopisanych odręcznych notatkach. Czy to Cederén napisał ten komentarz i odradzał kontynuację badań?

– Julio Piñeda – powiedziała – pojawia się w tym dokumencie Mårda. Rozpoznał nazwisko, kiedy o nim wspomniałam. Założę się, że jest człowiekiem firmy na Karaibach.

– Ale jak wytłumaczyć jego list? To był tylko fragment, ale jednak. Wskazywał na czyjeś cierpienie, czy jak to wyraził.

Ottosson usiadł w fotelu dla gości i Ann wiedziała, że zostanie tu trochę dłużej.

– Piñeda może być facetem, którego ruszyło sumienie – spekulowała Ann. – Może próbował wyciągnąć jakieś korzyści dla siebie lub dla innych.

Ottosson sprawiał wrażenie, jakby się nad czymś głęboko namyślał.

– Nie – rzekł w końcu. – Wtedy nie sformułowałby tego w taki sposób.Wyobraź sobie, że jesteś przedstawicielem europejskiego przedsiębiorstwa – chcesz więc pokazać, co potrafisz, a nie wyjść na marudę.

Ann nie nie odpowiedziała. Męczyło ją coś, co usłyszała całkiem niedawno. Czy powiedział to Mortensen czy Teresia Wall?

– Być może – zgodziła się. – Tak czy inaczej, musimy dalej pracować nad tym tajemniczym Julio. Czy zapytanie w Republice Dominikany coś dało?

– Nie mamy jeszcze odpowiedzi – odrzekł Ottosson. – Nie przemęczają się tam pracą.

Ann trudno było sobie wyobrazić, jak pracują koledzy po drugiej stronie Atlantyku. Zawsze słońce i lato – i hordy turystów.

– Może mają tam sjestę przez cały dzień – ciągnął Ottosson, ale przestał analizować sytuację na Karaibach, kiedy zobaczył zamyśloną twarz Ann. – Jak twoim zdaniem działa nasza taktyka zastraszania? – zmienił temat.

– Zobaczymy – odpowiedziała. – Sądzę, że z Mortensenem nie pójdzie łatwo. Kilku pracowników laboratorium wyglądało na bardzo zdenerwowanych. Byłam w środku i patrzyłam na szczury, które tam mają. Chyba nie jest przyjemnie siedzieć w klatce z rurką w grzbiecie. Jestem przekonana, że badacze motywują się koniecznością przeprowadzania doświadczeń na zwierzętach, ale pewnie słyszą głos opinii publicznej.

– Nie widziałaś małp?

– Nie, tylko myszy i szczury.

Ottosson podniósł się z fotela. Ann widziała, że coś jeszcze leży mu na sercu i przeczuwała, że chodzi o jej stan. Nie zrobiła nic, by mu pomóc, tylko szukała czystej strony w swoim notesie, jakby chciała coś zapisać.

Ottosson stał jeszcze przez chwilę, nim wyszedł z pokoju.

29

Kiedy Julio Piñeda zbliżał się do skraju miasta, serce podskoczyło mu w piersi i był tak przejęty, że zaczął bębnić palcami w dach samochodu. Jego bratanek zahamował i zjechał na pobocze, kiedy ciężarówka wioząca materiały budowlane przemknęła obok, muskając boczne lusterko pick-upa.

– Co jest? – krzyknął Antonio, nie wysiadając z samochodu.

– Widziałem go! – zawołał Julio. – Cofaj!

Antonio prychnął ze złością, ale posłuchał i zaczął powoli wycofywać. Pick-up podskakiwał na nierównym podłożu. Kilka następnych ciężarówek minęło ich z szaleńczą prędkością.

– Jeszcze trochę! – wołał Julio z platformy.

Po kilku sekundach przyszło rozczarowanie. To nie był on. Że też ci *gringos* są tacy podobni, pomyślał z goryczą.

– Widzisz go? – zapytał Augusto, drugi z bratanków.

– Jedź! – zawołał Julio z odcieniem rezygnacji w głosie. – Jedź do Piekarza.

To była jego ostatnia nadzieja. Może Piekarz wiedział, gdzie jest *El Sueco*, jeśli go ostatnio widział.

Ludzie w wiosce Gaspar Hernandez stracili nadzieję, ale Julio się nie poddawał. Chciał sprawiedliwości. Mówił to również mieszkańcom wsi, ale oni tylko się śmiali, nie otwarcie, lecz za jego plecami. Wiedział o tym.

Antonio zatoczył półkole i zaparkował przed sklepem i barem Piekarza. Tutaj Julio po raz pierwszy spotkał Szweda. Prawie dokładnie rok temu. Wiedział, że tu przychodzi. Piekarz i Szwed dobrze się dogadywali i Julio sądził, że właściciel baru dostarczał mu kobiety, czemu ten jednak zaprzeczał.

– *El Sueco* jest prawym człowiekiem – powiedział poprzednim razem, kiedy Julio tu był i o niego pytał.

Prawy człowiek, myślał Julio, schodząc z platformy. Porzucił nadzieję, lecz wciąż szukał sprawiedliwości. Jeżeli Szwed był takim prawym człowiekiem, musi to zrozumieć.

Piekarz czekał już z trzema butelkami piwa, kiedy weszli. Pomogli Juliowi usiąść przy jednym ze stolików. Piekarz postawił piwo i przywitał się z Juliem, a potem z młodymi ludźmi.

– Jak leci? – zapytał, przecierając blat stolika szmatką.

– Jak zwykle – odpowiedział Julio. – Nie widziałeś go?

Piekarz najpierw strzepnął szmatkę, a potem pokręcił głową.

– Do diabła – wymamrotał Julio.

Podniósł butelkę do ust. Pierwszy łyk zawsze smakował najlepiej. Tak samo było w życiu: pierwsze zbliżenie z nową kobietą, pierwszy banan ze zbioru i pierwszy kęs śniadania rano. Podobnie ze Szwedem. Pierwsze spotkanie było bardzo udane. Cudzoziemiec postawił jedzenie, piwo i rum, śmiał się i żartował.

– On już chyba nie wróci – rzekł Piekarz i Julio widział, jak się wahał, czy wypowiedzieć te słowa.

– Nie, chyba nie – odrzekł cicho Julio.

Ton jego głosu sprawił, że bratankowie spojrzeli na niego. Oni wiedzieli od początku, że wyprawa Julia jest skazana na niepowodzenie. Odbyli tę drogę, żeby stryj tak głośno nie rozpaczał, a poza tym lubili go i mu współczuli.

Julio wypił następny łyk. Czuł się oszukany, został oszukany. Ludzie śmieli się z niego i z innych, którzy też dali się oszukać. Miał szczęście, że Miguel, jego starszy brat, już nie żył. Zrywałby boki ze śmiechu, bo nigdy nie wierzył w sprawiedliwość, ani nawet specjalnie w rodzinę. Jego synowie byli lepsi. Julio podniósł butelkę, lecz nie przytknął jej od razu do ust, tylko spojrzał na bratanków. Oni też trzymali butelki i wznosili razem toast za niesprawiedliwość świata i życie, które dla biednych jest piekłem.

Piekarz stał za ladą. Popatrzył na Julia ze współczuciem, nim oznajmił mu nowinę.

– Myślę, że Szwed nie żyje – powiedział.

Wiedział, że tak jest, ale nie chciał niweczyć wszelkiej nadziei starego, mówiąc to wprost. Trio przy stoliku spojrzało na niego, a on zauważył teraz, że pokrewieństwo między nimi jest bardziej widoczne niż przedtem. Wszyscy mieli nos Piñedów, szeroki, z nozdrzami rozszerzającymi się do gigantycznych rozmiarów przy każdym oddechu.

– Była tu policja – dodał. – Pytali o Szweda i chcieli wiedzieć wszystko o tym zakupie ziemi. Powiedziałem, że nic nie wiem, że Szwed przychodził tu tylko po to, by się napić.

– Dlaczego myślisz, że nie żyje?

Głos starego nie zdradzał jego wzburzonych uczuć. Piekarz sądził, że piwo podziałało na niego uspokajająco. Niektórzy po piwie stają się agresywni i pyskaci, ale Julio nigdy nie podniósł głosu w jego barze, niezależnie od tego, ile wypił.

– Tak to zrozumiałem – powiedział.

– O co jeszcze pytali? – zainteresował się Antonio.

– Nie powiedziałem nic o tobie, Julio, ale oni mówili, że pojadą do wioski.

– Nikt nie przyjechał – rzekł stary. – Bóg o nas zapomniał.

Ręka mu drżała, gdy sięgał po piwo. Nie ma sprawiedliwości, pomyślał, kiedy ostatni łyk spływał mu do gardła.

30

Dochodziła jedenasta, kiedy przerwano przesłuchania ośmiorga pracowników MedForsk. Ottosson postanowil zamówić jedzenie – i dla przesłuchiwanych, i dla policjantów.

Kilka osób protestowało. Najgłośniej Mortensen, który był bardzo wzburzony. Mówił o naruszeniu prawa. Zadzwoń do mamy, pomyślała Ann, słysząc jego podniesiony głos. Ottosson wyjaśnił jednak łagodnie, że zostało jeszcze kilka pytań uzupełniających, które muszą zadać, ale najpierw każdy może się trochę posilić.

Ann uśmiechnęła się pod nosem. Mówił jak wychowawczyni na koloniach, która coś tłumaczy niecierpliwym dzieciom.

Zapadła decyzja, że przesłuchiwani będą jedli osobno w pokojach, więc wrócili do nich po krótkim zebraniu. Policjanci natomiast jedli razem.

– Jak idzie? – zapytał Ottosson pogodnym tonem.

Dyskusja ożywiła się. Większość miała wrażenie, że przesłuchiwani czegoś się boją. Częściowo z powodu dramatu Cederénów i śmierci Gabrielli Mark, ale także dlatego, że oni i firma byli tak dokładnie prześwietlani. Mortensen został oczywiście poinformowany, że szwedzka policja odwiedziła UNA Medico w Maladze, ale pozostałych bardzo to zaskoczyło.

– Teresii Wall całkiem opadła szczęka – powiedziała Beatrice. – Z początku nie mogła wydobyć z siebie słowa.

– Podobnie jak ten mój facet – stwierdził Haver.

– Mortensen powołał się na wewnętrzne dochodzenie, które firma powinna przeprowadzić – rzekł Berglund. – Wcześniej nie miał nic do zeznania prócz tego, co już zostało powiedziane.

– Jak skomentował naszą podróż do Hiszpanii? – zapytała Ann.

– Ten de Soto z pewnością go poinstruował i chyba przyjęli taką taktykę, że będą się nawzajem obwiniać. Ci drudzy stali za tym, co ewentualnie mogło być niezgodne z prawem. „My mamy czyste ręce" – Berglund naśladował głos dyrektora.

– Mają nadzieję, że się wyłożymy na ich księgowości i niejasnych podróżach służbowych, a potem zginiemy pod stosami papierów – podsumował Ottosson. – My jednak mamy w nosie pieniądze i transakcje tu i tam.

Do pokoju wszedł prokurator i pozdrowił zebranych policjantów skinieniem głowy.

– Zjesz coś? – zapytał Ottosson, a Beatrice i Ann wymieniły spojrzenia. Szef wydziału był naprawdę w znakomitym humorze.

Fritzén odmówił z uśmiechem i usiadł.

– Myślę, że mojej dziewczynie coś leży na sercu – powiedziała Beatrice. – Wygląda na bardzo zdenerwowaną.

– Jest w ciąży – odrzekł Sammy. – One są wtedy nerwowe.

Beatrice zmierzyła go wzrokiem i już miała odpowiedzieć, ale zdecydowała się mówić dalej, jak gdyby nic się nie stało.

– Dużo pytała o Gabriellę i była wyraźnie zainteresowana. Kiedy zapytałam, czy znała Gabriellę albo o niej słyszała, zwlekała z odpowiedzią.

– Powiedziała coś, co nie daje mi spokoju – wtrąciła Ann – ale nie pamiętam, co to było. To mnie drażni.

– Zajrzałaś do nas przecież tylko dwa razy – odrzekła Beatrice.

Reszta zebranych słuchała. Mieli wystarczający respekt dla nosa Ann, by wierzyć, że coś w tym może być.

– Kiedy weszłam tam po raz drugi, rozmawiałyście o małpach – powiedziała z namysłem Ann.

– A za pierwszym razem? – spytała Beatrice.

– Towarzyska pogawędka – rzekła Ann. – Rozmowa towarzyska – powtórzyła ciszej.

– Nikt z nich nie miał pojęcia, kim jest Pålle – rzekł Ottosson. – To oznacza, że nie ma go w otoczeniu MedForsk. Inaczej ktoś powinien chyba słyszeć to imię.

W tej samej chwili weszła Anneli, jedna z sekretarek, i zwróciła się do Ann, dając jej znak, że chce z nią rozmawiać.

– Dzwoniła jakaś starsza kobieta, bardzo wzburzona – rzekła. – Szuka cię.

– Aha, a o co chodzi?

– Ma na imię Viola i mieszka na Gräsö – powiedziała sekretarka i Ann zdążyła dostrzec współczucie w jej spojrzeniu, nim dotarło do niej to, co powiedziała.

– Co się stało? – wykrztusiła.

– Masz zadzwonić. Powiedziała, że znasz numer.

Ann bez słowa opuściła kolegów i pobiegła do swojego pokoju. Edvard, mamrotała, Edvard. Powrócił poranny sen, kiedy drżącymi palcami wybierała numer Violi.

Stara kobieta odebrała od razu, jakby czekała przy telefonie.

– Tu Ann, co się stało?

Słyszała, jak Viola z trudem łapie oddech.

– Edvard – zaczęła Viola, lecz przerwał jej atak kaszlu.

Biurko zakołysało się. Szukała dłonią po omacku jakiegoś punktu oparcia i trafiła na stos raportów, który z głuchym łoskotem wylądował na podłodze. Potem zrobiło jej się ciemno przed oczami. Osunęła się na leżące na podłodze papiery.

Była przytomna, ale nogi jej nie słuchały. Nic jej nie słuchało. Przyciągnęła do siebie słuchawkę i usłyszała donośny głos Violi.

– Ale on żyje, dziecko drogie, on żyje.

Przez chwilę nienawidziła starej kobiety, ale to uczucie znikło równie szybko, jak się pojawiło. Zajęła normalną pozycję siedzącą. Skurcz żołądka częściowo ustąpił i załkała teraz z bólu i strachu.

– Opowiadaj – wydusiła z siebie i zobaczyła przed sobą ojca Josefin Cederén, kiedy otrzymał wiadomość o śmierci córki. Niewiele brakowało, pomyślała.

– Chciał zebrać sieci i wyszedł w morze – zaczęła Viola.

Czemu ona używa tego sformułowania, pomyślała Ann i jej złość powróciła.

– Nie radził sobie i po godzinie Victor popłynął po niego łodzią. Kochany staruszek – powiedziała Viola i słychać było, że stara kobieta jest bliska płaczu.

– Kochany staruszek – powtórzyła machinalnie Ann i rozpłakała się.

Minęło trochę czasu, nim Ann pozbierała się na tyle, by wrócić do kolegów.

Kiedy weszła do pokoju, sprzątali właśnie resztki posiłku. Zapadła cisza i wszystkie spojrzenia zwróciły się w jej stronę. Widziała niepokój w ich oczach i walczyła ze sobą, by znów nie wybuchnąć płaczem.

– To Edvard – powiedziała – wypadł rano z łodzi. Wiało jak cholera, a ten idiota wypłynął po sieci.

– I co się stało? – zapytał Ottosson, robiąc krok w jej stronę.

W tym momencie nie chciała, by ją uspokajał, jak to miał w zwyczaju, otoczył ramieniem i powiedział coś miłego, jak zawsze, kiedy widział, że czymś się martwi.

– Złamał nogę, ale to dlatego, że musieli go wyciągać na brzeg. Widocznie się poślizgnął.

Zobaczyła, że jej kolegom wyraźnie ulżyło. Wydaje im się, że jestem krucha, pomyślała, że bym się załamała, gdyby Edvard utonął.

Próbowała wziąć się w garść i powiedzieć coś o dalszych przesłuchaniach, lecz miała wrażenie, że nikt teraz o tym nie myśli. Przez pokój przeleciał podmuch. Śmierć pokazała swoje oblicze. Ktoś z ich zespołu omal nie stracił bliskiej osoby. Choć w pracy mieli do czynienia z przemocą, śmiercią i żałobą, wiadomość z Gräsö dotknęła ich słabego punktu. Niewiele brakowało, pomyśleli, i ich bliscy stanęli im przed oczami. Ann miała uczucie, jakby grupa policjantów się zjednoczyła. Widziała wyraz powagi na ich twarzach. Nigdy wcześniej nie czuła takiej więzi z kolegami jak właśnie w tej chwili, w ciągu tych paru sekund, kiedy jej osobiste doświadczenie stało się ich wspólnym.

Nie spieszyła się z wyjściem z pokoju. Na jej talerzu została ponad połowa jedzenia, ale nie czuła już głodu. Beatrice zatrzymała się w drzwiach, patrząc na Ann, która apatycznie sprzątała ze stołu.

– Dasz radę?

Ann odwróciła się.

– Oczywiście – powiedziała, będąc myślami na Gräsö.

Edvard był już po operacji i leżał w klinice w Östhammar. Próbowała wyobrazić go sobie w szpitalnym łóżku, ale było to zbyt trudne. Jak Edvard to wytrzyma z tą swoją niecierpliwością? Ann powiedziała Violi, że postara się przyjechać do Östhammar wieczorem.

Po lunchu wznowiono przesłuchania. Ann chodziła po pokojach i słuchała, próbując stworzyć sobie obraz pracowników MedForsk. Teresia Wall, ktorą przesłuchiwała Beatrice, wyglądała na naprawdę przerażoną. Ann na próżno próbowała sobie przypomnieć, co takiego powiedziała za pierwszym razem, ale nie przychodziło jej na myśl nic szczególnego. To była zwykła luźna pogawędka.

Berglund, który teraz próbował skłonić Mortensena, by opowiedział o swojej relacji z Cederénem, sprawiał wrażenie coraz bardziej zmęczonego, kiedy ten wyjaśniał, że jego zimowa kłótnia z kierownikiem badań wynikła z różnych wizji przyszłości firmy. Nie miała nic wspólnego z doświadczeniami na małpach.

– W tym byliśmy zgodni – twierdził Mortensen. – Sven-Erik był poważnym badaczem i nigdy nie pozwoliłby sobie na przekroczenie jakiejkolwiek granicy etycznej.

– To może o to się kłóciliście? – wtrąciła Ann.

Berglund rzucił jej szybkie spojrzenie i pomyślała, że nie spodobało mu się jej włączenie się do rozmowy.

– Jeśli to sugestia, że miałem inny pogląd, jest pani w błędzie – powiedział z emfazą Mortensen. – Byliśmy, jak powiedziałem, zgodni w tej sprawie.

Ann opuściła pokój, by zajrzeć do Havera.

Po godzinie Ann i Ottosson postanowili przerwać przesłuchania. Nie przyniosły właściwie nic naprawdę wartościowego. Chwyt policji był dość lekki i łatwo mogli się z niego wywinąć.

– Mieliśmy po prostu za mało dowodów – podsumował akcję Ottosson.

Potrząsnęli mocno pracownikami, którzy byli wyraźnie zdenerwowani szeroko zakrojoną akcją policji, ale skoro Ann i jej koledzy nie mieli już żadnych podstaw dla swoich teorii, przesłuchania trafiały w próżnię. Nie mogli w żaden sposób potwierdzić informacji uzyskanych od Adriana Mårda, a tym bardziej odnieść się do dokumentu, którego nawet nie widzieli.

Czy przyczyną śmierci rodziny Cederénów i Gabrielli Mark były sprawy finansowe, czy domniemane nielegalne doświadczenia na zwierzętach? Na to pytanie wciąż nie znali odpowiedzi.

Śledztwo dreptało w miejscu, a to odciskało swoje piętno na policjantach, którzy zebrali się, by podsumować jego dotychczasowe wyniki.

– Mortensen to podejrzany typ – rzekł Berglund. – Próbuje robić przyjazne wrażenie, ale jest śliski jak wąż. Wie, że nic nie mamy.

Nie lubił dyrektora firmy, Ann zauważyła to od razu, kiedy weszła do pokoju przesłuchań, w którym Berglund siedział z Mortensenem. Łagodny zwykle kolega był zdenerwowany i sprawiał niemal nieprofesjonalne wrażenie, próbując coś wyciągnąć z dyrektora MedForsk.

Wiał rześki wiatr, kiedy Ann wyszła na ulicę parę minut po piątej. Narastało w niej niezadowolenie. Kiedy wsiadła do samochodu, niespodziewanie napłynęły jej do oczu łzy. To było tak, jakby napięcie i oczekiwania związane z przesłuchaniami uczyniły ją bezbronną, z chwilą gdy opuściła budynek komisariatu. Dopóki trwały przesłuchania i dyskusje z kolegami, potrafiła utrzymać fasadę, która teraz zaczęła pękać. Wszystko, co niepewne w jej sytuacji, zdawało się teraz nieusuwalną przeszkodą, która nie pozwalała jej iść dalej ani w pracy, ani w życiu przyszłej matki.

– To bez sensu – wymamrotała cicho.

Postanowiła, że pojedzie do Östhammar, ale teraz nie była już taka pewna, czy to dobry pomysł. Chciała i nie chciała spotkać się z Edvardem. Tęskniła za jego głosem i rękami, ale wiedziała, że już nigdy nie będzie tak jak przedtem. Nie będzie mogła go długo oszukiwać. Saga o Edvardzie i Ann zbliżała się do końca. Zrozum to wreszcie, pomyślała i gorycz wezbrała w niej jak zgaga.

Pojechała do domu i weszła do cichego mieszkania z poczuciem nierzeczywistości. Czy naprawdę mieszkała tu od kilku lat? Lodówka świeciła pustkami, naczynia piętrzyły się w zlewie, kosz z rzeczami do prania był pełny i prawie się zdziwiła, kiedy z prysznica popłynęła woda. Coś funkcjonowało. Patrzyła na wodę, która spływała wartkim, wirującym strumieniem do odpływu.

Chciała nalać kieliszek wina i skulić się na sofie, ale wino się skończyło i postanowiła, że nie będzie go więcej kupować. Przez wiele miesięcy. Jak długo karmi się piersią?

W Östhammar mocno padało i kiedy Ann wysiadła z samochodu na parkingu koło szpitala, wzięła głęboki oddech. Pachniało świeżością.

Z każdym krokiem wzrastało napięcie. Nie wzięła nic ze sobą – ani czekolady, ani kwiatów. Przyszła z pustymi rękami i tylko z nadzieją, że obejmie ją tak, jak przedtem.

Ktoś z personelu wyszedł jej na spotkanie. „Maria, pielęgniarka" przeczytała na identyfikatorze. Ann wyjaśniła jej, w jakiej sprawie przyszła, a pielęgniarka wskazała łóżko na końcu korytarza.

– Zagipsowaliśmy go – powiedziała Maria z uśmiechem, lecz Ann widziała, że jest naprawdę zmęczona.

– Czy tutaj zostanie?

– Nie, odeślemy go do domu, jak tylko gips stwardnieje.

– Bardzo go boli?

– Dostał środek przeciwbólowy już w Öregrund. Myślę, że nie jest tak źle.

Zawsze tak mówicie, pomyślała Ann.

– Dziękuję za pomoc – powiedziała głośno i znów ogarnęło ją uczucie wdzięczności wobec personelu szpitalnego.

Ann podeszła do łóżka. Spał. Na jego prawym policzku widniał siniak. Poza tym nie wyglądał na kontuzjowanego. Złamana noga w gipsie była przykryta kocem. Przyglądała mu się – przerzedzającym się włosom, zmarszczkom na opalonej twarzy i dużej dłoni spoczywającej na kołdrze. Stara blizna połyskiwała bielą.

Gdyby nie klatka piersiowa unosząca się regularnie w rytm oddechu, pomyślałaby, że nie żyje. Tak rzadko widziała tego aktywnego i niespokojnego mężczyznę podczas odpoczynku.

Pogłaskała delikatnie jego dłoń. Niech tak pozostanie, pomyślała, czy nie możemy zatrzymać życia właśnie w tej chwili. Udajemy, Edvardzie. Stoję tutaj jako twoja ukochana. Ty śnisz o mnie. Obudzisz się, a ja będę przy tobie. Kocham cię. Teraz to wiem.

Kiedy oderwała wzrok od jego dłoni, właśnie się obudził. Spojrzał na nią i uśmiechnął się lekkim, prawie nieśmiałym uśmiechem.

– I tak sobie tutaj leżę – powiedział.

Ujął jej dłoń w swoją. Jestem bezbronna wobec jego rąk, pomyślała.

– Jak się czujesz?

– Mam dobrą opiekę – odrzekł i uśmiechnął się.

Pokiwała głową. Przesunął się niezgrabnie, by mogła usiąść na brzegu łóżka, ale ona przyniosła sobie krzesło.

– Co się stało?

Opowiedział jej krótko o swoim połowie. Podziwiał odwagę Victora. Zobaczył go takiego, jaki był trzydzieści, czterdzieści lat temu, silnego i kierującego łodzią z taką pewnością, jakiej on sam nigdy nie nabędzie. Stary zręcznie manewrował między mielizną i skałą i rzucił linę w idealnym momencie, a wtedy morze jakby się uspokoiło.

– Na skałach jest ślisko – zakończył Edvard.

– O mało nie umarłam ze strachu, kiedy Viola zadzwoniła. Powiedziała, że wypłynąłeś w morze, a ja pomyślałam, że nie żyjesz.

Edvard nie odpowiedział.

– Czemu wypłynąłeś w taką pogodę?

– To były sieci Victora.

– Kto by się przejmował jakimiś nędznymi sieciami?

Widziała, że Edvard nie chce już o tym mówić. Patrzył prosto przed siebie. Lekko zakłopotany, lecz szczery wyraz jego twarzy znikł.

– Chciałeś się sprawdzić, co? Zbadać, gdzie przebiega granica. Czy nie tak było?

– Nie – odparł, lecz Ann dosłyszała wahanie w jego głosie.

– Jestem w ciąży – powiedziała.

Edvard nie odpowiedział. Odwrócił tylko głowę, spojrzał na nią i skinął.

– Wiedziałeś? – zapytała.

Pokręcił głową.

– Kocham cię – rzekł cicho i zobaczyła łzy w jego oczach. – Wiedziałem to na pewno, kiedy leżałem tam w wodzie. Nie potrafię żyć z dala od ciebie.

– Nie jest twoje – dodała, nie wiedząc, skąd znalazła w sobie tyle siły.

Widziała, jak niedowierzanie, a potem ból przesłaniają jego twarz jak czarna chmura. Tak, jakby zdzieliła go batem. Zapadał się na jej oczach. Nie chciał jej uwierzyć. Przez parę sekund był szczęśliwy i wypowiedział słowa, za którymi tak tęskniła.

– Przykro mi – chlipnęła.

Zesztywniał i zamknął oczy. Jego policzki przybrały chorobliwie szarą, matową barwę.

– Wybacz mi. Przecież cię kocham.

Drgnął jakby od nowego smagnięcia.

– Idź już – powiedział krótko.

– Kocham cię – powtórzyła.

– Idź stąd! Idź do diabła.

Ruszyła chwiejnym krokiem. Rzuciła ostatnie spojrzenie na Edvarda. On też na nią patrzył i ich oczy się spotkały. Zobaczyła nienawiść zrodzoną z rozpaczy. Mogła iść. On leżał w łóżku i mogła się domyślać, co czuje. Uciekł jak zawsze, kiedy pytania stawały się zbyt liczne lub trudne, tak jak uciekał w pracę, kiedy dręczyły go zmory. Teraz leżał, przykuty do własnej trwogi.

Żałowała, że wyrzuciła z siebie prawdę w tak obcesowy sposób. Tak jakby wykorzystała jego bezradność, tuż po wypadku na morzu, jego bezbronność nie tylko wobec fal Bałtyku, lecz i napływu uczuć.

Ich wspólne życie właśnie się skończyło. Już nigdy nie odbudują zaufania. Znalazła się nagle przy drzwiach wyjściowych. Zauważyła jego wahanie, kiedy zapytała, czemu wypłynął w taką pogodę. Czy chciał odebrać sobie życie? Spojrzała w górę na fasadę, której okna błyszczały w gasnącym wieczornym słońcu. Wierzyła, że byłby do tego zdolny.

Gdyby zrobiła aborcję, czy chciałby z nią wtedy być? Odwróciła się na pięcie, jakby chciała tam wrócić, przebiec przez korytarz i go zapytać. Prosto z mostu. Machnąć ręką na własny wstyd i jego niewypowiedziane pytania. Wiedziała, że nigdy nie zapyta, kto jest ojcem dziecka. Czy potrafiłaby mu wytłumaczyć, odzyskać jego zaufanie na tyle, by mogli chociaż spróbować?

Pokręciła głową. Nie z Edvardem. Jego melancholiijne usposobienie obracało wniwecz wszelką nadzieję. Sama świadomość, że przeżyła krótką przygodę, będzie leżeć na ich drodze jak kamień.

Zadzwoniła komórka i przyszło jej do głowy, że to on, ale to był Frenke z centrali.

– Cześć, Ann, przepraszam, że dzwonię, ale miałem rozmowę i chyba rozpoznałem nazwisko. Mortensen, mówi ci to coś?

– Oczywiście – odpowiedziała szybko Ann.

– Jego sąsiad, musi być z niego niezły zgred, dzwonił i narzekał na hałas, jaki robi Mortensen.

– Hałas?

– Tak, widocznie używa jakiejś maszyny na podwórzu i facet sądził, że trochę późno. Według sąsiada włącza ją co drugi wieczór.

– Aha – powiedziała Ann.

– Tak, wiem – odrzekł Frenke – ale jak rozpoznałem nazwisko Mortensena, pomyślałem, że dam ci znać. Przecież jest związany z tą aferą MedForsk. Poprosiłem sąsiada, by zadzwonił do ciebie jutro.

– Miło z twojej strony. Dziękuję za telefon.

– Trzymaj się – powiedział Frenke, w trochę lepszym humorze po jej ostatnich słowach.

Tak nagle powróciła do życia bez Edvarda. Spojrzała na zegarek. Mortensen ma nie po kolei w głowie – siedzi przez cały dzień na przesłuchaniu, a potem jedzie do domu i przekopuje wieczorem działkę. Co on powiedział? Chodzi o to, by wykorzystać pieniądze za wynajem.

Droga do Uppsali dłużyła się. Krótki czas spędzony z Edvardem spowolnił jej ruchy i myśli. Minęła Börstil i uderzyło ją, że może nieprędko będzie miała okazję przejeżdżać koło białego kościoła. Zawsze był dla niej etapem tej trasy. Dalej była już w Roslagen, kościół stanowił w jej odczuciu granicę królestwa Edvarda, i przypomniała sobie wszystkie te razy, kiedy jechała tędy, czując łaskotanie w brzuchu.

Teraz łaskotało ją z innych powodów. W głębi nienawidziła samej siebie, ale stłumiła to uczucie, nim pogarda dla siebie samej wzięła w niej górę. Zamiast tego udało jej się tak ukierunkować myśli, że odczuła pewną ulgę. Była ona złudna, ale trzymała się jej z czystego instynktu samozachowawczego. Musi wziąć się w garść. Musi dokończyć śledztwo.

Jadąc przez Gimo, po raz pierwszy nie przekroczyła dozwolonej prędkości. Kościół w Skäfthammar. Następna będzie Alunda, pomyślała. Potem Stavby, a potem Rasbo. Z katedry w Maladze do parady wiejskich kościołów w Upplandzie.

Wyrzuty sumienia i poczucie winy, że skrzywdziła drugiego człowieka, omal nią nie owładnęły, ale zmusiła się, by myśleć o śledztwie. Co takiego powiedziała Teresia Wahll? To była zwykła towarzyska pogawędka, ale coś z niej mocno utkwiło w podświadomości Ann. To mogło być ostatnie słowo, ale jakie?

Olśnienie przyszło przed zjazdem do Tuny. To były słowa Teresii o jej mężu, że pracuje w Ultunie jako weterynarz. Adrian Mård był z wykształcenia agronomem i też przypuszczalnie tam bywał. Może się spotkali? Może byli znajomymi? Może to mąż Teresii dostarczył Mårdowi danych o nielegalnych, tajnych doświadczeniach na zwierzętach?

Dość karkołomna konstrukcja, lecz Ann już wcześniej ufała swojej intuicji, a ta hipoteza nie była gorsza od wielu innych. Spojrzała na zegarek. Edvardzie, co robisz? Ogarnął ją żal i tęsknota. Zaczęła szukać po omacku telefonu, który spadł między fotele, i wybrała numer Beatrice.

Odpowiedziała dopiero po pięciu sygnałach.

– Spałaś?

– Nie, gramy w kubba w ogrodzie – odpowiedziała wesoło Beatrice. – Tak czułam, że to ty.

– Coś przyszło mi do głowy... – zaczęła Ann.

– Teresia Wall – przerwała jej Beatrice.

– Właśnie.

– Zrozumiałam to, kiedy mówiłaś o początku przesłuchania, gdy rozmawiałyśmy, żeby się trochę odprężyła.

– Jej mąż pracuje w Ultunie i z pewnością się tam kształcił. Adrian Mård też.

Nie musiała mówić więcej. Beatrice zrozumiała.

– Ściągniemy ją tu znowu jutro?

– Możesz to załatwić? – zapytała Ann.

Karl-Göran Wall ukończył studia w Ultunie w roku 1982. W tym samym roku co Adrian Mård. Ann uzyskała te informacje z krótkiej rozmowy z uczynną sekretarką z Uniwersytetu Rolniczego. Studiowali wprawdzie różne kierunki, lecz szansa, że się poznali, była i tak dość duża.

– Czy zna pani mężczyznę o nazwisku Adrian Mård? – zapytała Beatrice.

Teresia Wall zaprzeczyła, ale zdradziły ją oczy.

– Może pani mąż go zna? – wtrąciła Ann. – Możemy do niego zadzwonić i zapytać.

Teresia wysunęła dolną wargę, a jej twarz przybrała trudny do zinterpretowania wyraz. Może była to złość. Milczała, a Ann i Beatrice zrozumiały, że są na dobrym tropie. Teresia była dość bystra, by wiedzieć, że pytania policjantek są ogniwami jednego łańcucha. Tkały jedną sieć, która coraz mocniej ją oplątywała. Część ludzi reagowała ulgą, inni biernością, a niektórzy złością, kiedy docierało do nich, że są jak mucha w pajęczej sieci. Wszyscy jednak na próżno się miotali. Wyjście było tylko jedno.

– Okej – powiedziała – znam Adriana Mårda. I co z tego?

– Przekazał nam pewne informacje – odrzekła Ann.

Teresia zaczęła cicho płakać, łzy spływały powoli po jej policzkach.

Beatrice podała jej papierowy ręcznik. Teresia głośno wytarła nos i zaczęła mówić. Ann sprawdziła, czy się nagrywa. Teraz się okaże, de Soto, pomyślała.

– To było zeszłej jesieni – zaczęła Teresia. – Sven-Erik poleciał do Malagi i wrócił bardzo wzburzony. Zupełnie niepodobny do siebie. Stał się opryskliwy i dziwny, wyraźnie dostrzegało się zmianę. On i Mortensen coraz częściej się kłócili. Trzaskali drzwiami i atmosfera zrobiła się dość nieprzyjemna. Przedtem w firmie tak dobrze się układało. Działalność świetnie się rozwijała, było super. Nagle wszystko się zmieniło.

– O co się kłócili?

– Nie wiedzieliśmy. Sofi poszła do Mortensena, żeby go zapytać, ale nie chciał nic powiedzieć. Z początku myśleliśmy, że chodzi o pieniądze. Ludzie przecież o to najczęściej się kłócą, ale to było co innego. Weszłam do pokoju Svena-Erika po jakieś dokumenty. Nie znalazłam ich, więc zaczęłam szukać w stosach papierów na jego biurku.

Umilkła na chwilę i spojrzała na Ann.

– Nie myszkowałam – zapewniła – ta opinia, której szukałam, była bardzo ważna.

Ann kiwnęła głową.

– W środku tej sterty leżał dokument, który zwrócił moją uwagę. Wyglądał jak wszystkie inne, ale na samym dole Sven-Erik dopisał swój komentarz. Napisał „Cholera” wielkimi literami. To chyba nie takie dziwne, że się zaciekawiłam. Było tam jeszcze, że odradza, i że to może spowodować wielkie cierpienie. Najbardziej uderzyły mnie te słowa: „wielkie cierpienie”.

– Czy to on napisał ten komentarz?

– Oczywiście, rozpoznałam jego pismo – powiedziała Teresia. – Chodziło o serię doświadczeń, które mieli przeprowadzić.

Robiliśmy przecież od paru lat doświadczenia na małpach. Odpowiadali za nie Liiv i Södergren i jak dotąd wszystko szło dobrze.

– Czy w krytyce ze strony obrońców praw zwierząt jest coś zgodnego z prawdą? – zapytała Beatrice. – Twierdzili przecież, że badania są nielegalne.

Teresia zawahała się.

– Myślę, że przeprowadzali równoległe doświadczenia – powiedziała. – Jedną serię oficjalnie. Każde doświadczenie trzeba przecież udokumentować. Druga była raczej nieoficjalna.

– Raczej? Sądzi pani, że przeprowadzili dwie serie, z czego jedną nielegalną?

Teresia skinęła głową.

– Sądzi pani, czy wie?

– Wiem – odrzekła cicho.

– Czemu nie wszczęła pani alarmu? – zapytała Ann.

Teresia Wall milczała przez dłuższą chwilę.

– Przyszłość firmy zależała od programu parkinsonowskiego – powiedziała w końcu.

– Wiedziała pani, lecz nic nie mówiła – skonstatowała z goryczą Beatrice.

– Czy Cederén też o tym wiedział?

– Oczywiście, przecież odpowiadał za badania.

– Czym się różniły te dwie serie badań i co właściwie tak wzburzyło Cederéna?

Po tym pytaniu Ann Teresia znów pociągnęła nosem. Wpatrywała się w podłogę, splatając dłonie na ogromnym brzuchu.

– I jakie były wyniki? – zapytała Ann.

– Nie za dobre – odrzekła Teresia. – Coś wyraźnie poszło nie tak. Przerwali doświadczenia z powodu zbyt wielu skutków ubocznych.

– A przeprowadzali je w Republice Dominikany?

Teresia skinęła głową.

– Dlaczego właśnie tam?

– Nie wiem, ale chyba nie mają takiej surowej kontroli.

Teresia powiedziała, jak najpierw opadły ją wątpliwości, a potem poczuła obrzydzenie. Poza tym bała się i nie wiedziała, co robić. Jej mąż widział, jak się zmienia i myślał z początku, że ma to związek z ciążą, ale w końcu nie wytrzymała i powiedziała mu o swoim odkryciu.

Skontaktowali się potem z Adrianem Mårdem, którego znali od piętnastu lat i darzyli zaufaniem. Wiedzieli, że może zdobyć informacje w taki sposób, by Teresia i jej mąż nie byli w to zamieszani.

Zaklinała się, że nie mówiła nikomu w firmie o znalezionym dokumencie. Chciała porozmawiać z Cederénem, ale nie zdążyła.

Ann Lindell wyszła z pokoju przesłuchań i udała się wprost do Ottossona. Spojrzał z troską na nią i jej wzburzoną twarz i chciał coś powiedzieć, ale nie dopuściła go do słowa i powtórzyła wszystko, czego się dowiedziała od Teresii.

Szef wydziału słuchał, nie przerywając, i milczał przez dłuższą chwilę, patrząc przed siebie wzrokiem, który Ann mogła określić jako nieobecny.

– Co za świnie – powiedział w końcu.

Spojrzał na nią tak, jakby sądził, że przyszła do niego z wymyśloną historią.

– Czy to może być prawda?

– Jestem przekonana, że Wall mówi prawdę – rzekła Ann. – Czemu miałaby kłamać?

Ottosson wstał od biurka i zaczął chodzić tam i z powrotem po pokoju. Przystanął nagle, chwycił słuchawkę i wybrał jakiś numer.

– Tu Ottosson, czy możesz przyjść?

Wysłuchał odpowiedzi, nim rzekł zniecierpliwionym głosem:

– Nie, to nie może czekać. – I położył słuchawkę.

– Fritzén? – zapytała Ann.

Ottosson skinął głową. Na Ann spłynął wielki spokój. To było tak, jakby Ottosson ujarzmił jej gniew. Sama siedziała ociężale na krześle, niezdolna do logicznego myślenia. Ottosson powiedział coś, czego nie zrozumiała, po czym wyszedł nagle z pokoju i znikł na końcu korytarza.

Kiedy wrócił, Ann zauważyła, że opłukał twarz wodą. Brodę i nasadę włosów miał jeszcze wilgotne.

– Co teraz zrobimy? – zapytał zmęczonym głosem i usiadł za biurkiem.

– Wezwiemy Mortensena – odrzekła Ann.

Poszła do swojego pokoju. Mimo zmęczenia zmusiła się, by po raz kolejny zadzwonić do Adriana Mårda, który jakby zapadł się pod ziemię. Nie odpowiadał na żaden z numerów telefonów, które jej zostawił, ani na wiadomości, które Ann nagrała na pocztę głosową.

Siedziała z telefonem w dłoni. Byłam okrutna wobec Edvarda, pomyślała. Wpadłam do szpitala i wyrzuciłam z siebie, że spodziewam się dziecka z innym. Gdybym rozegrała to inaczej, może dałoby się z nim porozmawiać.

Czy go kochała? Tak sądziła. Nie miała odwagi analizować swoich uczuć. I tak nie mogłaby cieszyć się wspólnym życiem z nim, więc nie miało to znaczenia. Świadomość, że zmarnowała swoją szansę na przyszłość z Edvardem, napełniała ją rosnącą pogardą dla samej siebie. Nierozważna przygoda na jedną noc zniszczyła wszystko, pomyślała z goryczą. Ale co ja wiem o tym, co robił na wyspie Edvard przez te pół roku, kiedy się nie spotykaliśmy? Może jeździł po Gräsö jak jakiś donżuan. Jeżeli chciała się pocieszyć tą myślą, to jej się nie udało. Czuła, że nie miał innej, i co by to zresztą znaczyło? Nic. Chodziło o nią i o Edvarda.

Pochyliła się nad biurkiem. Może powinna zadzwonić? Od razu odłożyłby słuchawkę. Jechać na Gräsö nie było sensu. Viola opiekowała się Edvardem, a w jego głowie nie było teraz nic prócz nienawiści i goryczy zdrady.

Kiedy zadzwonił telefon, podniosła machinalnym ruchem słuchawkę i przedstawiła się.

– Nazywam się Eilert Jancker i mieszkam w Kåbo. Jestem sąsiadem Jacka Mortensena, jeśli coś pani mówi to nazwisko.

– Oczywiście – powiedziała Ann i przypomniała sobie telefon Frenkego z wczorajszego wieczoru. – W czym mogę pomóc?

– Naprawdę mam już dość hałasu w sąsiedztwie, a Jack Mortensen jest pod tym względem najbardziej uciążliwy.

– Tak? – Ann przybrała pytający ton, kiedy Jancker przestał mówić.

– Zgłaszałem to już wcześniej, ale teraz miarka się przebrała.

– O co konkretnie chodzi? – zapytała Ann, czując narastające zniecierpliwienie.

– O hałas maszyny.

– Ja jestem z policji kryminalnej i to niezupełnie moja działka.

– Połączyli mnie z tym numerem – upierał się Jancker.

– Proszę mówić – rzekła Ann.

– Kilka dni temu Mortensen używał tej maszyny do późnego wieczoru i wczoraj było podobnie. Prace ziemne prowadzi się chyba za dnia, przynajmniej ja tak uważam i inni sąsiedzi też. Mówię także w ich imieniu.

Czemu ludzie muszą się tak rozwlekać? – pomyślała ze znużeniem Ann.

– Co zamierzacie z tym zrobić?

– Czy rozmawiał pan z samym Mortensenem? To zwykle dobry krok na początek...

– Próbowałem – przerwał jej Jancker. – Poszedłem tam parę dni temu, byłem naprawdę wściekły, by porozmawiać o jego niestosownym zachowaniu. I co zastałem? Maszyna w ruchu, a jego nie ma.

Ann wyostrzyła słuch.

– Koparka pracowała, a pan nie widział Mortensena, dobrze zrozumiałam?

– Dokładnie – odrzekł Jancker, zadowolony, że udało się coś wytłumaczyć policji.

– Kiedy to było?

– Wieczorem dwudziestego dziewiątego, między szóstą a dziesiątą.

– Poszedł pan na podwórze Mortensena, żeby z nim porozmawiać?

– Wiem, że to może się wydawać obcesowe, ale co miałem robić?

– I nie zastał go pan?

– Przecież mówiłem, że nie. Nawet zadzwoniłem do domu, ale nikt nie otwierał. Czy nie uważa pani, że to bezczelność? Zostawić pracującą maszynę i wyjechać z domu.

– Jest pan pewny, że go tam nie było?

– Oczywiście, samochodu też nie. Wrócił koło dziesiątej. Nawet zapamiętałem dokładną godzinę, dwudziesta druga pięć.

– I wtedy wyłączył maszynę?

– Właśnie.

Ann przypomniała sobie słowa właściciela sprzętu, że Mortensen nie był takim kozakiem w kopaniu i nie pracował zbyt efektywnie, a teraz zyskało to inne znaczenie. Maszyna przez długi czas nie wykonywała żadnej pracy.

– Czy mógłby pan przyjechać do komisariatu i potwierdzić swoje zeznanie? Możemy wysłać po pana cywilny samochód.

– Nareszcie ktoś rozumie potrzebę miru domowego – rzekł Jancker. – Oczywiście, że przyjdę. Pasuje pani za pół godziny?

– Pasuje idealnie – powiedziała Ann.

Praca z koparką była alibi Mortensena na wieczór, kiedy zginęła Gabriella Mark. Powiedział, że sąsiedzi na pewno potwierdzą, że kopał w ziemi przez cały wieczór. Teraz to upadło. Nie takiego potwierdzenia przez sąsiada Mortensen się spodziewał.

Ann nie mogła spokojnie usiedzieć, więc wstała i zaczęła szybko chodzić po pokoju. Mijając biurko, odłożyła słuchawkę i podeszła do okna.

31

Jacka Mortensena przywieziono do komisariatu po południu. Uśmiechnął się do Ann i Ottossona, kiedy wszedł w towarzystwie Berglunda.

– Macie niezłą częstotliwość – powiedział, rozsiadając się na krześle.

– Będzie jeszcze lepsza – odrzekł sucho Ottosson.

Uśmiech zamarł na ustach Mortensena, kiedy zobaczył wyraz twarzy szefa wydziału.

– Wieczorem dwudziestego dziewiątego czerwca zamordowano Gabriellę Mark – zaczęła energicznie Ann, lecz równie szybko umilkła.

Mortensen nie zareagował na jej słowa, tylko wpatrywał się w swoje splecione dłonie.

– Powiedział pan, że kopał w ogrodzie przez cały wieczór, prawda?

Mortensen podniósł głowę.

– Tak, to prawda.

– A właśnie, że nie – odparła Ann.

Dała mu parę sekund na przetrawienie tych słów, nim podjęła wątek.

– Mamy informację, że koparka chodziła przez cały wieczór na biegu jałowym. Co pan na to powie?

– To prawda, że chodziła tak przez pewien czas. Zrobiłem sobie przerwę na kawę.

– Czemu nie wyłączył pan wtedy maszyny?

– Bałem się, że nie będę umiał jej znowu włączyć – odrzekł Mortensen.

– To chyba nie byłoby takie trudne. Dostał pan przecież instrukcje od wynajmującego?

– Nie znam się na maszynach.

– On też tak powiedział. Uważał, że skopał pan bardzo mało ziemi, a to można tłumaczyć tym, że koparka chodziła głównie na biegu jałowym.

– Do czego zmierzacie? Powiedziałem przecież, że piłem kawę.

– Wyszedł pan również z domu wieczorem. W jakim celu?

– W żadnym – odparł Mortensen, ale poprawił się od razu, przypominając sobie, że pojechał do firmy po jakieś dokumenty.

Ann milczała przez chwilę.

– Dokumenty – rzekła wreszcie. – Jakie dokumenty? Zostawia pan maszynę wynajętą za ciężkie pieniądze, żeby przywieźć trochę papierów? Musiały być bardzo ważne.

Mortensen skinął głową.

– Czy nie zajechał pan przypadkiem do Rasbo?

– Oskarżacie mnie o zamordowanie Gabrielli Mark – powiedział niespodziewanie.

– Staram się tylko wyjaśnić, co pan robił tamtego wieczoru – odrzekła spokojnie Ann. – Jakie samochody ma firma?

Mortensen odsunął się z krzesłem od stołu, założył nogę na nogę i przygładził włosy.

– Mamy dwa samochody. Dostawczego fiata i skodę.

– Kolory? – zapytał Haver.

– Niebieski i czerwony.

– Żadnych znaków firmowych, nalepek i tak dalej? – zapytała Ann.

Mortensen pokręcił głową.

– Myślę, że wziął pan własny samochód, pojechał do Med-Forsk, zamienił go na czerwoną skodę, a stamtąd udał się do Mark i ją udusił – rzekła Ann.

Dyrektor zarządzający próbował coś wtrącić, lecz ona mówiła dalej.

– Myślę, że tu przerwiemy na chwilę. Musimy sprawdzić kilka informacji.

Wstała, a Haver poszedł za jej przykładem. Wyszli z pokoju, nie patrząc na Mortensena.

– Niech się tam trochę spoci – powiedziała Ann.

– To coś nowego, że wyszedł z domu – rzekł Haver, a Ann wyczuła w jego głosie cień niezadowolenia.

Po dziesięciu minutach wrócili do pokoju przesłuchań. Mortensen siedział nadal w tej samej pozycji. Jeśli się pocił, nie było tego po nim widać.

– Chcę to szybko zakończyć – powiedział, kiedy policjanci usiedli i Haver włączył magnetofon.

– Aha – rzekła Ann. – To świetnie.

– Jestem już serdecznie zmęczony waszymi oskarżeniami. Muszę się zająć sprawami firmy i jeśli nie macie nic prócz luźnych hipotez, pozwólcie mi stąd wyjść.

Ann Lindell zignorowała jego słowa.

– Czy ktoś może potwierdzić, że zabrał pan tylko papiery z firmy, a potem wrócił do domu? – zapytała.

– Nie, byłem tam sam. Nie pracujemy na zmiany, jeśli o to chodzi.

– Dużo pan rozmawiał z Gabriellą. O czym?

– O wszystkim, ale oczywiście najwięcej o Svenie-Eriku i o tym, co się stało.

– Dzwonił pan do niej dwudziestego dziewiątego czerwca?

– Nie wiem, ale chyba nie. To głównie ona do mnie dzwoniła.

– Czy mówi coś panu ksywka Pålle?

– Nie.

– Czy był pan kiedyś u niej w domu?

– Nie.

– Ale się spotkaliście?

– Parę razy.

Ann milczała. Mortensen przyglądał się jej z uwagą, jak gdyby czekał na niespodziewane pytanie. Zamiast tego odezwał się Haver.

– Jaki ma pan numer buta?

Mortensen spojrzał zaskoczony na Havera. Spuścił wzrok na swoje stopy i zaczerwienił się, jak gdyby pytanie było niestosowne.

– Czterdzieści dwa – odpowiedział. – A co?

– Tylko pytałem – odparł Haver.

W tej samej chwili zadzwoniła komórka Ann. Wyjęła ją szybkim ruchem i odebrała.

– Przyślijcie ją tutaj – poleciła po wysłuchaniu rozmówcy.

Złowróżbne milczenie przedłużało się. Ann taksowała spojrzeniem Mortensena, który szybko uciekł wzrokiem.

Haver miał już coś na końcu języka, ale się powstrzymał. Czuł, że wszystko właśnie się rozstrzyga. Odpowiedzi tkwiły w tym milczeniu. Osobiście był przekonany, że Mortensen skłamał w jednym lub kilku punktach. Czy był mordercą? W takim razie mieli spory problem, by to udowodnić. To, że ściemniał w sprawie koparki, nie przeszłoby w sądzie. Mógł przecież pojechać do firmy. Do policji należało udowodnienie, że pojechał do Gabrielli. Fakt, że MedForsk posiadał czerwoną skodę, również niczego nie dowodził. Ile takich mogło być w mieście? Ann poprosiła Rydego, by pojechał do MedForsk i zabrał skodę do policyjnego warsztatu na przegląd, lecz ani ona, ani Haver nie żywili wielkich nadziei, że coś z tego wyniknie.

Dowodów technicznych na miejscu zbrodni także nie było. Tylko odcisk buta. Haver też miał rozmiar czterdzieści dwa, co nie czyniło go jeszcze mordercą.

Spojrzał na Ann, a ona wiedziała, o czym myśli. Uśmiechnęła się i w tej samej chwili ktoś zapukał do drzwi.

To był Riis, za którym szła starsza kobieta. Kiedy Mortensen ją zobaczył, zerwał się z krzesła, jakby użądliła go pszczoła.

– Co ty tu robisz? – wykrzyknął.

– O to samo chciałam cię zapytać – powiedziała cierpkim tonem i rozejrzała się po pokoju.

Riis szybko przysunął krzesło do krótszego boku biurka. Mortensen patrzył zszokowany, jak jego matka siada z pewnością siebie, która zdziwiła nawet Ann. Wiedziała, że ta kobieta ma silną osobowość, ale sposób, w jaki tu weszła i zajęła miejsce, wskazywał na wręcz niepospolitą siłę.

– Coś ty narobił? – zapytała, mierząc syna wzrokiem.

– Nic – odpowiedział.

– Usiądź – rozkazała, a on jej posłuchał.

– Rozmawiamy o zabójstwie Gabrielli Mark – rzekła Ann. – Sądzimy, że pani syn ukrywa przed nami pewne informacje.

– Co to za pomysł, by ciągnąć tu moją starą matkę? To już naprawdę szczyt bezczelności. Nie cofniecie się przed niczym.

– Pana matka przyszła tu z własnej woli – odparła spokojnie Ann.

– Przecież nie masz z tym nic wspólnego – powiedział, zwracając się do matki.

Patrzyła na niego wzrokiem, który Ann odebrała jako współczujący.

– Możesz potrzebować pomocy – zawyrokowała. – Jak zawsze. On nie jest silny – dodała, zwracając się z jakiegoś powodu do Riisa, który stał oparty o ścianę. – Nie jest łatwo stracić dwoje najlepszych przyjaciół.

– Ma pani na myśli Svena-Erika i Josefin? – spytała Ann.

– Josefin – prychnęła kobieta. – Z nią ciężko było dojść do ładu. Nie pojmuję, że w ogóle się nią przez moment zainteresowałeś. Nie, mam na myśli Gabriellę.

Mortensen wbił spojrzenie w matkę.

– Znała pani Gabriellę? – zapytała Ann.

Kobieta spojrzała na Ann ze zdziwieniem.

– Znałam? Oczywiście. Pålle i ona byli nierozłączni od kolebki.

Cisza w pokoju aż dzwoniła. Jack Mortensen wpatrywał się w podłogę.

– Pålle – powtórzyła Ann. – Kto to jest?

– Mój syn, Jack – odrzekła kobieta. – Nazywamy go Pålle od dziecka. On i Gabriella byli w dzieciństwie nierozłączni. Mieszkaliśmy po sąsiedzku w Simrishamn, tak, przynajmniej dziesięć lat. Popatrzcie na zęby Pållego! To ojciec Gabrielli tak je skorygował. Przedtem wyglądał jak zając.

Przerwała nagle. Mortensen drżał na całym ciele.

– Co się stało? – zapytała i Ann po raz pierwszy usłyszała w jej głosie łagodniejszy ton.

Spojrzenia wszystkich skierowały się na Jacka „Pållego" Mortensena, który ukrył twarz w drżących dłoniach i zaszlochał.

– Pålle, co się stało? – powtórzyła, kładąc dłoń na jego ramieniu.

– Puść mnie, ty stara wiedźmo! – wrzasnął i zerwał się z krzesła.

Riis zareagował błyskawicznie, rzucił się, złapał Mortensena i przytrzymał w mocnym uścisku.

– Uspokój się – syknął, ale z uśmiechem na ustach.

Ann widziała, jak mięśnie kolegi prężą się pod koszulą. Matka siedziała jak sparaliżowana.

– Usiądź – powiedziała Ann.

Riis zwolnił uścisk i Mortensen opadł ciężko i niechętnie z powrotem na krzesło.

– Dobrze znał pan Gabriellę, choć wcześniej temu zaprzeczał.

Mortensen załkał. Matka patrzyła na niego z niedowierzaniem.

– Pojechał pan tam, prawda? – Ann powtórzyła pytanie.

Nie odpowiedział. Zwiesił głowę, wpatrując się w podłogę. Na skronie wystąpiły mu krople potu. Ann zerknęła na Havera.

– Odpowiedz – ponagliła go matka. – Nie ma przecież sensu zaprzeczać, że znałeś Gabriellę.

Policzki Mortensena drgnęły. Riis stał za nim, gotów w każdej chwili go złapać.

– Znałem Gabriellę – powiedział ochrypłym głosem. – Bardzo ją lubiłem.

Matka patrzyła na niego ze zdumieniem pomieszanym z czymś, co Ann odczytała jako pogardę, dobrze licującą z jej arystokratyczną postawą. Widziała syna osaczonego przez policję i wewnętrzną udrękę, lecz na jej twarzy nie było współczucia.

– Lubiłem ją – powtórzył i spojrzał na matkę. – Nie wiedziałaś o tym. Tak mało wiesz.

Matka chciała coś powiedzieć, ale Mortensen uciszył ją ruchem ręki.

– Okłamała mnie. Powiedziała, że nie będzie szukać nowego męża, kiedy została wdową.

– Pan wiedział, że ona i Cederén byli w związku – wtrąciła Ann.

Mortensen zwrócił się w jej stronę. Ann miała wrażenie, że kosztowało go to sporo wysiłku. Powolne ruchy współgrały z trudnością, z jaką słowa wydobywały się z jego ust. Widziała to już wcześniej, ten rodzaj paraliżu, jaki dotyka ludzi przypartych do muru, kiedy kłamstwo nie jest już żadnym wyjściem. Maszyneria pracuje na jedną czwartą mocy i bywa to szalenie frustrujące dla przesłuchującego, który chciałby szybko dojść do celu. Ann jednak spokojnie czekała.

– Tak – powiedział w końcu – oczywiście, że tak. Spotkałem ich przypadkiem w Sztokholmie.

Matka niespodziewanie parsknęła śmiechem.

– Biedny Pålle – powiedziała. – Najpierw Josefin, a teraz Gabriella.

– Zamknij się – odrzekł twardo Mortensen i kobieta poczuła się, jakby dostała w twarz.

– Pojechał pan do niej dwudziestego dziewiątego czerwca?

Ann zadała to pytanie cichym głosem. Mortensen skinął głową.

– Czy może pan odpowiedzieć tak, by nagrało się na taśmę?

Mortensen uśmiechnął się z sarkazmem, pochylił nad biurkiem i powiedział wyraźnie „tak", po czym zamknął oczy i znów opadł na krzesło.

– Pokłóciliście się?

– Odpowiedz – zażądała matka, która zdążyła już ochłonąć.

– Zabierzcie ją stąd! – wrzasnął Mortensen, wskazując na drzwi.

– Może będzie lepiej, jeśli zaczeka pani na zewnątrz – powiedziała Ann, zwracając się do matki.

Kobieta wstała bez słowa. Pod pachami jej jasnej letniej sukienki wykwitły duże plamy potu. Spojrzała na syna lodowatym wzrokiem.

– Ty cholerna babo! – krzyknął Mortensen. – Wszystko zepsułaś. Twoje pieprzone tekstylia, którymi nikt się nie interesuje. Kogo obchodzą stare kawałki materiału? Cholerne tosty, które przynosisz co rano. Tylko po to, by sprawdzić, co robię. Nienawidziłaś Gabrielli i nienawidziłaś Josefin, wtrącałaś się, gadałaś bzdury i intrygowałaś.

Zapadł się znów w sobie i cisza przeszła przez pokój jak lodowaty podmuch wiatru. Ann widziała, że Riis chciał położyć dłoń na ramieniu Mortensena, ale się powstrzymał. Miała wrażenie, że jej kolega odczuwa wobec niego coś w rodzaju współczucia. Sama była wyczerpana tą burzą uczuć, jaka przetoczyła się przez pokój. Czterdzieści lat nagromadzonej nienawiści, którą trzymała w ryzach tylko pewna zależność. Matka wykorzystała jego słabą osobowość i nagięła go do swoich oczekiwań. Teraz oddał cios.

– Cholera – powiedział, bębniąc palcami prawej ręki w kolano, tak jakby zrozumiał, że sprzeciwił się jej za późno, o wiele za późno.

– Biedaku – powiedziała, nim opuściła pokój w asyście Riisa, który odwrócił się w drzwiach i obdarzył Ann spojrzeniem, w którym można było wyczytać uznanie.

Gdy tylko zamknęły się drzwi, Mortensen rozpoczął swoje zeznanie. Pojechał do zagrody wieczorem dwudziestego dziewiątego czerwca. Gabriella znów groziła, że ujawni prawdę o nielegalnych doświadczeniach MedForsk. Wahała się, bo nie chciała splamić pamięci Svena-Erika Cederéna, lecz postanowiła w końcu opowiedzieć wszystko policji.

– Umarła, bo chciała wyznać prawdę? – zapytała Ann.

– Nienawidziła mnie – odrzekł cicho Mortensen. – Oskarżyła mnie o śmierć Svena-Erika.

– Ale pan nie był przecież winny jego śmierci.

– Chciałem ją wesprzeć po stracie Svena-Erika. Teraz znów była sama, ale w kółko gadała o Svenie-Eriku i doświadczeniach. Myślałem, że mnie lubi.

Umilkł i spojrzał na swoje dłonie. W pokoju było słychać tylko jego oddech.

– Przecież tak dobrze się znaliśmy – wyrzucił z siebie nagle.

Ostry zapach potu Mortensena sprawił, że Ann wstała. Haver spojrzał na nią z czujnością, która zdradzała jego wewnętrzne napięcie. Słowa padały w pokoju przesłuchań jak ciężkie kamienie.

– Udusiłem ją – wymamrotał Mortensen.

– Gdzie? – zapytał Haver.

– W kuchni.

– Co pan zrobił z ciałem?

– Zakopałem pod stertą kamieni. Wcześniej chciałem je zabrać do samochodu, ale się przestraszyłem.

– Czego?

– Wydawało się tak cicho, ale miałem wrażenie, że przez cały czas słyszę jakiś dźwięk dochodzący z lasu. Przestraszyłem się. Gabriella...

Umilkł. Oboje przesłuchujący czekali na ciąg dalszy. Zaczął cicho płakać i przetarł dłonią twarz. Dłonie mordercy, pomyślała Ann.

– Przejechał pan Josefin i Emily? – zapytał Haver, siadając na miejscu, które wcześniej zajmowała matka.

– Nie, w życiu – odparł Mortensen podniesionym głosem. – Nigdy bym jej nie skrzywdził.

– Ale skrzywdził pan Gabriellę. Zabił ją.

– Z Josefin było inaczej.

Nie wyjaśnił, na czym polegała różnica, lecz Ann na razie to zostawiła. Z czasem zacznie mówić.

– Kto przejechał Josefin i Emily?

– Nie wiem – odparł Mortensen.

– Nie wierzę – odrzekł spokojnie Haver.

– To prawda! Nie wiem! Nigdy bym do tego nie dopuścił. Niewinna kobieta i dziecko.

– Zamordował pan Gabriellę – zauważył Haver.

– Urbano i Olivares, mówią coś panu te nazwiska? – zapytała Ann.

Mortensen zaprzeczył, jakoby znał Hiszpanów. Nigdy o nich nie słyszał, a tym bardziej nie nocowali u niego przez te dwa dni, które spędzili w Szwecji. Ann mu uwierzyła.

– Josefin była w ciąży, kiedy umarła. Czy to było pana dziecko?

Mortensen sprawiał wrażenie wystraszonego, ale pokręcił głową.

– Czy coś was łączyło?

Znów ten sam ruch głowy.

– Tylko rozmawialiśmy – powiedział. – Josefin nie była szczęśliwa.

– Ale wiedział pan, że wymordowanie rodziny Cederénów zainscenizowali pańscy koledzy z Hiszpanii? – zapytała Ann.

Mortensen milczał, jak gdyby rozważał odpowiedź.

– Zadzwonili potem – odrzekł po dłuższej chwili.

– Kto?

– De Soto.

– Co powiedział?

– Że Sven-Erik musiał zniknąć.

– Dlaczego?

– Chciał się wycofać.

– Jak pan wytłumaczy zakup ziemi w Republice Dominikany?

Mortensen wyglądał na zupełnie wyczerpanego. Ann usłyszała szybkie kroki na korytarzu, a potem głos Riisa. Może matka Mortensena nadal tam była. Ten spojrzał na drzwi, jakby czekał, a może się obawiał, że ona wróci. Jego spojrzenie stało się szkliste. Nie było w nim już nic chłopięcego i Ann miała wrażenie, że lada moment się załamie.

– Czy miało to związek z nielegalnymi doświadczeniami na zwierzętach prowadzonymi na Dominikanie?

Mortensen podniósł zdziwiony wzrok.

– Tak, wiemy, że prowadziliście tam nielegalne doświadczenia.

Nadal patrzył na nią ze zdziwieniem, po czym krzywo się uśmiechnął.

– Co w tym śmiesznego?

– Macie dobrego informatora – powiedział.

– To dlatego Cederén chciał się wycofać? – zapytał Haver. – Nie mógł znieść znęcania się nad małpami. Część nie przeżyła, prawda?

– Może kilka.

– Co pan o tym sądzi?

– Nie było to przyjemne, ale czasem coś idzie niezgodnie z planem.

– Dlaczego Cederén chciał się wycofać mimo przerwania tych badań?

– Nie wiem. Bardzo się zmienił. Myślę, że pod wpływem Gabrielli.

– Dzwonił pan w tej sprawie do Malagi?

Mortensen skinął głową, po czym powiedział głośne i wyraźne „tak" do mikrofonu.

Więcej nie mógł już znieść. Pochylił się i zamknął oczy. Ann i Haver wymienili spojrzenia. W ich oczach widać było ulgę i pewne zmęczenie. Haver zebrał notatki. Ann oznajmiła koniec przesłuchania i wyciągnęła rękę, by wyłączyć magnetofon. W pokoju zapadła cisza. Mortensen sprawiał wrażenie, jakby przebywał teraz we własnym świecie. Siedział wyprostowany, wpatrując się pustym wzrokiem w przeciwległą ścianę.

Morderca przyznał się. Ann też miała już dosyć. Z napięcia rozbolały ją mięśnie. Spojrzała na zegar, wstała i podeszła do telefonu, by zadzwonić po strażnika, który miał odprowadzić Mortensena do aresztu. Haver nadal siedział. Domyślała się, że myśli o swoich dzieciach, bo wtedy miał taki rozmarzony wzrok. Te myśli były jak tarcza chroniąca je przed złem i okrucieństwem świata.

Kiedy Mortensena prowadzono do aresztu, Ann i Haver rozeszli się do swoich pokoi. Haver zamierzał zadzwonić do domu, a ona do prokuratora.

Nowina szybko się rozniosła po komisariacie i kilku kolegów przyszło im pogratulować. Zadzwonił także komendant i Ann Lindell przyjęła bez entuzjazmu jego wyrazy uznania. Nie czuła właściwie żadnej radości. Wiele wątków śledztwa nie zostało jeszcze zakończonych. Trzeba było ponownie przesłuchać Mortensena i innych pracowników MedForsk, przeprowadzić badania techniczne, przeszukać dom dyrektora zarządzającego i skontaktować się z Moyą, by zdać mu relację z postępów śledztwa w Szwecji. Jaime Urbano, prawdopodobny morderca rodziny Cederénów, nadal był poszukiwany, lecz Moya podczas ich ostatniej rozmowy nie tryskał optymizmem. Podejrzewał, że Urbano też nie żyje. W każdym razie przepadł bez śladu.

De Soto miał być oczywiście przesłuchiwany, lecz Ann obawiała się, że szanse udowodnienia mu, że zorganizował zabójstwa są znikome. Wywnioskowała to z rozmowy z Moyą. Dyskutowała o tym przez chwilę z Fritzénem i on uważał tak samo. Jeśli hiszpańska policja nie znajdzie Urbano, de Soto wymknie im się z rąk.

Po wyjściu prokuratora Ann wciąż siedziała przy biurku. Myśli o Edvardzie powracały z częstotliwością, która ją przerażała. Kiedy tylko przestawała myśleć o pracy, choćby na pół minuty, on już tam był.

Wstydziła się swego obcesowego zachowania wobec niego. Nigdy nie zapomni jego pogodnego spojrzenia, kiedy mu powiedziała, że jest w ciąży, i tych słów, że ją kocha. To były naprawdę wielkie słowa jak na niego. Co on powiedział? Że nie umiał żyć tak daleko od niej. Tęskniła za tymi słowami przez ponad dwa lata.

Teraz wszystko się skończyło. Siedziała jak skamieniała. Pogarda dla samej siebie, że zniszczyła ich wspólne życie, sprawiała jej niemal fizyczny ból. Co się stało, to się nie odstanie. Gdyby tylko wtedy milczała i dała sobie może jeszcze tydzień, by wszystko przemyśleć.

– Edvardzie – powiedziała na próbę, prawie niesłyszalnie.

Wiedziała, że jeszcze długo będzie z nim rozmawiać w myślach.

Zbudził ją do życia dźwięk telefonu. Dzwonił Ryde. Technicy badali właśnie czerwoną skodę z MedForsk. Nie przeanalizowali jeszcze wszystkiego, lecz Ryde nie sądził, że znajdą coś szczególnie godnego uwagi.

– Była tylko jedna dziwna rzecz. Mały niedojrzały owoc, prawdopodobnie gruszka, zaklinowany w wyżłobieniach prawej opony.

Przed oczami Ann stanęła grusza rosnąca przy drodze prowadzącej do zagrody Gabrielli i niedojrzałe owoce leżące na ziemi. Powiedziała technikowi o drzewie, a on zachichotał zadowolony.

– Gratuluję – powiedział na zakończenie rozmowy.

– Dziękuję za pomoc – odrzekła Ann.

Telefon znów zadzwonił, lecz tym razem nie odebrała.

Urlop, pomyślała. Jeszcze kilka dni przesłuchań i papierkowej roboty i koniec. Przynajmniej na razie.

Telefon zadzwonił ponownie. Patrzyła na niego jak na obcy przedmiot. Rozbrzmiewały kolejne sygnały. Przy szóstym ocknęła się i chwyciła szybkim ruchem słuchawkę, lecz w tej samej chwili ktoś po drugiej stronie się rozłączył. Usłyszała wolny sygnał i zebrało jej się na płacz.

32

Ann poprosiła Berglunda i Havera, by zajęli się domem Mortensena. Sama nie miała na to siły. Czuła się, jakby uszło z niej całe powietrze. Siedziała nadal w swoim pokoju, zdolna myśleć wyłącznie o Edvardzie. Czy to on dzwonił? Prawdopodobieństwo było niewielkie, ale może jednak? Może to przemyślał. Może jego miłość była na tyle wielka, że potrafił jej wybaczyć niewierność i okrucieństwo.

Wszystko zepsuła. Rozwiązała wprawdzie sprawę zamordowania Gabrielli, ale jakoś nie potrafiła się tym cieszyć. Gabriella nie żyła. Gdyby pojechała do niej od razu, może dzisiaj byłaby wśród żywych.

Gdyby. Gdyby nie wskoczyła do łóżka z tamtym Bengtem-Åke. Gdyby nie zrobiła tego, tylko co innego.

Zadzwonił telefon. Tym razem odebrała. Był to dziennikarz z TV4 z prośbą o komentarz do rozwiązania sprawy śmierci Gabrielli. Ann nie miała pojęcia, skąd tak szybko się o tym dowiedział, lecz podejrzewała, że powiedział mu ktoś z komisariatu.

Zdała mechaniczną relację z zatrzymania i niektórych wątków przesłuchania. Nie wspomniała o nielegalnych doświadczeniach na małpach. Kiedy dziennikarz chciał zobaczyć ją w studio pół godziny później, po prostu odmówiła. Nie wyobrażała sobie siebie w telewizji.

Kiedy odłożyła słuchawkę, jej myśli pobiegły do Adriana Mårda. To jego informacje doprowadziły do zatrzymania Mortensena. Wybrała jego numer, lecz nikt nie odpowiedział. Ogarnął ją niepokój. Czemu on nigdy nie odbiera? Dlaczego nie oddzwania po odsłuchaniu jej wiadomości?

Josefin i Gabriella, dwie kobiety w jej wieku, zamordowane. Emily, mała dziewczynka, tak samo. Josefin była w ciąży tak jak ona. Zdjęcia ze śledztwa wirowały w głowie Ann, nie dając jej spokoju. Warzywniak przy zagrodzie. Łosza z rannym cielakiem. Każde kolejne śledztwo przynosiło nowe wrażenia, nowe wspomnienia, które dokładała do starych. Zło nawarstwiało się. Pośrodku tego wszystkiego musiała być silna i rozsądna.

Nigdy wcześniej nie brakowało jej normalności tak bardzo jak teraz. Zwyczajne życie ze zwyczajnym mężczyzną wydawało jej się teraz jedyną możliwą opcją w przerwie między zagmatwaną sprawą MedForsk i kolejnymi śledztwami, które z pewnością nastąpią. Przed oczami stanął jej obraz szczęśliwego życia. Haver takie miał. Ottosson podobnie, może nawet Beatrice. Potrafili zamknąć raporty i jechać do domu, który naprawdę zasługiwał na to miano.

Ktoś zapukał do drzwi. To był Berglund. Miał zacięty wyraz twarzy i w jednej ręce trzymał jakiś papier.

– Chyba kupię sobie psa – powiedziała.

Spojrzał na nią ze zdziwieniem.

– Psa?

Usiadł i cisnął papier na biurko. Ann wzięła go, patrząc na kolegę pytającym wzrokiem.

– Tak, psa – potwierdziła i zaczęła czytać.

Pierwszym, co rzuciło jej się w oczy, było nazwisko Julio Piñeda.

– Co to jest? – zapytała, podnosząc głowę.

Dokument był napisany po hiszpańsku.

– Znaleźliśmy to u Mortensena.

Ann przebiegła tekst wzrokiem. Odgadła znaczenie pojedynczych słów, lecz ich kontekst był niejasny. Julio Piñeda, tajemniczy mężczyzna, który nic sobie nie robił z ich wysiłków, pojawiał się tu wraz z jedenastoma innymi nazwiskami.

– Rozmawiałem z Riisem – powiedział Berglund. – Zna trochę hiszpański. Najpierw myślał, że to lista personelu, ale potem nie był już tego taki pewny.

Jeszcze raz przeczytała nazwiska i zapytała:

– Więc kim oni są?

– Riis sądził, że to coś w rodzaju dziennika szpitalnego.

„Doznaliśmy wielu cierpień", przypomniała sobie słowa Piñedy.

– Republika Dominikany – powiedziała, a Berglund skinął głową.

Nagle przyszła jej do głowy przerażająca myśl. Może te doświadczenia przeprowadzano nie na małpach, lecz na ludziach? To tłumaczyłoby uśmiech na twarzy Jacka Mortensena. Kiedy zaczęli mówić o doświadczeniach na małpach, zrozumiał, że policja nie ma pojęcia, czym naprawdę się zajmowali.

– Czy może chodzić o doświadczenia na ludziach? – zapytała.

– Nie, do diabła, to niemożliwe – wymamrotał Berglund, wyjmując dokument z rąk Ann i próbując się w niego wczytać.

– Zadzwoń po tego tłumacza Chilijczyka. I poproś Beatrice, by ściągnęła tu Teresię Wall.

Berglund od razu wstał i wyszedł z pokoju.

Eduardo Cruz pobladł, kiedy przetłumaczył dokument słowo po słowie. Siedział naprzeciw Ann i patrzył raz na nią, a raz na dokument z miną, jakby sądził, że to tylko kiepski żart z jej strony.

Zająknął się przy kilku terminach naukowych i powiedział, że nie rozumie wszystkich słów, ale kontekst jest jednoznaczny. Dokument był rzeczowy i chłodny, bez żadnego osobistego komentarza. Przeprowadzono badania medyczne na dwunastu mężczyznach w wieku od czterdziestu czterech do sześćdziesięciu ośmiu lat. W krótkich, treściwych zdaniach opisano stan ich zdrowia. U trzech z nich, między innymi u Piñedy, wystapiły poważne skutki uboczne. Była mowa o porażeniu, skurczach i atakach drgawek.

– Co za okrucieństwo – powiedział cicho Eduardo. – Co za okrucieństwo.

– Jak naziści i ich eksperymenty – rzekł Ottosson.

Stał przy oknie.

– Mój ojciec chorował na parkinsona. Miał problem z koordynacją ruchów, czasem przystawał, nie mogąc iść dalej. Pojawiły się drżenia i ochrypł. Pod koniec doszły halucynacje i koszmary senne od leków.

Szef wydziału odwrócił się i spojrzał na Ann. Miał łzy w oczach i Ann podziwiała go za to, że tak otwarcie okazał wzruszenie.

– To ludobójstwo – odezwał się Eduardo. Jego obcy akcent stał się wyraźniejszy pod wpływem silnych emocji. – Oni myślą, że biedni ludzie nie mają duszy.

Ottosson popatrzył na niego tak, jakby powiedział coś bardzo ważnego.

– Tylko ciało, którym badacze mogą się bawić – ciągnął Chilijczyk.

– Pieniądze – rzekł Ottosson. – Pieniądze rządzą. Dusza jest tania. Jeśli możesz zarobić koronę lub pesetę na czyimś cierpieniu lub śmierci, nie ma żadnych przeszkód.

– Przecież oni mają ratować życie – powiedział Eduardo. – Są lekarzami i badaczami. Ale to prawda, co mówisz – dodał, jakby chciał sprostować własny idealizm. – Widziałem to w moim kraju, kiedy Pinochet przejął władzę.

– Pares znaczy porażenie – odezwała się Ann.

Popatrzyła na listę nazwisk. Ottosson miał rację. W zestawieniu były tylko cyframi. Kim był ten Julio Piñeda? Jaki miał zawód? Jak wyglądał on sam i jego rodzina? Napisał tamten list, by szukać sprawiedliwości, ale może nigdy jej nie znajdzie.

Tego samego wieczoru Ann zadzwoniła do Antonia Moyi w Maladze i powiedziała mu o przyznaniu się Mortensena do winy oraz o odkryciu, że firma prowadziła doświadczenia na ludziach. Hiszpański policjant słuchał jej relacji, nie przerywając, a potem długo milczał. Ann myślała przez moment, że połączenie zostało przerwane, ale wtedy Moya zakaszlał.

– Wstydzę się za rodzaj ludzki – odrzekł tylko.

Nie okazał większego zdziwienia makabrycznym zwrotem, jaki przybrało śledztwo i Ann pomyślała, że może wiedział już wcześniej o doświadczeniach w Republice Dominikany.

Obiecał, że jutro rano ściągnie de Soto z UNA Medico na przesłuchanie. Ann powtórzyła swoje zaproszenie do Szwecji. Moya podziękował, choć bez entuzjazmu, i zakończyli rozmowę.

W jego głosie dało się słyszeć zmęczenie i pewną rezerwę. Domyślała się, że jego sytuacja w pracy jest co najmniej równie trudna jak jej, lecz nie mogła opanować uczucia lekkiej irytacji z powodu jego powściągliwej postawy.

W drodze do samochodu spotkała Beatrice.

– Co tam u ciebie? – zapytała Beatrice i Ann nie podobało się jej badawcze spojrzenie.

– Zmęczona – odrzekła krótko.

– Czy mogę cię o coś spytać, Ann? Jesteś w ciąży?

Ann poczuła, jak dosłownie opada maska, którą nosiła, mięśnie rozluźniają się i pokazują jej prawdziwe oblicze.

– Tak – powiedziała i w tej samej chwili odczuła ogromną wdzięczność dla koleżanki.

– Czułam to – rzekła Beatrice. – Co na to Edvard?

Ann zaczęła płakać.

– Nie chce tego dziecka? – zapytała Beatrice.

– Nie jest jego.

– O cholera.

Beatrice rzadko przeklinała. Kiedy Ann opowiedziała jej o wszystkim z wyrazem rozpaczy na twarzy, podeszła i objęła jej ramiona.

– Czy na pewno jesteś w ciąży? Zrobiłaś test?

Ann pokręciła głową. Nie mogła się do tego zmusić, ale po Beatrice było widać, że rozumie.

– Zrób go najpierw – powiedziała. – Wtedy będziesz mieć pewność.

Ann pokiwała głową. Czuła się jak nastolatka.

– Musisz dbać o siebie – rzekła Beatrice. – Masz tylko jedno ciało i jedno życie.

– Wiem – odrzekła Ann schrypniętym głosem.

Rozstały się i Ann wsiadła do samochodu ze sprzecznymi uczuciami. Chciała dalej rozmawiać, a jednocześnie być sama. Spojrzała na koleżankę, która pomachała jej ręką na pożegnanie, wyjechała z garażu i znikła z pola widzenia.

Następnego dnia przeprowadzili kolejne przesłuchanie pobladłego Mortensena. Zaprzeczał temu, że wiedział o doświadczeniach na ludziach i znał dokument, który znaleźli w jego domu.

– Nigdy go nie widziałem – twierdził z uporem przez pierwsze dwie godziny, po czym całkiem umilkł.

Potwierdził swoje przyznanie się do zamordowania Gabrielli, lecz poza tym odmawiał współpracy. Dostał do pomocy adwokata, ale ten głównie milczał, jakby nie potrafił zrozumieć, że jego klient jest zamieszany w tak poważne przestępstwa. Na koniec Mortensen powiedział, że nie chce żadnych odwiedzin.

Po lunchu odebrali telefon od Moyi.

– Przedyskutowaliśmy wszystko dziś rano – zaczął tym samym zmęczonym głosem co wczoraj. – Zapadła decyzja, że nie będziemy tego dalej drążyć.

– Co to oznacza? – zapytała Ann, wstrzymując oddech.

– Zamierzamy zintensyfikować poszukiwania Urbano, ale nie zrobimy nic w sprawie Republiki Dominikany.

– Ale dlaczego?

– Nie mogę tego skomentować – odrzekł Moya. – Nie odpowiadam za tę część śledztwa, ponieważ dotyczy stosunków z innym krajem.

– To niepojęte – powiedziała Ann. – To oznacza, że wszystko zostanie zamiecione pod dywan.

– Nie można tego zakładać – odrzekł Moya, lecz ton jego głosu zdradzał, że podziela jej zdanie.

– Bardzo mi przykro – dodał – ale nic nie mogę zrobić. Przynajmniej nikt nie umarł.

Zakończyli rozmowę w formalny sposób. Ann obiecała, że prześle przetłumaczone wydruki z przesłuchań Mortensena, informacje, które mogą się przydać Hiszpanom w ich śledztwie, a Moya ze swojej strony obiecał, że da znać, jak tylko pojawi się coś nowego.

Ann Lindell poszła do Ottossona i powiedziała mu o telefonie z Hiszpanii. Po chwili milczenia chwycił słuchawkę i zadzwonił do komendanta.

Trzy godziny później przyszedł faks z Głównego Zarządu Policji. Rozwlekły jak zawsze, ale meritum było takie, że hiszpańska policja odpowiada formalnie za śledztwo dotyczące Dominikany. Ewentualne naruszenia prawa, jakie miały miejsce, zostały popełnione przez hiszpańskie przedsiębiorstwo. Podkreślił to intendent Morgan z GZP.

Ann próbowała się dodzwonić do Adriana Mårda, lecz jej się nie udało i wyszła z komisariatu, z nikim nie rozmawiając. Na dworze zaczęło padać. Temperatura nieznacznie przekraczała dziesięć stopni.

Na Gräsö Edvard Risberg siedział oparty o kurnik z wyciągniętymi przed siebie nogami. Viola wykopała pierwsze młode ziemniaki. Nad archipelagiem wiał silny północno-wschodni wiatr. Edvard czuł już pierwsze krople deszczu na twarzy.

33

Kury spokojnie dziobały pod drzewem mango. Julio Piñeda patrzył na nie obojętnym wzrokiem. Synowa posadziła go w cieniu między drzewami. Dwóch jego wnuków hałasowało. Pewnie pomagali przelewać miód do butelek.

Szwed nie żył. Teraz już to wiedział. Przyszła policja, by mu o tym powiedzieć. Projekt domu dla poszkodowanych rozwiał się jak dym. Dla niego nie miało to już znaczenia. Śmierć zawita niedługo, miał wrażenie, że czuje jej zapach. Ręce i nogi już go nie słuchały i z trudem można było zrozumieć, co mówi. Wnuki patrzyły na niego ze zdziwieniem, kiedy próbował coś powiedzieć.

Śmierć przyjdzie niedługo, myślał już bez strachu, choć chciałby oczywiście pożyć jeszcze parę lat. Teraz, kiedy drzewa zaczęły naprawdę obficie owocować i zebrali dość materiałów, by zbudować ten mały sklepik przy drodze, w którym turyści mogli kupić miód i świeże owoce.

Myślał o tym, by oprowadzać zadziwionych Europejczyków, Japończyków i Amerykanów po sadzie, opowiadając im o swoich uprawach i pokazując, jak zgnieść i obrać orzech kokosa. To miałoby swoją wartość. Stary człowiek w przetartych spodniach i poplamionej koszuli, ale z maczetą w dłoni. Wnuki chodziłyby razem z nim, pomagały, a potem dostawały za to zapłatę.

Teraz przejęli to inni. Zapłacili mu, by wziął w tym udział. Rzucili równowartość półrocznej pensji, jakby to była reszta w barze. Kupili Julia i jedenastu innych mieszkańców wsi. Teraz Szwed nie żył, a Julio wkrótce pójdzie za nim. Może się spotkają po tamtej stronie, gdzie wszyscy są sobie równi. Może na tamtym świecie także jest mango, melony i banany.

A może jest jak kraj Szweda, jałowy i zimny?